同治皇帝

钮钴禄氏接过董元醇的折子认真看了起来。

那拉氏又开始看匡源和焦佑瀛两人合写的折子。刚才温和的脸变得通红，继而又惨白，最后是铁青，看完之后往案上一甩：

"真是岂有此理！"

钮钴禄氏看完两份折子脸色也十分凝重，半晌不语，她知道董元醇的折子是奕䜣授命，也很合她们姐妹的心意，但反对的人也一定不少，八大臣首当其中，匡源与焦佑瀛已经向自己发出挑战。

"以妹妹之见如何对付这两份折子呢？"

"咱姐妹将董元醇的折子扣而不发，只把匡源与焦佑瀛的折子退回就可以了，我们不给，肃顺估计我们姐妹有听政之心，一定前来找我们，那时再与八大臣理会。"

钮钴禄氏也认为可行，点头称是。

果然不出所料，八大臣见折子扣留在两宫太后那里没有下发，知道太后已有听政之心，便上殿与两宫太后驳辩。

肃顺径直问道："请两宫太后将董元醇的折子驳回，此折纯是一纸胡言乱语，不可理喻，望太后以大局为重，万万不可轻信谗言做出有伤国体的事来。"

钮钴禄氏太后恼了，"董元醇的折子言之有理，说之有据，怎能说是一派胡言，本宫以为匡源与焦佑瀛的折子才是一派胡言呢？"

不待肃顺反驳，匡源率先说道：

"太后此言差矣！我朝自太祖以来已历十代尚无皇太后垂帘听政的先例，就是受万民敬仰的孝庄皇太后也只是在深宫之中教诲顺治爷与康熙爷两代皇上。两位太后与考庄皇太后相比怎样？如果临朝听政岂不是不自量力，恐怕遭天下人所讥笑，请太后收敛此心，以后宫贻养天年为怀。"

西太后那拉氏一见，匡源出语狂傲，也大为不敬，十分
生气，尖酸地说道：

"匡源，你身为军机大臣、吏部左侍郎，自称早年饱读
经书，学富五车，才高八斗，经史、子集无所不通，诸子百
家无所不晓，有安邦定国之才，经天纬地之识；怎么如此鼠
目寸光，只懂眼前不解远古。我朝没有太后听政，难道，历
史上就没有吗？本宫虽是一妇人，也没有什么远大见识，更
是少读经书，但也知道历史上太后听政之事是比比皆是。汉
代有和常之后，顺帝之后听过政，晋朝康帝后也听过政，辽
国的景宗皇后，兴宗皇后也垂过帘。宋朝的几位皇后就更不
用说了，宋真宗之后、仁宗之后、宋英宗之后不都临朝协助
幼皇处理国政吗？即使历史没有先例，难道后人就不能推陈
出新吗？如果没有第一个吃螃蟹的人，只怕匡侍郎尚不知螃
蟹怎么吃呢？本宫认为董元醇主张的太后垂帘听政是减少与
避免个别权臣独揽朝政蒙蔽皇上的可行办法。"

西太后的这番话说得匡源面红耳赤，自己身为七尺男子
汉，又满腹经纶却没有论过一个女流之辈，深感窝囊。那拉
氏虽是太后，但是靠大行皇帝的宠幸获得的殊荣，她有何能
奈居于此位？匡源看轻了西太后，却自找屈辱败了下来。

焦佑瀛一见匡源竟没有论辩过一个弱女子，十分不服
气，站起来说道：

"董元醇提出的太后垂帘听政是对大行皇帝不恭不敬。
先皇尸骨未寒，遗命就废人所废，妄图篡改先皇遗诏而擅权
江山社稷，欲行吕雉后尘、步武则天老路，实在是愚笨之举
措，犹如螳臂拦车、蜉蚁撼树，不自量力，缺少自知之明！
董元醇是受留京的二心之人所使，才如此胡言乱语，提出什

么垂帘听政，另简亲王辅政的谬论，实在是为二心之人攫取权柄提供口舌，太后怎能偏听谗言不明事理呢？"

焦佑瀛聪明得多，他先拿出先帝遗诏压服两宫太后，又用历史上两位女野心家吕后与武则天作比，暗示两人不要搞篡权夺国的阴谋，同时，他又以攻击奕䜣来转移话题，以此迫使两宫太后无言以对。

谁知焦佑瀛话音刚落，东太后钮钴禄氏就厉声喝斥道：

"焦少卿，你还有脸在本宫面前提起先皇遗诏，先皇宾天之际委命你等为顾命大臣，意在寄希望于你等尽心尽责地辅助幼皇，协助我们处理朝政。谁知大行皇帝梓宫尚在野外你等就愧对先皇，违背先皇遗愿，阴谋夺权误国置我等孤儿寡母为你等的傀儡。司马昭之心路人皆知。正是如此，远在千里之外的一个小小御史都看出你们的野心，才大胆地提出垂帘听政，另简亲王辅政的主张，实在是兴国的大计，完全为了大清王朝的长治久安着想，有何不妥？"

杜翰见匡源、焦佑瀛两人仍不能论辩胜两宫太后，也站了出来：

"太后听政不可，另简亲王辅政就更不可！这是奕䜣怀有二心的一个挡门炮，他妄想通过亲王辅政的要求成为皇上身边的权臣，这才暗中指使董元醇递上此折，望太后明察秋毫，不可轻信谗言误国误民。太后请想：这里的所谓亲王显然指奕䜣、奕譞两人，倘若二人能够辅政，先皇为何不在遗诏中任命他们为赞襄政务的顾命大臣呢？奕䜣在京留守，先皇对他的种种做法都将信将疑，认为奕䜣怀有二心，而事实也确实这样。先皇在临终前再三告诫我等务必防范，奕䜣听到大行皇帝崩驾的消息后有所行动，因此，没有让他到热河行在拜谒梓宫，唯恐他以拜谒梓宫为名做出不义之举。假若两宫太后重新起用奕䜣，这不仅违背了先皇遗愿，也是为野心人提供方便之门，只怕将来悔之晚矣！请两位太后三思而后行。”

杜翰吸取匡源与焦佑瀛两人的教训，语言稍稍缓和一些，以攻击奕䜣，离散两宫太后对奕䜣的信任，从而瓦解对六阵营，达到驳斥折子的目的。

那拉氏可不理杜翰这一套，她冷笑道：

“杜侍郎，大行皇帝为何没有任命奕䜣与奕譞为顾命大臣，直到临终仍然对两人有成见？这里面你应该清楚。你身为军机枢臣，却当面一套背后一套，屡屡进谗言、挑拨大行皇帝的手足情，从而蒙蔽先皇，以谗言取得先皇的信任而挤入顾命大臣之列，不知悔过。如今又花言巧语来欺骗愚弄我们姐妹，离散我等与众亲王的关系，居心何在？”

杜翰见自己来软的不行，有点火了，大声叫嚷说：

“不要敬酒不吃，吃罚酒，倘若听信他人谗言，我等决难奉命！”

肃顺也猛地折断手中的折扇，厉声说道：

“西太后不必如此嚣张，先皇当初就看你有篡权夺位之心准备将你赐死，你侥幸活到今天实属先皇一时发夫人之仁。你如今怂恿东太后垂帘听政根本不是为皇上着想，更不是为大清国的二百年基业着想，纯粹为了个人一己私心，今日没有掌握大权就如此狂妄贪权，只怕日后比武则天还心毒手辣呢？”

那拉氏不待肃顺说下去，随手抄起案上的茶杯向肃顺掷去，骂道：

“肃六贼子，你敢辱骂本宫欺凌我孤儿寡母罪当诛杀！”

那拉氏说着，把茶杯砸向肃顺头一偏躲过那扔来的茶杯，啪地一声砸碎在地。

幼皇载淳哪见过这场面，哇地一声大哭起来：

"额娘，皇额娘，我怕，我怕！"

钮钴禄氏急忙把吓哭的皇上抱在怀里，用手轻轻一摸：

"呀！皇上吓尿裤子了。"

怡亲王知道这事暂且解决不了，向其他几人使个眼色，说道：

"走！"

八大臣气哼哼地退了出去。

钮钴禄氏着人给载淳换上一套新衣服回来，见那拉氏泪流满面地坐在空荡荡的大殿里一动不动，拍拍载淳，示意他去叫走额娘。

小皇帝怯怯地走到额娘跟前，拉拉额娘衣襟说道：

"额娘，回房休息吧，别伤心了。你哭皇儿也想哭。"

那拉氏抬眼看看脸上挂满泪水的载淳，一腔委屈哇地哭了出来，一把抱住载淳大声地抽泣着。

载淳一边为额娘抹眼泪，一边流着泪安慰说：

"额娘不哭，额娘乖，不哭！"

钮钴禄氏也过来安慰说："妹妹回房歇息吧，听政一事也不是一时能够解决的，如果我们姐妹争取不到就算了吧。唉，谁叫咱们是女人的。"

那拉氏止住哭泣。边擦泪边说道：

"姐姐万万不能说这些丧气话，如果我们让步了，他们便以为我们姐妹也不过如此，更不会把我们放在眼里，那今后的日子就更难过了，事事总得努力争取，哪有一帆风顺的事呢？坚持下去也许就会胜利的。"

"唉！妹妹说得也是，不是姐姐没有信心，做事也不必一定要顶尺顶寸的，也要讲个策略。奕䜣不是让我们再苦再难也要委屈一下吗？等到了京师再与他们几人作较量，争个高低胜负，现在不是争胜的时候，这垂帘听政的事就暂且退让一步，也让他们放松警惕，麻痹他们，到了收网的时候再让他们知道咱们姐妹的手腕。谁笑到最后谁笑得最好，先流几滴眼泪算什么，妹妹你说是吗？"

那拉氏点点头，"妹妹听姐姐的安排就是。"

钮钴禄氏说服了那拉氏，暂时向八大臣退让一步，同意取消垂帘听政的提议，将董元醇的折子驳回。这样，八大臣才恢复正常的工作。

肃顺等人见两宫太后终于屈服，老老实实地按照他们的心意做事，十分得意，言谈举止更加骄横，也更不把两宫太后放在眼里。

与此同时，肃顺为了达到他总揽朝政的最大目的，悄悄进行了另一个行动计划。

又是中秋。

一轮皎洁的明月高挂南天，朦胧的月光给紫禁城披上一层神秘的面纱。虽然又是一年一度的中秋佳节，今年的这一节日宫中异常冷清，丝毫也没有节日的气氛，既没张灯也没挂彩，只在几个主要宫殿外挂起几缕白帐和黑纱。

大行皇帝的梓宫仍在热河，举国致哀，万民同悲，留守宫廷的一些太监宫女们仿佛无头的苍蝇，谁敢大吃大喝猜拳行令度佳节呢？

太监总管崔长孔听到咸丰皇帝宾天的噩耗痛苦一顿，在恭亲王的指使下在宫中象征性地搭起灵幡，偶尔也进去坐坐摆个样子，大部分时间就是睡觉抽烟喝闷酒。

　　借酒浇愁愁更愁，这话一点不假。崔长孔怎能不发愁呢？大行皇帝宾天，他唯一的靠山失去了，一朝天子一朝臣，两宫皇太后各有自己的心腹，回京后他这个太监总管还能不能当上实在两可之说。随便抓他一个错将他宰了或赶出宫帏简直是举手之劳。几十年的宫廷生活，崔长孔对这些早已司空见惯，仅从他手中掩埋掉的宫女太监尸首也不下百人，也许是自己遭的罪太深了，要报应到自己头上了，崔长孔总预感着自己要倒霉。

　　今天晚上，他又多灌了两杯二锅头，懵懵糊糊地刚躺下，就听到有人砸门：

　　"崔总管，崔总管，开门，开门。"

　　"谁呀？深更半夜鬼嗥个啥？"

　　"崔总管，是我刘二寿。"

　　崔长孔一惊，酒醒了大半，急忙爬了起来。他知道刘二寿随咸丰皇上皇后去了热河，如今突然回京深夜来见必有大事。

　　崔长孔打开门让刘二寿进来。

　　崔长礼一见刘二寿一身夜行者打扮，惊问道：

　　"刘二寿，你不在热河行宫，深夜来此有何要事？"

　　"回总管大人，小的是奉肃顺肃大人之命携到此肯求崔总管来的。"

　　"到底何事？"

　　"传国御玺丢失一事不知崔总管是否有所耳闻？"

　　崔长孔又是一惊，安德海因为泄露御玺丢失一事被杖责押回宫中议审，这实际上是两宫太后与安德海合定的苦肉计，那传国御玺保存在钮钴禄氏皇太后那里怎么会丢呢？

崔长孔不动声色地问："我从安德海口中得知一二，详情并不知晓。"

刘二寿点点头，"崔总管，如今热河行宫的局势你可能有所不知，自从先皇崩驾之后形势大变，八大臣总揽朝政，皇上无知，两宫太后无权，大小臣公唯八大臣唯命是从。顺其者昌，逆其者亡，不久先皇梓宫就要运送京师，满朝文武也将回京，崔总管应该给自己找条后路呀？"

崔长孔叹息一声，"我一个太监还有什么后路，这太监总管也不是什么大不了的官，让当就当，不让干就算。"

"崔总管，话可不能这么说，人往高处走，水往低处流，谁不想升官发财呢？何况崔总管有这个地位也有这个机会，何不识时务者为俊杰，抓住时机，百尺竿头更进一步！"

"二寿，啥机会？你说说看。"

"肃大人对传国御玺一事特别感兴趣！小的就向肃大人保举了崔总管，肃大人便令小的彻夜赶回京师找崔总管查寻一下御玺的下落，据估计，御玺可能在畅音阁或养心殿，是咸丰皇上仓促离宫时忘在宫中了。如果崔总管能帮助肃大人找到传国御玺这是奇功一件，何愁将来不能升官发财？"

刘二寿说着，打开随身携带的一个包裹，一堆澄黄的金子展露出来。

"崔总管，这是肃大人让小的带来的一点意思，务必请崔总管收下，事成之后必有重赏。"

崔长孔对热河的局势确实摸不透，他从留京官员的谈论和安德海的口信中知道热河形势十分严峻，鹿死谁手一时尚难分辩出。

"两宫太后知道这事吗？"

"嘿！崔总管，形势到了这地步你怎么还不明智，别说两宫太后无权过问这事，她们能否稳坐太后之位还很难说呢？热河的大小官员谁不见风转舵，惇五爷都倒向了八大臣，一般官员就更不用说了，我们这帮下层人员早就成为肃大人的人了。你再不当即立断，待肃大人回京后还有你的活命吗？"

崔长孔真的有点心动了，但他走过的桥也比刘二寿走过的路多，不到万不得已的时候是不可能摊牌的，万一形势判断不准或有什么突然的变故，投错了主子，因为这样死的人还少吗？

"这金子我暂且收下，肃大人所托之事我也尽力去做，能否找到就很难说了，也许被皇上丢在圆明园里化为灰烬了呢？"

"倘若那样岂不太可惜了？"

"你回去转告肃大人，让他再详细了解一下，也许御玺没有丢呢？我先在宫中四处寻找寻找。"

崔长孔这几句话是为自己留条后路，他原准备实话相告刘二寿，那御玺根本没有丢，是两宫太后的苦肉计，话到了嘴边还是咽下肚里。

"就你一人来京吗？"崔长孔又问道。

"不瞒崔总管，与小的一同回京的还有两人，王闿运和曹毓英，他们都是肃大人的门客，也是心腹之人。"

"他俩来京有何贵干？"

"曹毓英负责联络僧王爷和胜保将军，王闿运准备去江南联络两江总督曾国藩，只要这三人站在肃大人一边，肃大人就可以大权在握总揽朝政了，两宫太后与当今幼皇就只是一个摆设了。"

崔长孔见刘二寿说话之间眉飞色舞，仿佛不是肃顺掌权，而是刘二寿掌权一样。心道：肃顺任用这种胸无城府之人如何能成大事。

送走刘二寿，崔长孔睡意全无，他思考再三决定明哲保身，脚踏两只船，根据形势进一步演变再决定个人倾向，反正自己在深宫之中，远离政权斗争的核心，待众人回京之后再讲下一步行定，当务之急将刘二寿泄露的机密报告给恭王爷。

中秋佳节之夜，恭王府也是一片冷清，没有丝毫的节日气氛。但恭王的书房里却气氛热烈，众人正在筹划一件扭转乾坤的大事。

奕䜣对众人说道："根据曹毓英从热河带来的消息，董元醇的折子达到了预期的目的，起到投石问路的作用，八大臣果然暴露了专权篡上的野心。我们现在所要做的事就是先散播出舆论，说京师官员也反对董元醇的提议，让肃顺等人对京师放松警惕，然后暗中准备擒拿奸人的工作。"

"据说兵部侍郎胜保和科尔沁亲王僧格林沁等人都收到肃顺等人发出的谕旨，允许他们去热河拜谒梓宫，这是肃顺在拉拢几位有兵权的大员，恭王可想到如何对策？干大事没有武力作后盾是不能成功的，请恭王尽快想出办法离散他们的联盟，尽可能将几位带兵大员争到我们阵营来。"

奕䜣向睿亲王仁寿点点头，"王爷说得极是，但也请王爷放心，僧王爷已经与我取得联系，他坚决站在太后一方，胜保将军也同在下商谈过，与我们留守的官员保持一致，共同对抗八大臣。"

"曹毓英已经同胜保长谈过，曹毓英把肃顺种种骄横专权的表现全部告诉了胜保将军，胜将军十分气愤，准备亲自去热河一趟，以拜谒梓宫之名了解详情，为下一步行动作好武力准备。"奕䜣又进一步说道。

"那两江总督曾国藩呢？"周祖培问道。

奕䜣略显不安地摇摇头，"至今不见他的明确答复，听说肃顺派心腹王闿运亲自去游说曾国藩。"

桂良见奕䜣略有愁苦之心，安慰说：

"恭王不必多虑，王闿运游说的成与败对擒拿肃老六均无大碍。曾国藩一向以明哲保身而闻名，对目前局势没有太多的偏斜之前，他是不会轻意作出反映的，谅王闿运一个晚辈之人，如何说动起大名鼎鼎的曾国藩。就是曾国藩有偏向肃顺等人之心也无心回兵北上，南方洪贼正乱，死死困住长江一带的势力，曾国藩自救不暇，何来精力回师兵戈？"

奕䜣一听桂良分析的在理，心头的一块病掉了，但仍谨慎地说：

"还是小心一些为好，如果曾国藩与肃顺等人联盟，他拥兵在外，放过洪匪北上那可后患无穷啊。"

"恭王小心谨慎是正确的，谅曾国藩不会走此下策的，他与肃顺等人交往甚少，对肃顺做法一向颇有微词，怎会在关键的时候置身家性命与一生富贵不要而走向乱臣贼子之路吧？恭王对太平妖匪的顾虑也不必放在心上，从江南传来的消息，洪匪最高层领导之间内讧，杨秀清被杀、韦昌辉被诛，石达开带兵出走金陵，洪秀全这个逆贼自顾不暇，恐怕再无北上西征之心，只求江南自保呢？"

奕䜣叹息一声，"反贼内讧，我朝不也是为权而斗吗？谨望早早除去弄权朝政的奸人，集中兵力南下剿灭洪匪，收复洪匪掠去的疆土，重振大清的国威。"

奕䜣虽然嘴上这么说着，内心也十分矛盾痛苦，对大清国的命运充满忧虑之情。

众人又就迎驾回銮和护送梓宫一事认真分析一下，斟酌捕拿八大臣的最佳方案。

众人正在讨论着，侍从人员来报说大内总管太监崔长礼来见恭王。奕䜣知道崔长礼突然到此一定有什么大事来报，难道热河有人送来什么重要的信息，奕䜣立即到另一偏房等候崔长礼。

崔长礼把刘二寿所说的情况讲一遍，奕䜣已从曹毓英那里了解一二，经崔长礼这么一说，情况完全证实了。

崔长礼询问奕䜣如何应付肃顺寻找传国御玺的事，奕䜣思考一会儿说道：

"先告诉肃顺，就说正在尽力寻找御玺，待到回銮之日再通知肃顺，就说御玺已经找到，为了防止两宫太后先行入宫拿走，请他速派人取走。"

奕䜣又告诫崔长礼需要注意的几件事，并再三叮嘱一番才让他回宫。

奕䜣回到书房，又把崔长礼奏报的事同几人讲一遍，众人对曹毓英的疑虑打消了，对胜保赴热河一事也完全放下心。

奕䜣详细听取了几人的建议，对下步拘拿八大臣的计划重新作了布置。万事俱备，只欠东风，只等热河回銮的人马开赴京师，一张严密结实的天罗地网就可收网了。

热河芳园居

肃顺、端华、载垣等大臣正在讨论幼皇载淳登极大殿和回銮京师的事，他们八人的意见出现了分歧。

杜翰反对说："如今京师情况不明，匆匆回銮实在是下策，倘若京师有变，后悔都来不及了，只会束手就擒，请你们三思。"

肃顺自信地说："杜大人就放心地回去吧，陈孚恩从京中送来信，京中有许多王公大臣反对两宫太后垂帘听政，要求将董元醇解职治罪呢？据报，曾国藩、左宗棠等人也坚决反对太后听政。胜保就不用说，拜谒梓宫私下同我商量阻止太后掌权一事。有这几位拥兵的一品大员倾向我们，杜大人还怕什么？"

杜翰仍然在摇头，"不知为何，我一直感觉胜保这老家伙不可靠，他曾是大行皇帝的红人，也曾和西太后那拉氏交往过密，如今又倒向我们，这里面可否有什么阴谋？先查清再回銮也不尽，何必盲目回京呢？京师都是奕䜣的势力呀！"

载垣说道："胜保是个见风使舵的人，这一点也是人人共知的，他见两宫太后大势已去，转而投靠我等也可以理解，他要寻找我等的势力作靠山，我等正好利用他手中的兵权做后盾，护送回銮的兵马正准备调用他的呢？"

杜翰一听，大惊失色，"万万不可，万万不可！对北京的情况没有完全了解前，万万不能使用来自北京一带的军队护驾，如果胜保早已与奕䜣等人串通好，故意引诱我等上钩的。上胜保护驾不就是引狼入室吗？路中兵变我等必然束手就擒。"

端华点点头，"杜寺郎言之有理，我看就不用胜保的军队，另调新的兵丁护驾。"

肃顺不高兴了，"用人不疑，疑人不用，何况我等已经与胜保讲定，调他的军队前来护驾，胜保也爽快地答应了。如果现在拒绝使用胜保的人马而另调他人，胜保见我等出尔反尔对他信疑参半，一怒之下再与奕䜣合作对我等发难，岂不把好事做成坏事?"

"那该如何?"端华问道。

"那就令他护送大清皇帝梓宫,我等另派人护驾皇上和太后,只要把他们扣在手中,谅奕䜣也不敢轻举妄动!"穆荫建议说。

肃顺也认为穆荫的建议可行。

杜翰沉默了许久又问道:"能否将回銮日期改动;再后推一段时间,或先将大行皇帝梓宫扶送回京,太后与皇上暂不回銮呢?"

景寿急忙说道:"这样恐怕不合适吧,要回銮都回、要不走都不走,不能先运走梓宫后仍将两宫太后与皇上留在热河行宫,那样做会招致天下人非议,认为我等有"挟天子而令诸侯"之心。假如有人打着"拥君清侧"的旗号兴兵问罪我等作何解释,千古骂名何人独担?"

肃顺也认为杜翰的想法不可取,安慰说:

"杜翰请放心,京中的实情我已了如指掌,派出几批密探打听动向,反应几乎一致,奕䜣孤掌难鸣,无法与我等抗争,其余人事不关已高高挂起,明哲保身,但求安稳,一些见风使舵之人都投靠了我们,包括大内总管崔长礼都是我在宫中的内线,那日传来话,给我完成一件大事呢?"

肃顺没有把崔长礼帮他找到传国御玺的事说出来,他准备独自占有它,为将来的那桩事暗暗作准备。

肃顺见杜翰对回銮一事仍心存顾忌,进一步解释道:

"两宫太后及留京大臣已经多次请求回銮之事,这回銮日期已经确定并谕旨通告天下,怎好再随便更动呢?那样做不又给两宫太后留下非议的把柄,私下咒骂我等专权呢?"

"正是由于两宫太后回銮之心如此急切才令我猜疑呢?"

肃顺笑了，"杜兄不必多虑了，自去年离京至今一年有余，别说两宫太后，就是你我何偿不想回京呢？这里地处塞外，地气寒冷，度夏避暑尚可，过冬实在不宜，眼看又近冬日，两宫太后回銮心切一是感到此地天凉与身体不适的原因，另一点就是痛失先皇，不忍再让大行皇帝梓宫漂泊塞外，希望早日扶送京师罢了。"

杜翰不再作声。

八大臣各自散去不久，惇亲王奕誴走了进来，老远就冲着肃顺喊道：

"肃六，请我喝酒吧，我可以告诉你一个秘密。"

肃顺笑了，"王爷，想喝酒还不是一句话吗？什么酒尽管说，是二锅头、茅台、杏花村、女儿红，还是状元红、杜康？先把秘密告诉我，让我听一听可是秘密才给酒喝呢？"

"当然是秘密了，肃六，有人要杀你呢？让我陪你喝杯酒吧，现在不喝，待你被人杀后只怕想喝还喝不上呢？"

肃顺以为奕誴同他说笑，也不放在心上，把头一伸，笑着说：

"谁想杀我来杀吧？只要他有能耐把这头杀掉，只怕还没有人有这个胆。"

"好好，既然你肃顺不怕死，我也不说了，今天的酒也不喝了，待到你杀头之日我再陪你喝吧。"

奕誴说着东倒西歪地走出门来，肃顺见他整日都喝成这个样子，对外边的事都是不闻不问，也无可奈何地摇摇头：

"唉，人到这个地步与猪狗无异，何不早早离开人间呢？于己于他人都不错！"

吏部侍郎黄汉见惇王爷摇摇晃晃地走远了，也向肃顺建议道：

"肃大人，惇王爷的话也许有道理，不能不防啊！害人之心不可有，但防人之心不可无，还是小心为上，万万不能让两宫太后打个措手不及。"

肃顺笑了，拍拍自己的脑瓜说：

"这个玩艺还没有老化，一切都布署停当，不会有何闪失的，万万不要听老王爷胡言乱语扰我军心。"

"肃大人，也许老王爷是故意这么说的，通过这种方式提醒肃大人注意事件动态。也许老王爷是"众人皆醉唯我醒"吧，有备无患！"

"既然黄侍郎再三提醒我注意有人为难我等，那就多调几支人马来热河护驾，分三路来往照应护驾，以备不测。"

肃顺经几人这么一提醒，心中也有几分的顾虑，颇有点后悔同意两宫太后、小皇上回銮了。

肃顺找到载垣和端华，把自己的担心说了出来，两人也害怕起来，不怕一万，就怕万一。

"怎么办？必须想法寻找解救措施！"端华催促说。

肃顺心一横说道："如今的解救措施只有一个，就是围攻两宫太后把持载淳，从而号令天下，引诱留京的王公大臣到热河为幼皇举行登基大典，然后对他们全部抓起来，与我等同心同力者放出来加官进爵使用，逆我等者全部杀掉！"

"不可，万万不可！这是逆天下之大不讳，要留下千古骂名的。"载垣阻止说。

"有什么不可，无毒不丈夫，自古成大事之人哪个不是心狠手毒？哪一位登上九王之尊的帝王不是两手沾满鲜血，父子兄弟都可相杀，更何况是他人？李世民玄武门之变弑兄即位，宋太祖赵匡胤的江山也是从柴家孤儿寡母手中夺得的，明成祖朱棣逼死侄儿朱允炆才得以拥政北京。这些且不说，就是我朝的江山得来又是光彩的吗？太祖起家之时并吞蒙满各部杀过多少人、流过多少血，雍正爷为了自己的皇位安稳置亲骨肉于不顾，兄弟残杀累及几代。如果他们都讲仁义道德、厚良善恭，逞一时妇人之仁，何能有自己的几百年霸业？"

肃顺一口气讲了许多，但载垣与端华两人坚决反对，以下犯上天地不容，会遭报应的。

肃顺哈哈一笑，"报应？上天如果真能够报应，只怕这个时代不会有贫困、凶杀、偷盗、奸淫了，那不过是一些无法改变个人命运惩恶扬善之人发出的无奈呼唤。世上哪有什么报应？哪有什么王法？谁当权谁的话就是王法，谁无能谁就遭到报应！"

肃顺口吐白沫说了许多，可载垣、端华两人只是摇头，肃顺万般无奈一跺脚说道：

"既然你们不愿承担这千古骂名，想当忠臣良相，做正人君子，我也没有办法，只好听天由命了，假如回京被捉只怪我们祖坟没有葬到风水宝地，个人命短。"

端华发话了，"老六，不是我们不敢，也不是我们没有这个心，这事做不得，时机不成熟，仓促行事，只会害人又害己。"

"时机怎不成熟？如今是新旧更迭，先皇崩驾，新皇年幼，孤儿寡母完全控制在我们手中，我们大权独揽，百官俯伏是命，如今不行事，将来新皇年长羽翼丰满，想成大事恐怕没有机会了，说不定我等的命像鳌拜一样悲惨呢？"

"老六，一向认为你足智多谋，善于把握事理，我认为你也平常，在这事上就钻进了牛角尖。先回京再说，等到把几位王公大臣的兵权完全把握在我等手里再行事也不迟。"

"如若回京有变呢?"

"只要我等对新皇和两宫皇太后并不过分,谅他们还不至于给我等反脸动武,正如我们现在对待两宫太后一样,矛盾激化并没有发展到不是鱼死就是网破的地步。特别是这接近回銮几天,对太后皇上的态度尽量平和一些,我们也要适当忍一些吗?小不忍则乱大谋,待回京后从长计议那事。"

肃顺听了端华的话,叹口气:

"就按照你说的做吧,我听从你等安排。"

二、回銮伏机

慈禧太后语带颤音,问道:"荣禄,你还认识我吗?"

亦谋看着肃顺被押上囚车,禁不住哈哈大笑。

一副宽大透明的玉制彩帘轻轻落下,将6岁的皇帝和两宫太后隔离开来。

英王仰天叹道:"天王,我陈玉成有负您的厚望,只有一死尽忠了!"

一八六一年十月二十六日(咸丰十一年九月二十三日)

两宫皇太后及幼皇载淳在热河行宫烟波致爽殿召见了赞襄政务的八大臣,及在热河的所有王公大臣亲王贝勒。

众人朝拜礼毕,钮祜禄氏皇太后看看众人,问道:

"回銮与祭拜之事办理得怎样了?"

怡亲王载垣出班奏道:"一切准备完毕,请太后行祭奠之礼吧,礼毕即可登程。"

钮祜禄氏点点头,"自大行皇帝宾天以来有劳各位王大臣了，特别是八位顾命大臣更是辛劳。皇上年幼，我们姐妹又处于悲痛之中，遇事心乱，难免做出什么不当的言行还请各位王大臣及亲王贝勒多多担待。前几日虽与八位赞襄大臣有点言辞相争，也都是为了一个目的，就是把事情办得更好一些，不辜负先皇遗训，如今想来实在不应该，事情既然过去也就把那些不快之事忘却吧，务必确保回銮一路平安，待回到京师一定论功行赏，各有封赏。”

钮祜禄氏看一眼坐在身旁的那拉氏，那拉氏会意，清理一下嗓子问道：

“回銮仪队和护卫工作是如何安排的?”

端华出班奏道：“銮仪卫由怡亲王负责，统率人马近万人，下属两支卫队，一是热河都统所属的热河、喀喇河屯、察哈尔、木兰围场等地的兵马七千人作侍卫队，另一队就是守护行宫的官兵三千人作仪仗队。肃顺所统辖的前锋营、护军营、以器营、健锐营、虎枪营四千人作侦察响导在前面开道。此外，跟在梓宫与銮驾后面的还有临时调遣而来的扈从部队近万人，主要有黑龙江、吉林、盛京、西安来的马队步队，由直隶总督文煜节制。沿途各州县随时作好接应准备，京师、密云一带有胜保将军带队迎驾。请问太后，如此安排是否还有什么不妥之处，请太后明示。”

那拉氏点点头，“郑亲王如此安排甚当，但新皇之礼仪是喜仪喜乐，彩旗招展，而先皇梓宫却是哀仪悲乐，白幡飘动，两仪相并而行不大合适吧?”

景寿也上前说道：“太后所言极是，以微臣所见不如将梓宫仪列与皇上皇太后仪列分开，喜仪先行，哀仪后至，郑王爷以为如何?”

端华点头说道：“这样也好，只是如此安排我等更要多多费心料理路上事宜了。"

经过商定，由肃顺所率人马扶运先皇灵柩随后，载垣、端华等人保护皇上皇太后先行。

那拉氏很感激地说道："全部回銮总务由郑亲王一人总负责，实在有劳王爷了，待回京之后重赏王爷吧。"

端华一听十分得意，又故意邀功地说道：

"臣不仅事务繁杂，劳心费脑，还要统率三旗兵马，来回奔波。"

那拉氏一见端华中计，立即说道：

"既然郑王爷如此辛苦，为了这回銮的全局统筹谋划妥善，那步军统领一职由他人担任吧。"

端华一怔，但马上说道："这样也好，但不知太后准备让何人代任？"

那拉氏转向钮祜禄氏，"姐姐以为由谁接任较合适？"

钮祜禄装作认真思考片刻的样子说：

"奕譞闲着无事就让他暂劳吧，待回京之后仍由郑王爷担任。"

"就按姐姐所言由奕譞暂且接任步军统领职务。"

那拉氏说着，提高了嗓门对站在旁边的奕譞说道：

"醇王爷，我们姐妹已经同郑亲王商定，因郑王爷事务繁忙，步军统领一职暂由你接任，悉心掌管回銮军务不得有丝毫怠慢！"

"喳！"奕譞兴奋地接过端华手中的调兵令牌。

两宫太后见夺下了端华的兵权，心中都长出一口气，本想再设法夺取载垣銮仪卫、上虞备处的职务，怕引起怀疑没有这样做。

回銮事务协商齐备后，两宫太后和新皇载淳一起在文武百官的簇拥下来到咸丰皇帝灵柩前行奠祭礼。

　　高大朱红的灵柩前黑纱白幔飘动，旌旗幡幢林立，灵位前摆满各种珍玩器皿。全身玄色长袍的两宫太后搀扶着载淳来到灵前跪下。一阵凄婉的哀乐响后，身着缟素的宫女递上酒菜请皇上祭酒。三巡之后，又是全身缟素的宫女上前点燃金箔纸钱，由皇上皇太后祭钱。接着，又拜祭了天灵，如此在繁琐的祭奠之后，两宫太后与皇上才洒泪辞别先皇灵柩。

　　太后、皇上回到仪队坐入御舆，各种车辆马匹早已准备齐全，一声令下，三声隆隆的礼炮声中，回銮的仪队浩浩荡荡直奔京师而来。

　　秋高气爽。

　　一群南飞的大雁从长蛇似的仪队头上经过，啾啾长鸣牵动那拉氏皇太后一腔思绪，秋归秋又回，雁来雁又去，这一年的匆匆时光里，景依旧，人事已非，此番回銮京师能否完全按照自己所臆思的那样呢？她心中实在没底。虽然奕䜣几次暗中传来话万事俱备只欠东风，这"东风"就是早早回銮京城，如今回銮了，奕䜣能够将八大臣一网打尽吗？她相信奕䜣的用人之道和对政局处理的才智，但也有一丝的顾虑，奕䜣必定年轻，比起那老谋深算的政客实在嫩了许多。

　　唉——但愿上苍能够保佑我如愿以偿！

　　那拉氏轻轻撩开车帘向外望去，近处，饱满的谷料散发出香气，高粱正举着火把，偶尔有几株实在举累了，把头低了下来休息休息。远处，枫林在燃烧着，迎着东升的太阳，给人一股激进昂扬的情绪。

　　那拉氏仿佛被这火一般的情绪点燃了，一扫刚才的忧愁与消沉，哼着欢快的小曲：

秋天里哟太阳红，

姑娘上山采茶忙。

雁儿哟从天上飞，

采茶姑娘唱小曲。

小曲儿哟随水流，

流到山下情哥哥的心窝窝，

情哥哥哟担柴忙，

没有时间把妹想，

只能对着山头把歌儿唱。

……　……

那拉氏正小声哼唱着，一阵急促的马蹄声从后边传来。她蓦地一惊，探头向外望去，一匹战马正从身边经过，马上那人似乎意识到这是皇太后的车，猛然勒紧马缓了下来。

那拉氏抬眼向那人望去，内心一怔，好奇怪这人如此面熟，似乎在哪里见过，但一时又想不起来。

马上那人也向太后的车子看了看，他一见太后正挑着车帘注视自己，急忙下马施礼说道：

"在下急马惊动太后，请太后恕罪！"

这人虽是一瞥，却也是内心一震，这位太后为何这般面熟，好像似曾相识，但转念一想又不可能，自己的级别身份哪有见过太后的机会，何况自己从来也没有踏进宫内一步。

不待他细想下去，那拉氏问道：

"这位将军，你叫什么名字，现任何职？在谁帐下听令？"

这人一见太后询问，非常紧张，他受肃顺之命沿途侦探回銮仪队的详细情况，并及时报告正在后面护送梓宫的肃顺。

　　原来肃顺等人商定皇上皇太后回銮仪驾同咸丰梓宫同时行进，由于两宫太后认为这样做不合适，要求喜仪先行，哀仪后随，肃顺所负责的哀仪与载垣、端华等人负责的喜仪拉开了距离。同时，也由于端华聪明反被聪明误，步军统领一职被太后收回委任给奕譞，更令肃顺生疑。

　　这步军统领是专管满、蒙、汉三旗步兵的统帅，享有极大的权力。那拉氏委婉向端华夺权时肃顺想出面阻拦，但由于晚了一步才没有出列相阻，但他对两宫皇太后的这一举措猜疑不定，唯恐行进途中有变，才时刻派荣禄不停地骑马巡视侦探回报，一旦发现可疑的举动及时相告。

　　荣禄因为顺天乡试案而被肃顺收为门下，凭着荣禄的机灵与聪明很快取得肃顺的信任，并成为心腹之人。刚才，他再次奉肃顺之命向前察看情况，因为把马骑得太急惊动了那拉氏皇太后。

　　荣禄一听太后询问，只好如实答道：

　　"奴才叫荣禄，响导处侍卫，在肃顺肃大人帐下听令。"

　　"什么，你叫荣禄？哪个荣禄？何许人氏？"

　　那拉氏尽量使自己内心平静，仍然掩饰不住内心的激动，这个名字对她太熟悉了，埋藏在她心灵深处，偶尔一提起，必将勾起他悠远的情愫与辛酸的回忆。

　　荣禄一见太后面露惊疑之色，不知自己刚才说错了什么，只谨慎地答道：

　　"奴才荣禄，字仲华，瓜尔佳氏，满洲正白旗人，父亲是骑都尉，曾任江苏镇江总兵。"

　　哦！果然是那个荣禄，自己朝思暮想的荣禄。

　　那拉氏用略带颤抖的声音问道："荣禄，你可认识我了？"

"奴才不敢窥视皇太后尊严。"荣禄小心翼翼地答道。

"本宫恕你无罪,仔细看看,能否认出我来。"

荣禄刚才虽是无意一瞥就觉得这位太后似曾相识,如今一听对方这么说,真的抬眼仔细看去,心里想道:倘若太后真是自己的相识或什么亲戚,那自己将来也好有个靠山。肃顺虽然十分欣赏自己,信任自己,但他只是把自己当作一条狗来使唤,真正的好处却得不到。再说肃顺得罪人太多,如今虽然有些实权,也有心与两宫太后一争高低,鹿死谁手还难以预料。如果再能攀上太后作为靠山,何愁将来不能够飞黄腾达。

荣禄仔细一看,大吃一惊,脱口失惊叫道:

"兰儿?你是兰——"

荣禄突然意识到自己的失态,急忙止住说出的话。他知道眼前坐在车上的女人是贵为千金之尊的皇太后,再也不是自己当年的兰儿。荣禄此时的心里有一股说不出的味儿,兰儿,他梦牵魂绕的兰儿,如今就在眼前,他曾在心里呼唤千万遍,可如今只能把话儿咽在肚里,两人之间的差别太大,可谓天壤之别。

那拉氏见荣禄认出了自己,凄婉地笑了一下:

"荣禄,你还记得我吗?"

荣禄又看那拉氏一眼,无语地点点头,他心里在说:我记得,永远记得,我们曾经发过誓,许过愿,我一直坚守诺言,而你——

那拉氏把车帘挑得更高和荣禄边走边谈。

"你是何时从镇江回到京城的?又如何到肃顺府上当差?"

"回太后话,在太后离开镇江的第二年奴才就随家父调任京师回京了。"

接着，荣禄又简单讲述自己如何到肃顺门下做事的经过。这些话本不应讲，或者可以撒一下谎，不知为何，在皇太后面前，确切地说，在兰儿面前，他无法不说实话。

那拉氏也是心潮起伏，内心有千言万语却无从说起，她抬眼看看荣禄：

"你变多了，人也长高了，变胖了，更加英俊了。"

荣禄苦笑一下，"皇太后也变了，如果不是皇后提醒，奴才还真的不敢认识呢?"

那拉氏淡淡一笑，"你不必客气，也不必多礼，还像从前一样称呼我。"

"奴才不敢。"

"我喜欢你像从前一样称呼我，何况这是私下谈话，你不必拘束。"

那拉氏说着，又瞟了瞟马上的荣禄，问道：

"我与从前相比变了吗?"

荣禄又点点头。

"说说看，哪些地方变了? 变好还是变坏了?"

几句交谈荣禄心里放松许多，大着胆子说道：

"你变得成熟、大方、稳重、干练、高贵了。"

那拉氏婉尔一笑。

"还有哪些地方变了?"

荣禄更大胆了，把马靠近车厢，小声说道：

"你变得比原先更加漂亮了。"

那拉氏心里美滋滋的，她又进一步问道：

"你现在是否有了妻室?"

荣禄一听，心里酸溜溜的，带着一丝幽怨的口气说：

"还没有，也不准备婚配。"

那拉氏的情丝仿佛被他的这句话给点燃了，心里热辣辣的，那来自心灵深处的火苗焚烧着，从底向上蹿蹦着。那拉氏沉默片刻，微红着脸问道：

"你还记得我们曾经的誓言吗？"

荣禄鼻子一酸，几乎流下泪来。

"怎么不记得，那句话已经融入我的血里，就是死了到另一个世上也会记得：没有同年同月同日生，只愿同年同月同日死，生死相许，非你不嫁，非我不娶。"

这最后一句话荣禄几乎是在喉咙里发出的。此时此刻，他的心如打碎了五味瓶，有一种从未体验过的感觉，我没娶而你却嫁了。唉，问世间情为何物，爱有几许？

那拉氏也知道荣禄的心十分难受，凄然一笑：

"我知道你埋怨我，可是，我的苦心和处境又有谁能够了解呢？"

荣禄急忙敛容答道："奴才不敢埋怨太后，奴才应该为太后高兴才对，奴才一时失态请太后原谅！"

那拉氏仍然只顾讲下去："那句誓言我已经背过九千九百九十九回了，可皇命难违，自从离开镇江后我也曾四处打听你，都是石沉大海杳无音信，我在被迫无奈的情况下才入选秀女进宫。唉，也是为了生存为了活命吧，我们家的处境你也知道，如果不是那样，只怕活不到今天与你相见了。"

那拉氏已满泪洒满面。

荣禄沉默了。

两人都沉默了，任凭车轮声和马蹄声填补这沉默之中的空白。

过了许久，那拉氏才突然问道：

　　"你在肃顺门下当差，也一定了解肃顺的所作所为，知道我与肃顺之间的关系吧？"

　　荣禄点点头。

　　"一定是肃顺派你来监视皇上和我以及钮祜禄氏？"

　　荣禄又看了一眼那拉氏，点点头。

　　那拉氏叹息一声，"我孤儿寡母到今天这地步，大权被他肃顺独揽仍猜疑我等，这个奸人贼子真是心狠手辣死有余辜。可惜我不是七尺男子汉，否则，一定将其杀死！"

　　那拉氏说着，偷眼看一下马上面无表情的荣禄，又试探着问道：

　　"莫非肃顺等人准备在回銮的路上对我们孤儿寡母下毒手？"

　　荣禄意识到那拉氏在套他的话，稍稍迟疑一下，只听那拉氏说道：

　　"凭你的聪明才智和人生前途不应在肃顺门下当一个不出名的小官，应该积极向上，努力争取，你的前途要比肃顺好得多，肃顺虽然一时掌权也不过是小人得势如秋天田野里的蚂蚱，不会长久的。"

　　荣禄考虑片刻，把马靠近车厢，低声说道：

　　"肃顺本来准备在回銮途中有所行动，但他没有扭过载垣、端华等人，才放弃这个念头。但他担心两位皇太后联合醇王爷与恭王爷等人在路上对他们采取行动，特意派我来前面侦察。"

　　那拉氏故意叹息道："肃顺是以小人之心度君子之腹，我等孤儿寡母伤心都来不及哪有心思与他争权夺利。皇上如此年幼无知，我们姐妹又都是无用的妇人，手无缚鸡之力，怎会加害于他，这不过是他想加害于我们孤儿寡母谋权篡国的借口罢了。你作为一个堂堂正正的七尺热血男儿怎能忠奸不辩站在肃顺一方，处处听命于他驱使，岂不辱了祖宗的名声，也辜负了我对你的一片真情，实在令我失望。"

那拉氏见荣禄低下了头，又说道：

"俗话说，浪子回头金不换，何况你也是初陷不久，又没有做过什么劣迹，改过自新还来得及。又有着这层特殊关系，只要忠心耿耿地效忠朝廷，我会重用你，让你平步青云，将来一定比肃顺的官大。我也一定想办法把你调到宫内任职，那样，你我就可天天相见，相夕相处了。"

那拉氏故意慢声细语地说着，边说又边向荣禄暗送秋波。

荣禄终于被打动了，下决心说道：

"请太后放心，我荣禄为太后就是死也心甘情愿，既然当年有誓在先：生死相许。你的心你的意你的情我领了，我虽然没有大权，但也会尽力拼命保护皇上和太后的。有什么事请太后尽管吩咐！"

"肃顺那边你如何回话？"

"请太后放心，那里该如何做我还是知道的，好歹肃顺还很信任我。"

那拉氏终于放心了，她冲着荣禄点点头：

"如果肃顺有什么举动提前通知我，该如何处理我会随时通知你的。"

荣禄看看时间，对那拉氏说道：

"时辰不早了，我要回去了，以防耽搁太久引起肃顺的怀疑，他那人生性多疑，谁也不完全信任，有时连他自己他都不相信。"

荣禄说完掉转马头策马而去，给那拉氏留下一阵急促的马蹄声。

望着荣禄离去的背影，那拉氏想起她那美丽、甜蜜而又痛苦辛酸的往事。

叽喳，叽喳。

枝上的雀儿蹦跳着，追逐着，似乎正和着明媚的春光争嬉。那树上的枝儿也正吐翠斗妍，招引着蜂蝶，诱引着的怀春少女与多情的少男来此相偎相依。

但这一切，对于匆匆急走的兰儿都是良辰美景虚设，她哪还有心思欣赏着春色春光？父亲已经卧病一年有余，从安徽宁池到安庆，如今又转展到江苏镇江，几经求医访仙，父亲的病不但毫无转机，反而一天重似一天。所有的家资都耗尽了，如今只好将一些值钱的家当拿去典当。

这走向当铺的路她不知走过多少遍了，她不情愿走在这偏僻的路上，也不情愿踏进那当铺的门，她知道那铺子里的掌柜对她唾涎三尺，早就有不怀好意之心。也正是自己的姿色迷住了那掌柜的，自己每次去典当东西，值一两银子的东西总能当回二三两来，但她明白这多当回来的钱是用委曲换来的。每次典当东西，那掌柜都纠缠不休，出语污秽，有时还动手动脚，不过，每次碰到这尴尬的场面，都被她一一巧妙地应酬过去了。不这样做又有啥法？父亲需要用那仅有的当钱抓药，全家靠她养家糊口。每次走在这通过当铺的小路上，兰儿总委屈得泪眼汪汪，但她只能把泪悄悄地咽进肚里，她是一位倔强好胜的姑娘，不想让人看到她的弱点。

兰儿走进了当铺，掌柜正在边吸着大烟边拨弄着算盘，一见兰儿来了，急忙满脸堆笑地站了起来。

"啊呀，是兰大姑娘呀，你又来了，这回又当些什么呀，快拿来我看看。"

"王掌柜，我当一副银头花儿，你看能值多少钱儿？"兰儿怯怯地说。

王掌柜接过那银头花儿看了看，往柜台上一放。

"这个也值不了多少钱，最多也只是十块八块的，你家没有更值钱的吗？比如，嘻嘻……"

兰儿见王掌柜色迷迷的小眼睛心里生厌，但她只好强作笑脸地说：

"我们家值钱的东西都当了，只剩下这一副银头花儿还是母亲陪嫁的头饰呢？王掌柜，这可是纯银子的，至少也值三十五十的，怎么只值十块呢？你看走眼了不成？"

"哈哈，你这小鬼精还来骗我老家伙，不瞒你说，我干这行的时间只怕比你的年龄还长呢？怎会看走眼？我是靠什么吃饭的？你这小美人儿。"

王掌柜说着，伸手往兰儿白净的脸上捏一把。

"哼！"兰儿把脸一沉，装作恼了的样子，"你不识货就算了，我拿到别的当铺去当。"

兰儿说着，就要转身离去。王掌柜慌了，一把扯住兰儿的胳膊：

"小鬼精，就依你，当三十块钱中不中？"

兰儿心里高兴，她知道这副银头花儿就是新买的也不过二十块钱，又装作不太情愿的样子说：

"才三十块？低了点吧，至少也应给四十块呀，王掌柜，你说是吗？"

王掌柜瞅瞅兰儿那浓淡适中的眉毛，白净的瓜子脸，樱桃一般的小口，和高高的鼻梁与一排糯米一般的小牙，特别是她那一对勾魂眼儿，王掌柜张着嘴，口水流了多长，傻楞楞地在那里憨盯着兰儿不说话。

兰儿故意用手碰碰了王掌柜的老脸：

"王掌柜，你说给不给四十块钱？"

王掌柜这才醒过神来，把口水吸到嘴里，又顺手抹一下沾湿的下巴，一咬牙：

"再给加五块，三十五，再多一个子儿都不出。实话告诉你这五块还是你兰姑娘的眼睛值的钱呢？如果换一个人来当，这副银花儿最多给二十块钱。"

"王掌柜，这么说我的眼睛才值十五块钱？"

"哈哈，兰姑娘这么说，我还真得给兰姑娘开个价呢？根据我干多年当铺的经验，兰姑娘至少也值一千块，如果兰姑娘愿当，我夫还可再多加几个，嘿嘿，美人儿，当不当呀？给我做个三房，还愁你没吃的没喝的，还需要这么抛头露面风吹日晒又遭人讥笑吗？兰姑娘若有意，尽管开个价，回去后再同你家人商量商量。"

王掌柜边递钱也把手伸过来摸摸兰儿那对高耸的乳房。

兰儿急忙一扭身去抓王掌柜手中的钱，不小心扑了空，一头栽在王掌柜怀里，王掌柜以为兰儿是故意投向自己怀抱的，急忙将她死死抱住，蛮横地在兰儿脸上脖上身上啃了起来。

兰儿急得又打又撕却无法逃过王掌柜的手。这又是一条避静的小街，行人又少，进得当铺的人更少。

兰儿急得哭了起来，边哭边嚷道：

"快来人呀，来人呀！"

王掌柜刚把兰儿的腰带解开，正要干那事，突然听到一声大喝：

"大胆的刁民，光天化日之下竟敢调戏人家姑娘！"

接着，王掌柜就被踢了两脚滚到旁边。

兰儿整理好衣服，理一下零乱的发丝，流着泪谢道：

"多谢大哥救了小女！"

"姑娘不必多礼，请起吧。"

兰儿抬眼看见面前这位少男，年龄和自己不相上下，却一表人材，生得虽然温文尔雅，但也英俊萧洒，眉宇间有一股豪气。再看此人的装束，头戴青缎瓜皮帽，上有一个碧玉的顶子，身穿一件紫绸长袍，外罩蓝缎马甲，薄底软帮的青缎靴子显得合体又大方。一副官宦子弟打扮。

不待兰儿说话，那青年就要拉着王掌柜去见官，这可把王掌柜吓坏了。但王掌柜也是标准的地痞，又是见过世面的人，哪把这青年放在眼里，从地上爬了起来，揉一揉踢痛的屁股，冷笑道：

"小子，你是什么人敢在这里撒野，坏了爷的好事！"

"大胆的狂徒，欺负人家姑娘，还敢在这里充硬，你不是问我是什么人吗？告诉你，小爷是镇江总兵长寿的公子荣禄，你这狂徒既然撒野，就与我去见官！"

王掌柜一听这位公子是镇江总兵长寿的儿子，哪里还敢再逞强，只得跪下求饶：

"小爷饶过小人一回吧，是小的有眼不识泰山，大爷不计小人过，求小爷饶过我一回吧，如果大爷把小人送入大牢，小的一家老小就没有生活的门路了。"

兰儿也从旁边代王掌柜求情说："荣公子，你就看在小女的份上饶过他吧。"

荣禄这才绕过王掌柜和兰儿一同走出当铺，他们边走边谈。

"敢问姑娘尊姓大名，看相貌也不似平常百姓人家，为何落迫到典当物品度日的地步！”

“回荣公子，小女兰儿，叶赫那拉氏，因父亲遭奸人陷害罢了官，一气之下得了病，如今卧床一年有余，家中的一切都卖光了，只怕父亲他——”

兰儿没有说下去，两行清泪又涌了出来。

“这么说你是镶蓝旗人，我们都是旗人，在这汉人居住地为官需要事事小心，相互照应，你家既然有了这困难，我家理所照顾，给予接济。”

兰儿急忙施礼，“今日萍水相逢，蒙公子相救都已经感恩不尽，哪里还敢劳公子破费，出手接济呢？”

“兰姑娘这样讲就见外了，救他人之所急也是读书人的美德，莫非兰姑娘不想让小生成就这美德不成？”

“只是让公子破费，小女实觉得内心有愧……”

不待兰儿说下去，荣禄把一锭金子塞到兰儿手中：

“兰姑娘先拿着，待我回府禀告家父，一定前往兰姑娘府上探视伯父病情，请兰姑娘告诉小生府上地址？”

“小女家贫寄居一朋友家，哪里还称得上府呢？致于探视就不必了，小女一定让家人去总兵府回谢呢？”

兰儿嘴里这么说，仍把家中大致位置告诉了荣禄。

几天后，荣禄果然又带领一名家丁到兰儿家中探望兰儿父亲惠征的病情，并送去二百两白银，他对兰儿父母说他父亲因公务缠身无暇前来拜会，特命他来探视。兰儿父母更是感恩不尽。

从此，这一对少男少女你往我来，秋波暗送，爱情的花朵在他们之间悄悄开放了。

那拉氏正沉浸在往事的回忆中，突然听到前一阵威武雄壮的呐喊声，她心里一惊担心肃顺等人在这节骨眼上作难，那样她就前功尽弃了，急忙派人到前面打听。

张德顺回来报告说，太常寺卿胜保将军带兵前来迎驾。

那拉氏仍有点将信将疑，她不知道奕䜣是否拢住胜保，这胜保带兵前往迎驾是喜是忧一时尚不能断定。

不多久，两宫舆仪到来前面与胜保兵马相逢，胜保立即跪迎皇上及两宫皇太后。

两宫皇太后下令稍歇与胜保相会，她们和皇上一同来到胜保临时搭起的帐篷。这时，胜保才取出奕䜣亲笔信呈上。两宫太后一看，果然是奕䜣亲笔，询问兵变安排。那拉氏略一沉思，说道：

"留守京师与热河行宫众臣对肃顺等八大臣飞扬跋扈行为早有所闻有所见，他们矫旨揽权，图谋不轨，罪不可赦。若到京师，八大臣再联合其党羽，恐怕制服他们更难，不如趁在行进途中行事，将其突然逮捕，你以为如何？"

胜保又看看钮祜禄氏皇太后，征求她的意见。钮祜禄氏也点头说道：

"妹妹说得有理，令他们八大臣进京等于纵虎归山，为防止回京闹出更大的乱子，不如在路途之中将其捕获，何况步军统领一职已由奕谖掌握，发动兵变也不会引起大的兵戈。"

钮祜禄氏又略有顾虑道："只是奕谖在后与肃顺同行，一是扶送梓宫，同时也是不引起肃顺怀疑，但如何通知奕谖举事将肃顺拿获呢？"

那拉氏忙答道："在肃顺身边有我的一位心腹，可令他通知奕谖，由他们两人联合行动，必然能够将肃顺捕获，还不致引起怀疑。"

"这样再好不过。"胜保说道，"我与恭王已经商定，为防不测，派我的兵接应皇上和两宫太后进京，仅留空车随仪队行进以掩人耳目。待两宫太后进入宫城立即召见众大臣，历数八大臣罪过，再下旨送往我等手中，这边即刻动手，两宫太后以为如何？"

"这样做更好，只是肃顺多疑，时刻派人前来探视，如何能瞒住那探子的目光呢？何况那探子一见将军的大军在此，更会通报肃顺，让肃顺有所惕防。"

"肃顺所派来侦探的人正是我的那位心腹，只要他来我自有话交待。"

果然，不多久，荣禄又快马赶来，他一见有胜保大军到此，也是大吃一惊，刚要掉转马头回报，被那拉氏喊住，荣禄这才下马来见。

那拉氏把荣禄带到一个单间，正色说道：

"荣禄，实不相瞒，肃顺有谋权篡位之心，众人皆知，奕诉等王爷已决定将他捕获处死，派遣先头部队胜保将军的大军已来此，肃顺即将被擒，我念你我当年的情份为你开脱，并且给你一个立功的好机会，你愿不愿做？"

荣禄也知道那拉氏所说的是实话，急忙答道：

"为情为义为节，只要太后吩咐，我荣禄肝胆涂地，在所不惜。"

"好吧，你回去报告肃顺，只说一切正常，并暗中通知与肃顺同行的奕譞早早作好准备，一旦谕旨到，立即将肃顺捕获。只要肃顺被捉住你就是大功一件，回京后为你表功晋升也有个理由。"

荣禄点头应道："请太后放心！我不仅为醇王送信，也尽力协助他逮捕肃顺。既然生死相许，早就应该为太后卖命出力，只是相见太晚。"

那拉氏送走荣禄，立即和钮祜禄氏、皇上一同随胜保派来的快车先行入京，留着几位宫女坐在车内随銮仪慢行。

两宫皇太后及皇上简行从小路来到京城，刚传入皇宫就召见了奕䜣、桂良、周祖培、贾桢、文祥等人。

众人刚一坐定，那拉氏就哭哭啼啼地说道：

"人行皇帝宾天实在是肃顺、载垣、端华等人的罪过，他们在先皇生病之初就把持大权，对外封锁消息，多次强行劝阻先皇回銮的要求。特别是先皇病重之时，这几人更是专横揽权，有时对先皇也不放在眼里，对我们母子更是百般刁难，欲加害本宫，多亏姐姐与皇上等人求情，本宫才免于一死。就是这次回銮，肃顺仍是不许，若不是姐姐强行要求，只怕回銮无望。肃顺把我等困在热河，有'挟天子而令诸侯'之意，更有谋权夺位之心，肃顺唯恐回京后遭到众大臣的非议，有心在路上兵变，我等多亏胜保将军及时相救，才从间道安全返京。"

那拉氏边说边抹眼泪。

钮祜禄氏皇太后也十分悲伤地说道："肃顺等人违背大行皇帝遗旨，欲将我们姐妹置于他们控制之下，不准许参与任何国事，只能钤印，无权阅览疏章，稍有不慎便出言顶撞，一点不把新皇看在眼里，掌权之初就如此跋扈，时间一久岂不是鳌拜第二，是可忍孰不可忍！"

皇上见两位额娘哭哭啼啼，也一个劲地呜呜直哭。

众王公大臣见两宫太后及皇上孤儿寡母哭得伤心，也顿生同情之心，特别是两宫太后虽然如此年轻也都守了寡，本来都是光彩照人，风艳卓著的丽人，如今却面容苍白，神色暗淡，似乎历经无数磨难，再加上身着孝服，更显得憔悴。皇上小小年纪也面色惨白，不知受了多大的委屈。

周祖培狠狠地骂道："肃顺奸贼误国，理当处死，请太后下旨吧！此等贼子若不早除，进城来更是大患。"

桂良也出班奏道："事不迟疑，先将八大臣革职拿问，待回京之后再交刑部与宗人府议定罪状。"

那拉氏看看一直沉默不语的奕䜣，奕䜣这才出班说道："请两宫太后先发两道谕旨，一道是将八大臣革职拿问，另一道是公布其罪状，有谕旨在，我等就可出京拘捕八大臣了。"

那拉氏会意，立即和钮祜禄氏商定，着人书写谕旨，加盖"御赏"与"同道堂"两印。

奕䜣等人立即接过谕旨领命而去。

一场血与火的宫廷政变正式开始。

肃顺对这次回銮实在不情愿，但其他几人不听自己的劝告，接受了两宫太后的要求，自己孤掌难鸣。特别是回銮的奠祭之时，两宫太后夺了端华的步军统领兵权，更让肃顺恼火，他狠狠地把自己的兄长训了一通，训也没有用，兵权还是失去了。

肃顺担心地不是丢失兵权的事，他担心回京的途中有变，自己被奕䜣派来的人捕获，所以他要奕譞与自己同行，共同扶送样宫。他又派心腹之人荣禄往返察看情况，与载垣、端华等人之间互递信息，及时掌握行程动向。

哒哒哒，一阵急促的马蹄声，荣禄又赶回来了。

肃顺待荣禄来到面前，径直问道：

"前面情况如何？"

"回大人，一切正常。"

"那你为何到如今才赶来？"

"我刚才跑得远了一点，因此来迟！"

肃顺这才放下心来。已到了密云一带，离京不远了，再过一天多点就可到京了，只要路上不出差错，回京就不会有什么变故。他们八大臣都是朝廷重臣，身居要职，每人各有一帮自己的势力，只要八人相互配合，联起手来，其他人想搬倒他们还不太容易。

肃顺让荣禄休息休息继续侦察，"苦也只苦这几天，回京后让你好好歇息，多给你些银子，也到窑子里尝尝鲜。"

待荣禄走后，肃顺又叫来一位心腹：

"黄宗汉你再去前面察看一下，与怡亲王、郑亲王取得联系，了解行程情况。"

"肃大人不是刚派荣禄侦察回来吗？"

"不知为何，我总觉得荣禄这小子近几天的神色不大对劲，最好你再去亲自了解一下我才放心。"

黄宗汉领命而去。

荣禄躲过肃顺的耳目，立即找到奕譞，他取出一份包裹，整齐的东西交给奕譞说：

"醇王，谕旨一到，望你早早安排捉拿肃顺的事宜。"

奕譞接过谕旨，点点头：

"这边的人马已经准备停当，只要那边动手，我们立即行动。有没有人来接应？"

"如果前方行动顺手，睿亲王仁寿将来接应。"

奕譞同荣禄商定，便策马来到肃顺那里说道：

"肃大人，一路急赶士兵都疲劳了，此地离京只有百里之遥，不如稍稍休息之后再行。”

　　肃顺看看天已近午，黄宗汉前去察看情况仍没有回来，休息等候也好，就下令停止前进，埋锅做饭。

　　肃顺刚坐下不久，一阵尘烟飞来，黄宗汉快马到前，跳下战马，慌慌张张地说道：

　　“肃大人，不好，前面有变。”

　　肃顺吃惊地问道：“前面出了什么事？”

　　“我刚到太后銮仪那里，就见队伍大乱士兵四散惊逃，听说奕䜣和胜保带兵将怡亲王、郑亲王等人拿获。”

　　“那皇上和两宫太后呢？穆荫、匡源、杜翰、焦佑瀛等人有没有控制住皇上和太后？”

　　“听说也已经控制了皇上和太后的驾舆，但打开一看，里面根本没有皇上与太后，只是几名宫女在里面。”

　　肃顺更是吃惊，他瞥眼看见荣禄站在旁边，破口骂道：

　　荣禄贼子误我，来人，给我将荣禄拿下！”

　　这时，奕誴走上前，大喊一声：

　　“来人，把肃顺、黄宗汉两个误国奸人给我拿下！”

　　早已准备好的将士从四周一拥而上将两人捆住。

　　肃顺急忙大喊：“刘琨、成琦，快来保护我！”

　　刘琨、成琦、富绩等人带兵赶来了。

　　奕誴急忙掏出谕旨朗声念道：

　　“户部尚书、赞襄大臣肃顺飞扬跋扈，弄权误国，有篡位之心，著革去一切职务，逮捕入京，送交刑部严议，钦此！”

　　奕誴读罢谕旨，扫视一下众下，又大声说道：

　　“我奉旨捉拿肃顺奸贼，其余人一概不纠，谁敢抗旨，即行处死。”

　　刘琨、成琦等人一见奕譞手中有旨，也都不敢轻意上前。

　　肃顺急忙喝道："没有我赞襄大人的同意何来圣旨，你们给我将奕譞拿下，所有的责任我来承担。"

　　刘琨、成琦待人又想上前捕获奕譞，那边一阵尘土飞扬，睿亲王仁寿率领一队人马赶到，吆喝道：

　　"只抓乱臣贼子肃顺，其余人一概不纠，有违旨者斩！"

　　众人一见睿亲王所率的大队人马将他们围住，谁还敢动，只好放下兵器，任凭肃顺被押解入囚车。

　　奕譞这才松口气问道："睿王爷，前面情况如何？"

　　"八大臣全部被逮，两宫太后及皇上正在京城等我们回去呢？"

　　哈哈，奕譞看着肃顺被押上囚车，禁不住一阵大笑，这是胜利者的开怀大笑，也是自原配福晋去世以来第一次开怀大笑。

高人威严的太和殿

　　幼皇载淳坐在宽大的龙椅上，左边坐着皇太后钮祜禄氏，右边坐着皇太后那拉氏，下面左右站立着王公大臣。

　　待众亲王及大臣们站定，那拉氏清理一下嗓子问道：

　　"各位王爷大臣们，肃顺等人已逮捕入狱，经宗人府议定，不知其罪状共有几条，该处以何罪？"

　　奕䜣出班奏道："肃顺、载垣、端华三人所犯罪状八条：

　　其一，不能尽心议和，失信西洋各国，导致先皇被迫逃至热河行宫；

　　其二，欺下瞒上，阻止先皇回銮，致使大行皇帝受热河地气之寒，病死行在；

其三，违背先皇遗旨，矫诏阻挠太后参与朝政，对皇上及太后阳奉阴违；

其四，诽谤太后，离间太后与先皇及众亲王之间不和，意在从中渔利，居心叵测；

其五，目无皇上，出言顶撞两宫太后，恫吓皇上致哭，大忠大敬；

其六，假传谕旨，捏造赞襄大权，暗中结朋纳党，有谋权夺位之心；

其七，肃顺擅坐御位，私用御用之物，有觊觎御位之心；

其八，回銮之路途中，私派侦探监视皇上及两宫太后行踪，意在发动政变。

根据以上八条罪状，肃顺、端华、载垣三人罪不可恕应处以斩首示众。"

钮祜禄氏皇太后听罢奕䜣的奏报，点头说道：

"所议罪状属实，这三人理应处罪，但看在大行皇帝尚未发葬之际，加恩处斩，将罪魁祸首之人肃顺行刑，弃尸街头，以警他人。对载垣、端华两人、念及是亲王之衔，令其自尽即可。"

"对八大臣其余几人将如何处理呢？"

钮祜禄氏略一沉思问道："妹妹以为如何？"

"对于五大臣可以革职，加恩发配新疆效力。"那拉氏说道。

"未免有点太重了吧，依我之见，革职即可，就免于发配吧。"

那拉氏见钮祜禄氏不听从自己的见解，当着满朝文武大臣的面否定了自己的建议，心中有一丝的不快。

钮祜禄氏见那拉氏不言语，就朗声说道：

"将景寿、穆荫、匡源、杜翰、焦佑瀛五人革职，免其发配充军之劳役。"

对八位赞襄大臣处理完毕，大学士贾桢、周祖培、户部尚书沈北霖、刑部尚书赵光、太常寺卿胜保等人又一齐出班递上奏折："奏请皇太后亲操政权以振纲纪折，联名要求两宫皇太后听政。

两宫皇太后对奕䜣的如此安排十分满意，欣然接受众人的邀请，宣布从即日起实行两宫太后共同垂帘听政，然后择定吉日举行新皇登基大典和太后听政大典。

两宫太后为了感谢为自己发动政变的同党，第二天便发出谕旨，重新组建新的辅政领导小组。授恭亲王奕䜣为议政王，令其在军机处行走，并接管宗人府宗令。醇郡王奕譞，正式加封亲王头衔，授步军统领一职，补授总管内务府大臣。命大学士桂良、户部尚书沈兆霖、户部右侍郎宝鋆、鸿胪与少卿在军机处行走。其余众人也都各有赏赐和加封。而平平青云，一步登天之人就是荣禄，他从肃顺的一个门下小官，一跃成为御前大臣。

在奕䜣等人的建议下，两宫太后又下令惩处八大臣的热河派余党。

吏部尚书陈孚恩、兵部侍郎黄宗汉革职永不叙用，并发往边塞充军效力赎罪。其他如刘琨、成琦、富绩等人也一律革职，对于宫中一些给肃顺等人当耳目的太监更是更加惩处太监杜双奎、刘二寿、王袁庆、张保桂、袁添喜等人全部杖责而死。

总管太监崔长礼因为见风转舵及时才勉强保住自己的位子，而李莲英由一名干役的太监被提到那拉氏身边，成为一

名心腹之人，和安得海一样受宠。张德顺因几次送信有功受
两宫太后备加赞赏，但此时的他却没有如愿以偿。他本来希
望两宫太后同八大臣等人内讧，他大哥张乐行就可率领捻子
兄弟长驱直入攻下京城，大哥坐了皇上，自己虽然成了太
监，就可以服侍大哥和大嫂了。谁知这场内讧没有像他预期
的那样血流成河，堆尸如山，而是一场十分平静的权力交
结，他的心有一种说不出的失落与痛苦，只好慢慢打听大哥
的下落再作新的打算。

　　刑部大堂监狱。
　　肃顺无力地萎缩在墙角，沉重的木枷和铁镣使他筋疲力
竭，他仅仅看过别人这样戴着好玩，从来也没有想到这玩艺
儿会套在自己脖子上。他曾经问柏葰、柏老儿，戴枷锁的味
儿好受吗？柏葰也曾反问他，你小子也会尝尝戴枷锁的味
儿，不想真的被那老家伙言中了。
　　人们常说这是报应，肃顺可不相信这些，他不信鬼不信
神，对泥塑的那土堆儿都嗤之以鼻。直到今天，他仍不相信
报应，也不承认失败，自己长得这么一副聪明绝世的脑瓜儿
怎么会失败呢？今天的失败只能埋怨载垣、端华他们几人，
他们不听自己的忠告才会落得今天的下场。
　　肃顺一想到自己落到今天的结局就气不打一处来，看着
载垣和端华两人颤颤兢兢的样子，气恼地斥道：
　　"现在害怕了，当初听从我的劝告，将他们孤儿寡母几
人全部囚禁起来，我等夺其皇位哪有今天的下场？只怕坐在
这监牢里的是奕䜣、奕𫍯等人。哼！别拿出那个熊样来，就
是死，也死得趾高气昂，轰轰烈烈！"
　　端华叹息一声，"老六，别说这么多了，世上没有后悔

药，只能怪我们没有当皇上的命。"

"什么？命？谁有当皇上的命，那刘邦、李世民、赵匡胤、朱元璋就有当皇上的命，只要你把握住时机，用心策划，总会成功的，这就是命，命不过是无能人给自己寻找的一个借口，我肃顺不信命，只相信自己的聪明才智！"

怡亲王载垣转过头，肃老六，留点精力到阎罗殿上辩护吧，这里再说也没有人给我们讲情。你聪明？我看聪明反被聪明误，如果不是你有谋取皇位之心，怎么会连累我等一同受这罪呢？"

肃顺一听，可气坏了，骂道：

"你们这样的人生就贱骨头，只会给人当奴才，永远也没有当主子的份儿。我帮你们谋划，给你们找一个成为主子的机会，可惜，全被你们这些鼠目寸光，胆小如鼠的人给搅坏了，真可谓庶子不可谋！"

"肃顺大胆，你怎敢骂人？"载垣叫道。

监狱门"咣啷"一声打开，奕譞捧旨进来，厉声斥道：

"死到临头，还在此吵骂，真是死有余辜！"

奕譞扫视一下披枷戴锁的三人，朗声念道：

"戴垣、端华、肃顺接旨：戴垣、端华、肃顺三人欺下瞒上，矫诏弄权，有谋权篡位之心，虽为赞襄大臣，但违背先皇遗愿，以下犯上，居心叵测，经刑部与宗人府严议，著将三人处死。太后加恩，载垣、端华赐死，肃顺罪孽沉重、罪不可恕，行刑弃市。钦此。"

奕譞念罢，命随行人将白绫交与载垣、端华，并打开他们的枷锁，令其立即自缢。并著人把肃顺押解出牢房。

肃顺边走边骂，奕譞只当不闻，任其大骂，反正你是要死的人，何必再与他一般见识呢？

　　肃顺坐在通往菜市口的囚车里，他想起前年自己监斩柏葰的情景。柏葰死前曾大骂，化成厉鬼也要将自己咬死，而今自己落得与柏葰同样的命运，莫非真是报应不成？肃顺对自己的信念动摇了，他又想起和柏葰、奕譞等人结仇的事来。

　　自己曾在柏葰手下做一名小官，凭着他的聪明伶俐，很快取得柏葰的信任。由于他经常出入柏葰府上，不期然和柏葰的女儿丹碧好上了，两人眉来眼去，互送秋波，从心照不宣到心心相印。肃顺也知成为柏葰的女婿对他仕途又是一大促进，就在两人私订终身之际，柏葰却把自己的女儿许配给醇郡王奕譞，丹碧很快成为王妃。

　　父命难违，丹碧嫁到醇王府，但由于和奕譞没有感情基础，奕譞也整日忙于外事疏漏了与福晋之间的感情。情窦初开的少女哪能奈住深宫的寂寞，再加上旧情难忘，竟和肃顺暗中往来起来。这时，肃顺也由于柏葰没有把女儿嫁给自己，认为柏葰瞧不起他，出卖柏葰投靠了奕䜣，成为恭王府的座上客，深得奕䜣的信赖。

　　由于咸丰皇上与奕䜣的固有矛盾，咸丰对奕䜣是用他又排挤打击他，肃顺摸透皇上的这个心思后，又出卖了奕䜣受到咸丰皇上的宠爱，从一个门客跃到户部侍郎。恰在这时，他和丹碧的暗中往来被人察觉，尽管人不敢在醇王面前提起，但没有不透风的墙，奕譞和柏葰都知道了这件事。

　　奕譞将丹碧狠狠打了一顿，又告到柏葰那里，说柏葰没有将女儿管教好。柏葰的老脸承受不住了，教训了女儿不算，又找到肃顺，将他骂了一通。

　　奕譞身为王爷，也是年轻气盛，哪能受肃顺的这个屈辱，但他不好公开与肃顺斗。肃顺也仗着皇上的宠幸不把柏葰、奕谖放在眼里。

几次暗中较量，奕谖都败在肃顺手中，肃顺也更加嚣张，仍然抓住机会和丹碧往来，但奕谖抓不住证据只能白白受这窝囊气，只好将所有的窝囊气发在丹碧身上，逼她自缢。丹碧一死，奕谖不仅得罪了肃顺，也得罪了柏葰，正是奕谖与柏葰有了矛盾，才让肃顺从中各个击破，先行除去了柏葰。

奕谖与肃顺的矛盾就这样一直放着，两人总是暗中较量。肃顺曾想让奕谖戴一辈子的绿帽子，当一生的王八，没想到今天会栽在奕谖的手里，而监斩自己的也是奕谖。

时间不允许肃顺多想下去，他被士兵从囚车上拖下来，披枷戴锁地站在菜市街口，他刚想直起身站起来，一名刽子手走上前，飞起一脚把他踢跪下。唉，想轰轰烈烈地死也不允许，真是龙游浅水遭虾戏，虎落平阳遭犬欺，一个小小刽子手也敢对自己吹胡子瞪眼。肃顺闭上眼睛等着一刀下去人头落地。

菜市口周围站满了人，人们听大名鼎鼎的肃顺被杀，都来观看，更多的人是叫骂，甚至有个别人向肃顺扔砖瓦片。

肃顺的脸已被打伤，鲜血流满了脸上身上，简直认不出他来。也许是奕谖有意让人羞辱他，故意推了时间。午时已过，肃顺仍不听奕谖下令开斩，大叫一声：

"奕谖，你杀了老子也是个王八，也要戴老子的绿帽子！"

奕谖一听，勃然大怒，把令箭一扔，叫道：

"斩！"

一道紫红的鲜血飞迸出去。肃顺只觉双眼一红，似乎看到柏葰张开舞爪地向自己扑来……

　　咸丰十一年十一月初一（一八六一年十二月二日）

　　紫禁城养心殿里钟声长鸣，透出一股祥和之气，治世之音。

　　钟声响后，又在黄钟大吕般的音乐声中，两宫皇太后每人领着皇上的一只手，并肩走过红毡铺地的墀阶，跨上象征皇权的御座，让幼皇端坐在宽大的御座上。这时，执事太监扯着嗓门喊道：

　　"两宫皇太后垂帘开始——"

　　两宫皇太后互相看了一眼，这才分左右坐了下来，一座宽大椅上足够两人共坐，上面放着柔软的棉垫，两旁各有一个扶手。两人刚定，又听太监吆喝道：

　　"垂帘——"

　　一副宽大透明的玉制帘子轻轻落下，将皇上和两宫太后一前一后分开。

　　"请两宫太后接受王公大臣朝拜——"

　　早已穿戴一新，准备好久的王大臣们鱼贯而入，按次序成双成对入内拜见皇上及两宫太后。走在最前面的是奕䜣与奕譞，二个叩拜完毕分两边站在墀阶旁边，接着由其他大臣入叩拜。

　　叩拜完备，太监又高声喊道：

　　"再奏乐——"

　　各种鼓锣琴瑟笙箫笛筝之类的乐曲又一次鸣奏，声乐那么祥和，带有尧音舜声，给人安静舒适崇敬之感。

　　乐曲一停，太监又开始喊话：

　　"请给两宫太后上徽后——"

　　大学士桂良走上前行过叩拜之礼，从小皇上手里接过事先准备好的谕旨，再次拜过，朗声念道：

"奉天承运，皇帝诏曰：慈为福本，共欣仁惠之滂流，安乃寿征，永卜康强之叶吉。绵慈晖于天上，化日方长，延禧祉于宫中，祥云普荫。两宫皇太后劳苦功高，仁爱天下，虽我朝向无皇太后垂帘之仪，朕受皇考大行皇帝付托之重，惟以国计民生为念，岂能拘守常例？此所谓事贵从权，特邀两宫太后垂帘辅之。为嘉太后之绩，以示敬考，上母后宫太后徽号为慈安皇太后，上圣母皇太后徽号为慈禧皇太后。钦此。"

桂良读完退下，执事太监又唱念道：

"更——年——号——"

文祥走上前，从太监手中接过谕旨，三叩九拜之后，大声诵道：

"载垣、端华、肃顺等乱臣逆子，伤乎理，违乎易，所拟年号'祺祥'二字，不吉不利，群议之，则废。今两宫太后垂帘辅政，恭亲王议政，同心同德，共治大清业绩，振兴江山社稷，光大祖业，万民同庆同乐，则取之年号'同治'。钦此。"

文祥宣读结束，执事太监又喊叫一声：

"礼毕，请两宫太后训话——"

那拉氏慈禧太后向钮祜禄氏慈安太后点点头：

"姐姐，你讲几句吧？"

慈安干咳两声，看看下面毕恭毕敬站着的大小臣工，说道：

"众家亲王、郡王、贝勒、贝子、御前大臣、大学、以及六部、九卿、翰、詹、科、道、监察御史，从今日起，我们姐妹正式垂帘听政。我们姐妹本也不想这么做，实为形势所迫。肃顺、载垣、端华等乱臣贼子违先皇之遗愿，有以下犯上，谋权夺位之野心，今日除之也是天地可鉴，先皇有灵的大快人心之事，更是众家爱卿同心协力之故。自去年外敌入侵，庚申之变，国运罹难以来，京畿荒废，武备遭损、田园荒芜、民不聊生、百废待兴，需众人同心协力治之。况且南方乱党猖獗，有窥觎京津之举动，不能不剿，国难如此，我们姐妹身上的这份担子可谓重矣！何况新宫年幼，仍需我们姐妹悉心诲导。明义上是我们姐妹垂帘听政，而实权则由各位王公大臣共担，望众家王公大臣苛守法纪，鞠躬尽瘁，人尽其才、物尽其用，将我大清江山振兴，恢复到康乾盛世之貌，为君受万民敬仰，为臣则名垂青史，留芳万代。”

慈安这一席话有形势分析，有经验总结，也有对众大臣的鼓励和安慰，不能不让众人点头称许，想不到看似文弱不谙政权的钮祜禄氏竟能说出这一番话来，今后还不能小瞧这两个婆娘呢？须处处小心，刮目相看才行。

慈安讲完，慈禧当然也要讲几句，她扫视一下众人，沉默一下，让众人的目光都集中到自己身上，这才说道：

“姐姐已把今朝面临的情况大致讲了一下，我也不再重述，我就直接讲点实际的东西吧。我们姐妹做事向来赏罚分明，该奖的奖，该升的升，当然，该杀的也要杀，该罚的也讲罚，事事没有个上下尊卑王法哪行，历朝历代治天下都讲究一个‘严’字。如今吏治腐败，军备废弛，官贪民怨，没有王法哪行？不从历朝历代那里借鉴治世的经验哪行？现在，我就授命南书房、上书房、翰林院负责编一部《治平宝鉴》，这事就由恭王全面负责。”

慈禧说着，把脸转向站在最前列的恭亲王。奕䜣急忙走出班列，躬身说道：

"臣遵旨！"

慈禧点头示意奕䜣退到旁边，又说道：

"听政的仪式虽然举行了，但听政的具体细则尚没有明确作出规定，比如，如何接见内廷大臣与外廷大臣，疏章的呈递方式，官员的任命等方面都应该制定出明确的程序来，这事先由礼部负责拟定，然后再议。"

慈禧回头看看慈安，轻声问道：

"姐姐还有什么话要说吗？"

"没有了。"

慈禧重新面向众臣说道："众家王公大臣，有事奏来，无事就可退朝了。"

慈禧话音刚落，一人急忙走了出来，高声叫道：

"启禀皇上皇太后，臣有一事奏报——"

众人回头一看，是刚刚退而又重新召回的老臣祁寯藻，心里道：这老家伙有何事要奏？

"祁大人请讲——"慈禧很有礼貌地说道。

"如今官吏腐败、贪庸娇蹇，统兵将帅，拥兵自治，畏缩不前，贪生怕死，假冒战功，欺蒙朝廷。封疆大吏，擅离职守，贻误机，不能不择其一二而严惩，起到杀一儆百的作用。"

慈禧点点头，"祁大人言之在理，但不知这些贪污腐败的官吏之中谁最甚之，尽可奏来，以张扬法度，重振朝纲。"

"革职候审的前任两江总督何桂清理应处斩，显示两宫太后严肃政纪、重振朝纲！"

此话一出，众人都大吃一惊。

三、西藏喇嘛

一觉醒来，陈玉成发现自己已被五花大绑起来。

胜保得意地说："我宰了这小子，就是冲着他那俊俏小娘子来的。"

西藏喇嘛桑巴特当众侮辱皇太后真是吃了了熊心，吞了豹胆。

胜保得了个天大的秘密，暗自得意。

驾，驾，驾。

一条崎岖的山路上跑来一匹战马。

战马上坐着一男一女，两人身上都沾满了鲜血，看不清两人的面目。但从那战马浑身的血和汗以及满身的泥土可以看出这两人走了很长的路程。

那女的抹一把男的脸上汗水，关切地说：

"英王，休息一会儿吧，清兵不会追到这里的。"

陈玉成下了马，他又把妻子抱了下来：

"娇娇，让你跟我受累了，我——"

"英王，你的胳膊！快，我给你包扎！"

"不要惊慌，这点伤算什么，自从十四岁那年随叔父参加金田起义，成年累月征战沙场，在刀枪剑林里出生入死，不知受过多少伤呢？这命都是拣来的呢？"

娇娇为陈玉成撕破褂襟布包好伤口，又扶他坐下：

"英王，你拼杀半天也没进一口粮，一滴水，该饿了吧？我也还有点干粮你吃下，再到那山涧喝口水。"

　　陈玉成把娇娇送来干粮推了过去："娇娇，你吃吧，你也早该饿了，我实在吃不下去。我奉命率十万兄弟营救安庆，不但没有解救安庆之围，让安庆失守，连从广西藤县老家所带出的十万父老乡亲都丧生异地，还怎么能吃下去？这是叔父十几年的家业。叔父战死前曾再三告戒我，一旦帮助洪天王打下江山，就把藤县老家的父老乡亲带回去，安守几亩薄田，过一种安闲的日子，想不到今天兵败此地⋯⋯"

　　陈玉成再也说不下去，竟伤心地哭了起来。男儿有泪不轻弹，皆因未到伤心处。陈玉成想到自己十四岁入太平军起义，十八岁领兵打仗，二十岁封王，如今只身逃出，真是孤家寡人了，怎不伤心落泪呢？

　　娇娇走上前给他擦去脸上的泪水：

　　"英王，胜败乃兵家常事，何况这兵败也不能全怪你呀？天王的增援部队至今未见人影，曾国藩老贼大军压境是你的几倍人马，他们又有洋人助战，火枪火器火炮，还有炸药，你能够坚持到今天已经不易了⋯⋯"

　　"娇娇，你不必为我开脱责任，安慰我，身为一军统帅，兵败至此，我怎能没有责任呢？如何有脸面回去面见天王，也有愧于九泉之下的叔父在天之灵！唯有一死报效天王，也随死难的兄弟英魂同去。"

　　陈玉成说着，向东南方向拜了拜：

　　"天王，我陈玉成有负你的提挈和厚望，只有一死尽忠了。"

　　他又转向娇娇，泪流满面地说：

　　"娇娇，你是个好人，是个好姑娘，我知道你嫁给我很不情愿，是迫于沃王张乐行的压力，张乐行是利用你拉拢我，以和太平军联姻的形式取得太平军的支持。"

娇娇一把抱住陈玉成，哇地一声哭了出来：

"英王，你不必说了，我什么都懂，也并不全是沃王的逼迫，我是心甘情愿的。女人总要嫁人，嫁鸡随鸡，嫁狗随狗，我既然答应嫁给你，就永远跟着你，不会再想别的男人，英——王——"

娇娇又哭了，似乎有说不出的委屈，那泪水如泉涌，仿佛她整个人都是泪做的。

陈玉成边给她擦泪，边苦笑着说：

"娇娇，今后别喊我英王了，就叫我玉成，或陈大哥吧，兵败仅剩下我一人了，还算什么英王？娇娇，从这里回你老家雉河集已经不远了，你独自回家吧，养好身子就去京城找你的张大哥，你和他从小青梅竹马，才是天生的一对，我们只是迫于多种多种原因，勉强凑和在一起的，我知道你不爱我，也不可能爱我，你心中有一个张大哥，一个心中不可能同时装下两个人，我……"

陈玉成又哽咽了。

"从现在看，大清朝的气数仍没有尽，洪天王不可能一统天下，他不久就会兵败，天京也会被攻破。你们的沃王张乐行更不可能成气候，他梦想自己当上一位开国皇帝更是痴人做梦，你去找张德顺吧？好好过日子，愿你们白头偕老！"

陈玉成说完，拔出宝剑就要自杀。

娇娇一把抱住了他，哭喊道：

"陈大哥，你不能死，你不能扔下我不管，你死我也死。胜败是兵家常事，你随我回雉河集，和沃王一同率领捻军反抗清兵，也许仍有出头之日。我带你到雉河集招兵买马，重整旗鼓和曾剃头再决一死战，不能像项羽那样逞一时匹夫之勇拔剑自杀，他太傻了，你不能那样，不能！"

　　陈玉成摇摇头，"张乐行是怎样的人你也明白，他能容下我吗？至于在他地盘上招兵买马就更不可能了。倘若我是一名一般士兵，他也许会收留我的，正因为我是英王，他决不会让我在他身边容身的。"

　　娇娇沉默了。

　　两人相视一下，陈玉成抚摸一下胳膊上的伤口，望着眼睛红肿的娇娇，叹口气说道：

　　"好吧，我答应你，不再自杀，但我们要寻找一个安身的地方躲几天，待清军退后就回广西藤县老家，你纺棉我种田，养儿育女安度平生。"

　　娇娇沉思一会儿，突然说道：

　　"这寿州一带有一支捻子兄弟，属于蓝旗头领郭松林的辖区，是南堂的一个分堂主，叫苗沛林，他是我家的一个远亲，但苗沛林和沃王张乐行的关系一向不和，这人也不甘心听沃王指挥……"

　　娇娇没有讲下去。

　　"那样更好，正因为他和张乐行有矛盾才会收留我们，不如暂且投奔他，待清兵戒备放松之后，再想他法。"

　　两人在山涧边稍稍擦洗一下，便直奔寿州而去。

　　寿州双桥镇

　　苗沛林正在家中指挥兄弟们操练兵器，忽闻一个站岗的兄弟来报，说有一对受伤的青年男女来见，心中狐疑不定，命人将来人带进客厅。

　　哦，原来是自己的一门远房外甥女——娇娇。

　　苗沛林知道娇娇被沃王张乐行许配给太平军的英王陈玉成，当下太平军和曾国藩正在安庆交战，他们突然来此，莫非这位受伤的青年男子是——

苗沛林走进客厅，惊讶地问道：

"娇娇，是你？听说你随英王陈玉成在安庆征战，为何突然到此？看你们这满身的血污，好像刚从战场上杀出来？"

"舅舅说得不错，我们刚从战场上杀出来，这位就是英王陈玉成。"

"啊呀，久仰，久仰，苗某有眼不识泰山，不知英王到此，有失远迎，多多海涵，多多海涵，快，来人，先带英王他们去更衣，然后准备洒菜，我要给英王洗尘。"

陈玉成一抱拳，"苗兄弟不必客气，陈某兵败落难至此，承蒙不弃接纳已经感激不尽，何敢再劳驾苗兄破费呢？我们洗洗，随便吃点东西就行了。"

"不必客气，不必客气，都是自己人，快去更衣吧。"

待陈玉成和娇娇回到客厅，一桌丰盛宴席摆好，他们边说边聊。

"英王与曾剃头决战安庆，两军相持近两个月，如今兵败，到底如何？"

陈玉成叹息一声，"败得很惨，我十万大军所剩无几，如今只身逃出，实在惨愧！"

"英王足智多谋，一向英勇善战，指挥有方，为何突然惨败？"

"两军悬殊太大，清兵多于我军近十倍，曾国藩新近组织了一个火器营，又有洋人相助，火枪、火炮、炸药实在厉害，我们兄弟几乎都丧生在火器之下。"

苗沛林点点头，"天王是否派来援军？"

陈玉成摇摇头，"我几次写信求援，不知为何，援军一直未到。"

"莫非天王准备放弃江北各地,以长江无险,准备固守天京及江南几城自保?"苗沛林试探着问。

"天王虽无放弃江北各地之意,但鞭长莫及,无能为力呀,我估计援军不到的原因是江南苏杭等地也吃紧。清廷与洋人勾结,英法侵略军汇集江浙,与胡林翼、左宗棠等人联合猛攻苏杭,梯王练业坤、慕王谭绍光的日子也不好过。天王不是不想救援,是自顾不暇呀,李鸿章、曾国荃又从江西包抄天京,唉——"

苗沛林一见陈玉成情绪低落,端起酒杯:

"英王不必叹息,胜败乃兵家常事,大丈夫能屈能伸方是英本色。来,我敬英王一杯。"

苗沛林放下酒杯,"英王说得也是,天王的日子也不好过呀,太平天国已成风雨飘摇之势,如果翼王不出走天京,也许形势会好一点。"

"天国的大势已去,如今想维持江南半壁江山已不可能,想当年金田举旗、东乡称帝、永安分王,是何等红火,一鼓作气攻下金陵,定都天京后,北伐西征,轰轰烈烈,西战武昌,北攻京津,大清王朝摧枯拉朽,眼看就要风卷残云,攻破北京,驱逐满鞑,只可惜在这节骨眼上……"

陈玉成满眼泪水,几乎流出血来,将杯中的酒一饮而尽,又感慨地说道:

"诸王定都天京后忘记从前的苦难日子,一个个都纸醉金迷,修筑殿堂,广招美女只顾安逸享乐,不思进取,相互争权夺位,为了一名歌妓争风吃醋,刀兵相见,东王杨秀清被杀,北王韦昌辉因杀人如麻激起众愤被诛,翼王石达开也因天王对他怀有猜疑之心而率军出走,分散的兵力,削弱了天京防守,给清廷可乘之机,造成今日江河日下之势。"

　　说到这里，陈玉成又叹息一声，自斟一杯饮干，十分痛心地说道：

　　"自古云，堡垒从内部攻破。这话一点不假，太平天国败在自己人手里，清廷和洋人是打不破的，是我们自己打败了自己，痛心啊——"

　　"英王分析事理如此透彻，为何不向天王上疏，提出救国治本大计，力挽狂澜，挽大厦将倾之势？"

　　"哈哈，我陈玉成空有管仲乐毅之才，萧何韩信之智，可惜不被天王重用，才落得今天如此惨败的下场。"

　　"天王听到英王兵败的消息，不知有何感想呢？"

　　陈玉成无可奈何地摇摇头，"天王还能有何感想，如果真有感想也许不会落到今天这个局面，他每天只会烧香拜佛，祈求神灵保佑，希望上帝大显神灵退敌，真是痴心妄想，鬼迷心窍……"

　　陈玉成已有几分醉意，说出了许多自己平时想说却不愿说的话。

　　苗沛林见陈玉成略带醉态，又试探着问道：

　　"如今英王有何打算呢？"

　　"打算，打算。"

　　陈玉成看一眼娇娇，"我还能有什么打算，几次惨败早已心灰意冷，多年的戎马生涯出生入死，到头来只是一场空，什么封王封侯，不过是改朝换代的工具，看破一切只是一场梦。如今只想和娇娇一同安守田园，厮守终生。"

　　娇娇感激地看了陈玉成一看，劝阻说：

　　"舅舅，别让陈大哥喝了，他激战几天几夜，如今又受了伤。"

　　"英王是海量，再喝几杯也不会醉的，英雄离不开美人和酒，如今英王娶到我这个外甥也是英王的福份。实不相瞒，娇娇虽不是我的亲甥女，我却把她当作亲甥女一样看待，从不见外。以前每次去雉河集集会，都要去看看我这外甥女。娇娇可是雉河集一带远近闻名的大美人，多少青年小伙，地主乡绅家的少爷去求婚，她都没有答应，沃王将她许给英王，正是英雄配美人，千里姻缘一丝牵，希望英王善待我这外甥女。"

"舅舅——"娇娇羞怯地撒娇说。

"好，好，舅舅不说，来，喝酒，英王，我再敬你一杯。既然英王心灰意冷，看破一切，甘愿退守田园也好，如果英王不觉得寿州地僻人稀，我愿提供方便，留英王在此居住，早晚讨教也方便一些。"

"陈某怎敢打扰苗兄，我和娇娇在这里暂住几天，准备取道回广西老家。"

"也好，也好，树高千丈，叶落归根，退守乡土也是人生一大乐事。来，我再敬英王一杯。"

"苗兄，我，我不能再喝了。"

"舅舅，就别让他喝了。"

"酒逢知己千杯少，话不投机半句多。我和英王是一见如故，来，咱再喝最后一杯。"

"好，最后一杯，最后一杯。"

沉沉暗夜。

陈玉成一觉醒来，发现自己浑身五花大绑，正躺在一辆车内，晃晃悠悠不知去向。想喊，嘴被堵上，喊不出声，想动，被绑得结结实实，一动也不能动。后悔自己轻信他人，喝酒误事，遭人暗算。谁出卖了我？娇娇？不可能，她是一位心地善良的姑娘，虽然说不上爱我，但自从成亲以后，对我也是百依百顺，看不出内藏心机，视我为仇敌的样子。一定是苗沛林这个老贼，他表里一套，背后一套，故意好酒好菜招待我，将我灌醉，然后暗算我，他会把我押到哪里呢？娇娇此时又在何处？

不知走了多长时间，车突然停了，几人把陈玉成拖了出来，押解到一座大营面前。陈玉成仔细一看，大吃一惊，这是清廷的大营，难道苗沛林明为捻子的一个分堂主，暗中投靠了清廷？陈玉成正在狐疑之中，听到身后有呀语声，回头一看：

啊，是娇娇，也和自己一样被五花大绑，堵上了嘴。

娇娇一见陈玉成，用力地挣扎着浑身的绳索，想骂却骂不出口，二目流泪，似乎在向玉成倾诉：是我害了你。

玉成向她摇摇头，和娇娇并肩站在一起，用平静地目光看着娇娇，表达对她的关怀和信赖。

两人被兵丁推上大堂。苗沛林早已等候在里面，已俯首低眉地向一位清廷官员说些什么，似乎是向主子表功请赏。

苗沛林向站在大堂中央的陈玉成喝道：

"陈玉成，反贼，见到护军统令、兵部尚书、胜大将军，为何还不下跪？"

胜保向苗沛林摆摆手，对两边的侍从护卫道：

"来人，给陈将军及其夫人松绑。"

等到兵丁给陈玉成和娇娇松绑后，胜保站了起来，一抱拳说道：

"陈将军，属下慢待，委屈了将军和夫人，请多多海涵。来人，看座！"

陈玉成知道自己被苗沛林出卖给驻扎河南延津的胜保。

胜保是怎样一个人，他虽然没有见过面，交过手，但早从传闻中了解得一清二楚。凶狠、残暴、跋扈、专横、贪婪、骄涉、爱财如命，以玩弄女人在军营中出名。今日落在这样人的手里只有两条路，要么投降，当一名叛徒，一名清廷的走狗，要么坚贞不屈，杀身取义，以死报国。

陈玉成疏缓一下被绑疼的筋骨，冷笑道：

"胜将军不必客气，有什么话就直说吧？"

胜保拍手说道："痛快，痛快，陈将军果然名不虚传，说话干脆利索，有大丈夫风度。好，我就直说了，请陈将军放下屠刀立地成佛，降我大清，保你也做个提督或巡抚之职，何苦跟洪秀全反贼卖命，出力不讨好呢？到头来落个身败名裂的下场。识时务者为俊杰，请陈将军三思？"

苗沛林也从旁边谄媚地说道："陈将军，只要你投降，有胜大将军为你担保，保证不杀你，还会让你有高官厚禄，总比做一名流寇东躲西藏，最终没有好下场呢？如两宫太后执政，天下归心，各路大军兵进南京，连洋人的洋枪队也前往助战，南京不日可破，反贼洪秀全死无藏身之地，陈将军应向我一样，早早投——"

"苗沛林，你这卑鄙小人还有脸说下去，捻子兄弟知道，定将你碎尸万段！"不待苗沛林说下去娇娇斥骂了他。

苗沛林老脸蓦地一红，但很快又变了过来，厉声说道：

"娇娇，你也敢辱骂舅舅，我是为了你好，陈玉成他只是一个反王，没名没分，死了也不能埋进祖坟，你跟着他咋行？如今又是一个败将，将来吃不饱穿不暖，你劝他投降胜大将军，享不尽的荣华，受不尽的富贵，怎比做一名草寇有出息？"

胜保不耐烦了，"苗沛林，别同他说那么多，我胜保做

事向来直来直往，陈玉成，你降就降，不降我就将你推出去
斩了。实话告诉你，我不稀罕你这么一个人才，你投降我，
我还不大放心呢？你降还是不降？"

陈玉成扫了一眼苗沛林，冷冷一笑：

"大丈夫生当作人杰，死也为鬼雄。我陈玉成十四岁随
天王起义反清，就已经将生死置之度外，如今虽然兵败，又
遭小人所害被俘也不觉得遗憾，必定手提利刃驰骋疆场扑杀
满贼，只可惜没有将你这满清鹰犬杀死，实在是我陈玉成人
生一大憾事。若说遗憾，就是没能够杀尽北京，推翻皇帝小
儿的宝座……"

不待陈玉成说下去，胜保跺着脚咆哮道：

"真是反了，反了！来人，把这个反贼给我推出去斩
了。"

"胜大人，陈玉成是反贼一个很有影响的人物，是否需
要先奏报朝廷，然后再杀也不迟。"苗沛林建议说。

胜宝哈哈大笑："杀了一个反贼头目这等小事何须奏报
朝廷，将在外君命有所不授。汉周亚夫屯兵细柳，军中只听
周将军的军令，哪有什么天子的诏书？"

胜保慕僚蔡寿祺也劝阻说："胜大人，陈玉成是要犯，
我等不可作主擅自将他杀了，倘若朝廷怪罪下来——"

胜保不待他说下去，打断他的话说：

"寿祺不必多言，不就是杀一个陈玉成吗？别说是小小
反王，就是洪秀全被我捉住也敢将他宰了。如果我连这一点
权也没有，还算一个什么在外领兵的将军？如今皇上年幼无
知，两宫太后不过是妇人之见，报上去也等于不报。"

"倘若两宫太后怪罪下来，说将军先斩后奏，恣意妄为
——"

胜保连连摆手不让蔡寿祺讲下去，"我再问一声陈玉成他降不降，不降即刻斩首。"

陈玉成仰天大笑，"一妇不嫁二男，一马不驮二鞍，一臣不保二主。砍头不过碗口大的一块疤，想让我陈玉成投降清廷，除非太阳从西方升起。"

"杀，杀！"

暴跳如雷的胜保连连挥手喊道。

娇娇见陈玉成被推了出去，失声喊道：

"陈大哥，请留步，我也随你一同去吧！"

娇娇说着，就向外冲去。几名士兵上前挡住了她。

胜保上下打量一下花容月貌、身段苗条的妖娇，小眼睛眯成一条缝，手捋胡须，像牲畜行里的买主欣赏待售的母马一样，颇有几分赞赏的口气说：

"陈玉成这小子挺有福气的，竟然弄到这么一个大美人儿。实话直说，今日之所以宰了陈玉成这个小子，就是冲着他这俊俏的小娘子来的。不宰了他，这小娘子怎么会服服贴贴地侍候我呢？哈哈，苗沛林，你说是不是？"

"胜大人说得是，胜大人说得是，不过，小的以为，这更是娇娇的福气。"

"娇娇，一个很美的名字，就像她本人一样美！"

苗沛林马上又附和道："娇娇名字的确很美，胜大人有所不知，娇娇这名字还是我给起的呢？"

"你给起的名字？"胜保不相信地问。

"对，对，娇娇是小人的远房外甥。"

"哈哈，这么说你我马上就是亲戚了？"

胜保一想不对，马上生气地吼道：

"苗沛林，你好大的胆子，竟然想占老子的便宜！"

"小人不敢，小人不敢，小人说的是实话，如果娇娇不是小人的外甥女，小人也抓不住陈玉成和娇娇。"

胜保一想也对，马上满脸堆笑地说：

"苗沛林，你立了大功一件，本大人重重有赏，奖你黄金二百两！"

"谢大人！"苗沛林一揖到地。

不久，一名士兵捧上一颗血淋淋的人头：

"回大人，陈玉成被斩，人头在此，请大人过目。"

娇娇一见陈玉成真的被杀了，放声大哭，拼命挣脱两名士兵的手，向那人头扑去。

"陈大哥，是我害了你，让我也同你一起去吧！"

说着，一头撞向廊柱。

幸亏两名士兵就在旁边，才拦住她没有让她撞上去，否则，娇娇也已经脑浆迸裂。

胜保立即喝斥道："混帐东西，我让你们把陈玉成杀了，什么时候让你们把人头拿来？还不快滚下去，愣着干什么？把姓陈的狗头和他的尸首埋了。"

胜保又急忙喝令旁边的人："快把这个小娘们带回后营好好看管，出了半点差错老子宰了你们全家！"

河南延津胜保大营。

一间装饰富丽堂皇的房子里，娇娇独坐其中以泪洗面。看着这满屋的绫罗绸缎和各种玉器珍玩，娇娇一点也提不起精神她已经两天没吃任何东西了。

娇娇只觉得自己的命很苦，自己是世上最不幸的人，自幼父亲早亡，和一个年迈的母亲相依为命，尝尽了人间辛酸。绝望时加入了家乡的秘密组织——捻子，在那些杀富济贫的兄弟姐妹们帮助下，她对生活充满了信心，家中的生活也一天好似一天。正是在捻子中，她和从小就竹梅青马的德顺哥好上加好，萌生了只有男女之间才有的那份感情，从此，对人生更充满了希望。

不知什么原因，德顺哥为了啥预言突然抛弃了自己，到京师去做太监，究竟太监当上了没有，从此一去不复返，杳无音信。她的一颗少女之心也随张大哥永远地流浪了。

就在张大哥离去的第二年，母亲得病不治而死，剩下她一个孤儿。捻军头领张乐行收留了她，给她温暖给她安慰，给她生活的支柱，并把她许配给太平天国的高级将领——英王陈玉成。无论张大哥出于什么目的，把她许配给陈玉成，在一般人眼里她是幸福的，受人仰慕的。陈大哥对她确实很好，无论军务多么繁忙，都抽出时间陪陪她，尽量取悦她，让她开心。她在不情愿中改变了自己，真诚地接受了陈大哥的爱，准备用真情回报爱的奉献！

可是，现在什么都不能够了，心爱的人又一次一去不复返了，走得那么突然，那么仓促，又那么悲壮！

娇娇无法想下去，她的每一根思维的神经都是泪水做成的。可如今身陷屈辱，求生不能，求死不得。

两名丫环又把饭端了上来，这已是第四次端饭了。

“请娇娇姑娘用饭，你不吃我们也吃不上，我俩已经两天没吃东西了，请姑娘开恩，饶过我们吧？你不吃胜大人又要打我们、骂我们、饿我们……”

两人说着竟然呜呜地哭了起来。

娇娇也觉得她们可怜，她们是无辜的，也和自己一样是受害者。“同是天涯沦落人”，何必与人过意不去呢？娇娇含泪点点头。

"我吃！你们也吃吧？"

两人一见娇娇答应吃饭，破啼为笑。

娇娇在两名丫环服侍下吃完饭。恰在这时，胜保醉醺醺地闯了进来。

结结巴巴地说："好，好。美人儿，吃饭是对的，跟谁过不去呢？不吃不喝对不起自己，不嫖不赌对不起父母。来，我也陪美人儿吃点东西。"

胜保说着走上前和娇娇并肩坐在一起，那两名丫环知趣地退了下去。

"美人儿，考虑得怎么样？已经三天了，愿不愿给我做姨太太呢？要知道我的耐心是有限的，不能敬酒不吃吃罚酒！"

这时，苗沛林也走了进来，低声下气地劝说道：

"娇娇乖孩子，舅舅这样做也是为了你着想，女人家嫁谁不是嫁，何况嫁过一次人，能给胜大人做姨太太也是你的福气，有好多女人想做胜大人还不高兴呢？你听舅舅的话，依了胜大人吧？"

"你滚，你滚！苗沛林，你不是人，我不认识你，我永远也不想见到你！你们这些猪狗不如的畜牲都给我滚！"

"臭娘们，老子让你做姨太太是能看起你，你敢在老子面前撒野！好，我看看你有多大的能耐！"

"啪——"

一掌下去，娇娇白净的脸上留下一个通红的掌印，一缕鲜血从嘴角流出。

胜保冷笑一声，一个跨步上前抓住娇娇单薄的衣衫用力一扯，那雪白的胴体露了出来。胜保如饥饿的猛虎见到了可口的猎物，大叫一声扑了上去。

苗沛林急忙知趣地将门关上退了出来，屋内传出一阵桌椅板凳的倒塌声。

不知过了多久，一阵紧张的砸门声惊落胜保的好事。

"胜大人，胜大人，有急事，有急事，圣旨到，圣旨到，让你接旨呢？"

胜保边提裤子边骂道："操你奶奶的，鬼喊个鸟，不就是圣旨来了吗？一张破纸就让你们吓得如此，若是两宫太后来了，你们还不吓得屁滚尿流？"

胜保打开了门，又训斥道：

"老子的好事刚开始就给你们吓丢了，以后再这样不识时务地乱嚷嚷我剥了你们的皮！"

"大堂上等着胜大人接旨呢？"

"不就是一张圣旨吗？有啥值得大惊小怪的。实不相瞒，就是两宫太后到此也要对我胜保客客气气，不是我胜保，两宫太后哪有今天。哼！事成之后，她们坐到皇上的位子，奕䜣也出尽了风头，却给老子升了一级，赏几个臭钱就想打发老子，把老子当成讨饭的叫化子，我胜保有的是银子。"

看样子胜保还气得不轻，对两宫太后给他的赏赐并不满意。

"胜大人快去接旨吧，也许这圣旨就是给大人加官进爵的呢？"

"哼！你小子别做美梦了，这时候的圣旨哪有好事，不是剿匪就是平乱，唉，这年头，人人都敢犯上作乱啦，真他妈的怪事。"

胜保来到前面大堂，和众将领一同按次序列队站好，跪迎圣旨。只听来人高声念道：

"同治元年八月十日，著兵部尚书，正蓝旗护军统领胜保为钦差大臣，速带所属兵马入陕平定马大麻子等匪首起事，钦赐上方宝剑一柄以示恩宠。钦此。"

胜保迟疑片刻，不情愿地高声喊道：

"喳！谢皇上皇太后恩——"

胜保尽管不大情愿长途跋涉去陕西平定起事，但还是按时起程了。他一面在河南一带从地方官府那里索取大量金银粮草，一面又快马飞报陕西巡抚准备军需之物。这匪可不能白剿，没有好处是不干的，他已经看出两宫太后不会再给他什么好处，只会把他当作一头驴子来用，便痛下决心，要借平乱之际狠狠地捞上一把。

胜保大军刚到竹林关，就有探马来报，说先遣部队在商州东面遭到回民的大队人马围攻，提督杨得胜受伤，总兵郭汇川战死，清军伤亡惨重。

胜保一听自己的部队刚入陕就被打得稀巴烂，真是老脸无光，气得一拍桌子骂道：

"祖奶奶的，一个个都是白吃，竟让几个回子给打得惨败，丢尽我胜大将军的人，实在是他妈的无用，只有老子亲自上阵才行！"

胜保刚要传令大军兵进商州扫荡回寇，蔡寿祺急忙劝阻说：

"胜大人，在没有摸清匪贼虚实的情况下不可冒然进军，先头部队惨败的教训不可不引以为戒。知彼知己方可百战不殆，请胜大人明示？"

胜保点点头，"蔡编修言之有理，依你之见呢？"

"不如先派人从周围一带的村民中抓几个人来了解一下寇贼情况，再作用兵布署，力争马到成功，将匪首擒获。"

"好，就按你说的做，先安营扎寨，待摸清敌情之后再出兵剿匪。"

这次回民闹事不是一般的饥民抢粮吃大户，也不是胜保所认为的几个占山为王的草寇抢掠官府。否则，朝廷也不会下谕旨任命他为钦差大臣入陕。

胜保正和蔡寿祺等人叙话，忽然又有探马来报，说商州总兵刘松山来见。胜保正愁不了解敌情无法进军，一听刘松山来见，立即命人将他带进中军帐。

刘松山参见完毕，胜保就十分不客气地质问道：

"我先头部队入陕多日，最近在商州被围遭到惨败，你为何不去救援，该当何罪？"

刘松山没想到胜保一见面就给个下马威，立即苦丧着脸说道：

"请胜大人详察，小的不是不想救援，小的兵马有限，早被打得七零八落，小的能够逃出来见胜大人已是万幸。"

"能有多少人马能够让官府的兵马赶到无处藏身，一定是你麻痹大意轻敌。让寇贼给打败了，故意夸大其词给自己解脱的。"

"不不，小的决不是夸大其词，贼人确实人多势众，胜大人如果认为小的话失真，可以询问巡抚大人。"

胜保见刘松山不像是撒谎，就疏缓一下口气说：

"本帅相信你，你万万不可故弄玄虚欺蒙本帅，否则，我查清事实一定将你严惩。你坐下叙话吧。"

"谢大人！"

"请你把陕西回民闹事的情况详细汇报一下，不得有半点虚假。"

"是，大人！"刘松山恭敬地说道，"大人有所不知，这次决不是小股回民闹事，而是陕甘一带的全体回民起事，此外，还有潜入陕甘境内的太平妖匪作鼓动，几乎整个陕南地带全部被贼人控制了，他们多次猛攻西安，西安几近失守，陕西巡抚刘蓉刘大人万般无奈才十万告急朝廷，两宫太后才派胜大人前来抄剿的，据小人分析，也只有胜大人到此才能制住这帮匪寇。"

刘松山这么一吹捧，胜保果然十分高兴，但他也着实吃惊不小，幸亏听信蔡寿祺的劝告没有轻易进军，不然，也要落个开仗就惨败。

胜保问道："有太平妖匪作祟？此话当真？"

"这等大事小的怎敢欺瞒大人，据属下从抓获的贼人口供中得知，早在一年前，太平军的两个反王就潜到陕西渭南一带活动，准备在这里招兵买马扯起大旗与安徽的捻子遥相呼应，从侧翼包抄京师。"

胜保十分惊奇，"竟然有这等事，太平妖匪真是用尽心机，只可惜心机白费，江南江北两座大营快要被我清朝大军攻破，周围地区也已被我朝大军占领，金陵不久就可克服，贼人群龙无主，如一盘散沙，不战自溃，就不足为患了。"

"据报，太平军的反王陈玉成已被胜大人活捉斩杀，胜大人实在是带兵有方，只盼胜大人这次马到成功，凯旋回朝。"

胜保哈哈一笑，"只要本官到此，贼人就不足虑。你还没告诉我这太平妖匪的反王在陕西活动的情况呢？"

刘松山这才把自己所知道的情况全部告诉胜保。

这次陕西回民闹事只所以声势浩大，震动朝野，其实在陕甘一带聚众举事的并不仅仅是回民，大致有三支大军同时起兵闹事。一支就是潜入陕南的太平军头领——扶王陈得才和遵王赖文光，他们在一年前被陈玉成派遣潜入渭南发展势力，最近听说英王陈玉成在安庆惨败，被俘而牺牲，一气之下举起了大旗，由暗而明，轰轰烈烈地与陕西的地方官员干了起来，攻入汉中占领许多州县。

另一支队伍是四川北部的起义军，他们在四川遭到官府剿杀失败后，由蓝大顺率领余部逃到陕甘交界地带与清军周旋，也打了几次胜仗，占领太白、留坝等地。

这第三支起义的大军才是真正的回民支队，主要有四支队伍，在马家四兄弟的带领下控制了渭河南北的广大地区。马化龙占据大荔，马占鳌控制渭南，马文义拥有临潼一带的地盘，马文禄活动在商州、华州一带。这四人以马占鳌为总头领，此人长得一个大麻脸，外号叫马大麻子。胜保奉旨剿抄马大麻子，就是指他们四兄弟所率领回民起事队伍。

胜保一听刘松山这么讲解，才明白陕西的回民为何这么嚣张，他略有顾忌地问道：

"蓝大顺与太平妖匪和起事的回民这三支反军是否相互通信，彼此呼应，携手为害地方州郡呢？"

刘松山想了想说道："这一点小的也不清楚，但从回民几次围攻西安的规模看，似乎取得了其他几支匪贼的支持。"

蔡寿祺听了刘松山的汇报，也不无忧虑地对胜保说：

"胜大人，如此看来，西安的东南西三面都有大批匪徒，他们从三面包围西安。如果这三支匪徒各自为政尚且好办，倘若他们早有预约，抄剿起来就难了，稍一不慎反会被贼寇所困。"

胜保也赞同地说道："言之有理，言之有理。如果各个击破，分割包围歼灭贼人还是可行的。"

"那必须切断三股匪徒之间的联络，或在他们之间制造矛盾，让他们相互猜疑。"蔡寿祺进一步说道。

胜保刚要讲话，听到帐外有人吵闹，厉声喝道：

"谁如此大胆，在本帅的帐外吵闹，活得不耐烦了。"

有人来报，说抓到探子，可那人知否认自己是奸细。

"那他带进来，本帅亲自审问！"

探子被带了进来，胜保一见十分面熟却一时又想不起在那里见过。那探子一见坐在正面的胜保，大声喊道：

"啊呀，原来是胜大将军，完全是误会，你的手下把我当作探子给抓来了，快给我松绑。"

"你是——"

胜保只觉得面熟，仍然叫不出名字。

"胜大将军，我是西藏喇嘛桑巴特，我们相见几次呢？"

胜保这才想起来，果真是桑巴特，他曾在皇宫之中见过，为了慕陵倾斜的事，先皇咸丰帝曾派他随奕䜣等人去河北遵化考察时，这西藏喇嘛也在，只是从那次慕陵考察回来就再也没有见过面。

胜保也站了起来，向桑巴特一抱拳，施礼说道：

"啊呀，原来是桑巴特大师，实在是误会，误会，快来人给大师松绑，看座！"

桑巴特坐了下来，弹弹身上的泥土问道：

"胜将军是来陕西平叛的吧？"

"正是，正是！"胜保打量一下桑巴特的衣着，奇怪地问道，"大师怎么流落此地，又这一身打扮？"

桑巴特见问，马上十分伤心地说道：

"胜大将军，一言难尽啊，我能够活到今天已是万幸，不这么打扮，只怕早就被人害死了。"

"此话怎讲？桑巴特大师不是在宫中好好的，被奉为上

宾吗？你后来不声不响地去哪里了？以大师的法力，何人敢
害大师？"

桑巴特叹息一声，"胜大人有所不知，我是被那懿贵妃
和安德海所害，她们要置我于死地，幸亏我提前防避她们一
手才没有被害死。哼，这两人实在狠毒，知恩不报，我诚心
诚意帮助她们，反而向我下毒手。听说那懿贵妃如今已是太
后，正垂帘听政呢？让这等狠毒的人当政，只怕大清的江山
会更加糟糕。"

众人一听这人敢当众侮辱太后，真是吃了熊心豹子胆，
诚心不想活了。

胜保看看桑巴特，试探着问道：

"大师敢当着本师的面诽谤太后，不怕我把你解往京城
让慈禧太后给你治罪吗？"

"我已是死过一次的人啦，还怕死吗？你不把我押解去
京城我正准备自己前往呢？我要进宫揭穿那狠毒女人的罪
恶，当众羞辱她，把她的秘密公布于众。"

胜保心中一惊，秘密？什么秘密？他扫视一下众人，不
动声色地说道：

"你们都退下，我和大师有要事商量。"

刘松山等人都退了出去。蔡寿祺迟疑片刻，他看看胜
保。

"你也退下去，有事我再喊你进来。"

蔡寿祺怏怏不乐地退了出去。

胜保见帐内无人，向桑巴特笑了笑：

"大师，能否将那秘密先告诉我，让我先听一听大师值
不值得再重返京师冒险呢？"

"当然值得，这秘密不仅与那拉氏太后有关，还直接关

联到当今皇上的性命呢？”

胜保一听更是吃惊，也就越发想知道这秘密，但他却不动声色地说道：

“只怕又是大师故弄玄虚自吹自擂想诈我几两银子吧？实不相瞒，我这几年在外带兵什么没捞到，银子却搜罗不少，如果大师要回西藏或在那里盖一座寺院，尽管开口，我胜保有的是钱。我和大师虽然相互交往不多，但大师的法力在下还是极为佩服的。”

胜保这一诈一捧，桑巴特忘乎所以了。

“胜大将军如果不相信我的话，我就讲给你听听也无妨，让你看看这秘密值不值得冒死公布于众，如果是一般的秘密，那拉氏也不会派安德海去暗害我。”

胜保淡淡一笑，“到底什么秘密大师请讲，要是真值得公布于众，我胜保保护你的人身安全。”

“那倒没有必要，我桑巴特早已把生死置之度外才决定这样做的。胜将军一定记得当今皇上在出生后不久储秀宫发生的蛊惑事件吧？”

胜保点点头，“当然记得，后来查明是云嫔所做，为此将云嫔打入冷宫，后来云嫔不堪忍受冷宫的折磨自缢而死。当今皇上中了那蛊惑之毒啼哭不停，不正是大师施展法力治好的吗？大师为何突然提起此事？”

“实不相瞒，我说的秘密就与这事有关。”

胜保装作吃惊的样子，“难道这蛊惑——”胜保没有讲下去。

“那蛊惑根本不是云嫔所为，是懿贵妃本人所做，那上面的咒语也是我所写，这都是懿贵妃和安德海商议好让我那样做的，不那样做我就活不下去，为了求生才违心那样做。”

桑巴特说到这里，又自嘲地叹息说：

"就是写上咒语也是假的，根本不可能蛊惑人，这都是江湖上流传下来的骗人把戏。"

"那为什么皇上连续多日不吃不喝啼哭不停呢？"

"这就是秘密。"桑巴特说道，"懿贵妃与安德海让我帮助他们污陷云嫔，被迫无奈的情况下我给她们出一个主意，把蛊惑的罪名推给云嫔。而让大阿哥啼哭不停又茶水不饮的原因是大阿哥服用了我所配制的一种药，带有安眠摧魂作用，只要人服用那药可以不吃不喝安睡多日。我又在大阿哥所服用的药中加入了少量过敏刺激性的药，因此大阿哥双眼微闭啼哭不停又几天不吃不喝。"

"那后来大师如何施展法术去掉药力的呢？这在当时的京城一时传为佳话，都说大师法力无边，许多人都争相请大师驱鬼治邪呢？"

桑巴特笑了，"我在给大阿哥施展法术驱鬼时，就是避开众人给大阿哥服用解药。"

桑巴特说到这里，又叹息一声，十分懊恼地说道：

"只可惜我在给大阿哥服用解药时，唯恐有人偷看坏了我的好事，一时心里惊慌，给大阿哥多服了一点解药。"

胜保看桑巴特十分痛心后悔的神色，急忙问道：

"难道这多服一点解药也对当今皇上有什么影响吗？"

"有，有很大影响呢？"桑巴特立即回答道，"那解药的副作用比原来服的催魂安眠药的危害还大呢？一般服用都必须绝对保持两种药力相辅相称。"

胜保惊慌失措地问，"那么当今皇上多服了一些解药会有什么危害呢？"

"那药物随血液进入脾脏有伤心脾，平日里可能引起发热或呕吐等症状，时间长久会引起肾虚，肝火过旺等杂病，如果严重起来可能引起人不生育。”

“这，这如何是好，倘若当今皇上失去生殖能力，那大清江山不就——唉，桑巴特啊桑巴特，你还要进京揭露这个秘密，我看你是死有余辜。不过，事到如今埋怨也无济无事，请问大师还有补救的措施吗？”

桑巴特十分自信地说：“当然有，任何药物都是相生相克，正如你们中原流传的石膏制豆腐，一物降一物，那两种是我所配制，我也就能给皇上解除病症。说真的，我这次准备返回京师，一方面是为了揭露那拉氏太后的狠毒之心，另一方面也是为了要给当今皇上解除体内残余的药力，免除皇上可能产生的杂病。”

胜保点点头，赞许地说：“大师能够主动回来，冒着生死的危险给皇上解除疾痛，这是万民感激不尽的事，我胜保首先感谢大师，此去京师的一切费用和安全都由我来担负，大师还有什么请求尽管开口，我胜保一定照办。”

胜保忽然又想起了什么，问道：

“请问大师，皇上身上的那药物残力其他医师能否治愈？”

“这就难说了，要看这位医师的技术是否高明，能否从神色脉象上了解皇上身体残有何种药力，只有找到症结才能下药治病。”

“依大师所见，宫中的那些御医能否给皇上治好病呢？倘若已有御医给皇上诊断出症候，并为皇上治愈，大师此番再进京师岂不是白白送死，还有什么价值呢？”

“这——”桑巴特稍稍沉思片刻，淡淡地说，“据我个人估计，宫中那几名御医除了沈保田以外没有人能够看透病症。"

"依大师猜测沈宝田能够看透皇上龙体内所存留的药物吗?"

桑巴特摇摇头,"我也不能肯定他能治好,但沈宝田的医术是宫中所有御医中最好的,不比我逊色,他只要潜下心来研究一下,还是可以将皇上的病治好的。当然,如果皇上的身体抵抗力很强也许什么后移病症都不会有的。"

"大师以前是否把这些事告诉过其他人?"胜保装作无心地问道。

"这等大事我怎敢四处张扬?就是不说差一点被安德海害死了呢?我这次准备回京揭露那拉氏太后的罪过,实在是为肃顺等人鸣不平,也为云嫔娘娘之死有所惭愧。如今让这样一位心狠手辣的女人把持朝政,还不知要害死多少人呢?"

胜保心里道:真是秦桧还有三个相好的,肃顺是死有余辜,他却为肃顺鸣不平。

胜保打量一下桑巴特,又问道:

"按照大师所言,知道皇上这个秘密的人,只有大师和慈禧太后与安德海?"

桑巴特摇摇头,"慈禧与安德海未必知道皇上体内尚存留余药,并且那所残存的药力对皇上危害很大。真正知道这件事的只有我一人,不,还有胜大将军。"

胜保白眼珠一转,哈哈大笑:

"桑巴特,你看谁来了?"

桑巴特转过身向外望去,胜保以迅雷不及掩耳之势拔出宝剑用刀刺向桑巴特的后心。桑巴特大叫一声转过身,指着胜保断断续续地说道:

"你,你,你为何杀我!"

胜保嘿嘿一笑，"你所说的秘密我只想让我一人知道。"

桑巴特无力地捂住汩汩流出的鲜血倒地而亡。

胜保扫一眼躺在地上的尸体，轻轻擦一下宝剑上的血迹向帐门外大喊一声：

"来人，把这具尸体给我抬出去扔了！"

四个士兵进来抬起桑巴特的尸首就向外走。这时，蔡寿祺进来了，看看桑巴特的尸首又偷眼看看胜保的表情，心中明白了几分。

胜保故作十分生气地说："这个人真可恶，故弄玄虚欺骗本帅，妄图勒索本帅的银两，竟敢在太岁头上动土，与我动起武来，被我一剑刺死。"

蔡寿祺自然知道胜保是在撒谎，也不点破，心中更加怀疑胜保从桑巴特那里打听出什么不可告人的秘密。至于怎么做，蔡寿祺已在心中盘算着。

第六章　太后立威

一、胜保失算

慈禧太后看过密札，脸色变得惨白。

何桂清要倒霉，那拉氏要拿他开刀了。

西太后看罢胜保的密折，气得咬牙切齿。

蔡寿祺将胜保所犯罪行罗列为十大罪状。

乾清宫弘德殿

同治皇帝的典学礼仪刚刚结束，慈禧太后就对奕訢说：

"恭王，皇上的启蒙师傅除翰林院编修李鸿藻以外，还应该再多加几位，以督促皇上潜心攻读早日学得治国之道，也许我们姐妹早一点撤帘归政。"

"以太后之见，再增加哪几人做皇上的师傅呢？"

"就按大行皇帝临终遗言，礼部尚书大学士祁寯藻，大学士翁心存和工部尚书倭仁几人在弘德殿授读，这弘德殿行走一职就有恭王担任吧。"

"这——"

恭亲王奕訢略一踌躇，并不是他不想担任这一职务，这是众多亲王头衔中最荣耀的一个职位，直接和皇上朝夕相伴，管教皇上的言行。但奕訢想到的是自己所拥有的头衔已经够多的，议政王、军机大臣、宗人府宗令，管理宗人府银库、管理总理各国事务衙门，可谓身兼多职，集政权、兵权、族权、财权、外交大权于一身，如今再任弘德殿行走，岂不太显赫了，树大招风呀！

"太后，这弘德殿行走一职须德高望重的亲王担任方能服众，依微臣所见就由惠亲王绵愉担任吧，他辈份最高，品行端正，也颇有学识，能给皇上以楷模，是最合适的人选。"

慈禧淡淡一笑，"惠亲王辈份最高，品行也端，就让他做弘德殿督监一职吧，他的两个王子奕详、奕询也一同来弘德殿作皇上的伴读。不过，这弘德殿行走一职仍需恭王担任，其他人均不合适，这也是我和慈安太后合计好久的，请恭王不必推辞。"

奕䜣一躬到地，"谢两宫太后对微臣的信任，恭敬不如从命，微臣就暂且接下这一职务，待以后寻找到合适人选时微臣再让出来。"

慈禧这才含笑点头，"恭王不必多礼，请起来叙话吧，恭王对皇上的所学课程有什么打算？"

"回太后，按照我朝祖制，帝王所学不在于章句训诂，重在一言一行的修身养德，从典籍经史之中学到治国的经略和用人之道，目的在于济世致用，光大祖业。"

"恭王说得极是，就按照这个要求给皇上制定功课内容和日常作息时间，这事就有劳恭王费心了。"

奕䜣淡淡一笑，从袖中抽出一张叠放整齐的纸来，递给慈禧说：

"太后，微臣考虑到皇上今日要进行典学礼仪，就提前查阅我朝历代皇帝启蒙就读时的记载，制定出皇上所开设的课程和作息时间的安排，请太后过目。"

慈禧微微一怔，脸上掠过一丝不易觉察的表情，但她马上恢复如初，接过来认真看了看：

一、皇上每日到弘德殿上书房，按照规定，先拉弓，后学满语与蒙古语，再习汉书；

二、皇上入学时刻由太后钦定，先俟召见引见后再去书房读书，启蒙之时实行半书房，待八岁之后改作整日书房，御膳也在书房；

三、诵读与讨论并行，务求实际，以古论今，经世致用；

四、太后、皇上万寿圣节以及彩服日，祭坛日均不入学；

五、初伏至处暑日功课减半；

六、皇上冲龄仅习拉弓，待年龄稍长应学步射与打枪，拟请由御前大臣与乾清门一等侍卫教射；

七、骑马一事须自幼学习，拟自入学后即著御前大臣教习，每隔五日一次，遇风雨雪天气或礼节假日停止。

慈禧边看边频频点头，"恭王考虑极为周道，只是皇上早在热河之时就已经由李鸿藻授读了，如今虽然重新举典学之礼，也只是对热河行宫授读礼仪的补充，启蒙教学仍按李鸿藻授读内容讲解，其他人所授课程有劳恭王详细定出。"

"臣尊旨！"

奕诉刚要退出，储秀宫总管太监安德海匆匆忙忙进来在慈禧身边耳语一会儿，慈禧木然地点点头；

"我马上回宫。"

待安德海走后，奕诉急忙告辞，慈禧又叮咛几句，让他时刻督促皇上攻读。

看着奕诉离去时的背影，慈禧暗暗叹息一声，心里道：

如今虽然垂帘听政，这朝中大臣与各省大员仍有部分人心中不服，自己和钮祜禄氏必定都是女人，对于政事也缺乏经验，事事必须靠着奕䜣。唉，要想办法拢住这人不可，如果奕䜣也有二心，效法当年的多尔衮那事情就不好办。也正是因为考虑到这些，她才和慈安姐姐商定，加封奕䜣为议政王而不是摄政王，唯恐留有后患。怎样才能拢住奕䜣呢？难道自己必须像庄妃皇太后那样付出肉体的代价吗？

慈禧刚回到储秀宫，安德海把一份密札递给她说：

"太后，有人从陕西稍来一份密札，让奴才亲自转交太后，请太后一人过目，说有要事见告。"

"莫非胜保剿匪失利，别的还能有什么要事，递一份十万火急的折子不就行了？"

慈禧边说边从安德海手中接过密札，只见封口上写着："慈禧皇太后亲启"几个字。

慈禧撕开一看，脸变得惨白，安德海从慈禧的神色知道不是好事，急忙问道：

"太后，什么事让你吓得这样？你不是常常告诫奴才遇事要冷静，刀架脖子颜色不变动吗？"

"住嘴！"

慈禧喝斥一声，随即又问道：

"小安子，我问你，这信中的内容你可知道？"

安德海以为慈禧怀疑他偷拆信笺，立即苦丧着脸说道：

"奴才随皇太后多年，奴才的德行太后也是知道，该知道的太后自然会让奴才知道，不该知道的，奴才是决不会打听一句的，奴才冤枉，确实没有拆太后的信笺。"

"我不是说这些，我是问你是否知道信中说的事。"

"奴才只看封皮没看内容如何知道其中内容?"

"这信是谁交给你的?"

"疏奏房的太监。"

慈禧的脸色这才缓和过来,本着脸问道:

"小安子,我且问你:当年在宫中的那位西藏喇嘛桑巴特你是如何处理?"

"桑巴特?"安德海小眼球一转,"多年前就被奴才给解决了,恐怕他的骨头都已经变成粪土了。

"安德海,你狗大胆,竟敢欺蒙本宫!"慈禧一拍御案说道。

"奴才不敢,奴才句句是实。"

"哼,你句句是实,你看这信中写的什么?"

安德海接过信札一看,大吃一惊,只见上面写道:

启禀太后:胜保最近从一名叫桑巴特的西藏喇嘛那里得知太后的一项秘密,他为了独自占有那秘密,已将桑巴特杀害,至于什么秘密卑职不晓,编修蔡寿祺。

"安德海,你不是说桑巴特早已被你除去了吗?为何如今又冒出一个桑巴特,这作何解释?"

"不可能,绝对不可能,那西藏喇嘛分明是奴才亲手毒死的,也是奴才亲手派人把他扔出去的,怎么会复活呢?真是不可思议!"

"你用的什么药?那药是否假?"

"奴才用的是鹤顶红,奴才当时还用一条狗作试验呢?绝对不假。"

"桑巴特是否喝下毒药?"

"奴才亲眼看他喝过那有鹤顶红的药酒后便死去了,奴才这才把他扔到京外去,怎么会复活呢?除非那西藏喇嘛有起死回生的功能，否则，就是有一百个桑巴特也死过了。"

安德海又看了看信札，疑惑地问道：

"莫非这蔡寿祺是故弄玄虚欺骗太后的，以此向太后邀功领赏？"

"哼，你想推脱责任？蔡寿祺一个小小的编修怎么会知道内廷曾经有一个西藏喇嘛桑巴特的事，那时只怕此人尚没有做官呢？就是蔡寿祺从别人的口中听说过桑巴特，也没有必要把胜保也扯进去？他难道不知道胜保的地位和声望吗？"

安德海又是困惑又是害怕，他注视着慈禧的表情，小心翼地问道：

"以太后之见，这件事应该怎样处理呢？"

慈禧沉吟片刻说道："不管是真是假，先查清蔡寿祺的人生经历，火速把蔡寿祺从陕西胜保大营调回京，待了解事情的真相后再作进一步处理！"

安德海急忙点头哈腰地说："太后稍坐，奴才这就去吏部查一查蔡寿祺的身世，待查明之后再来奏报太后，请太后定夺。"

慈禧摆摆手，安德海急急忙忙地退了出去。

慈禧坐在那里细细揣摩着手中的密札，心里七上八下，假如那西藏喇嘛桑巴特没有死，对自己实在不利，他知道的事情太多了。陷害云嫔的前前后后他都知道，虽然这事时过境迁，追究起来也不能将自己怎么样，但对于自己的名声却十分不利，倘若有人借此大作文章，这垂帘听政的资格就可能被取消。特别是这密札中提到胜保从桑巴特那里掌握了我的一个秘密，不用说是有关云嫔与皇上的事。胜保这个老猾头可不是省油的灯，他在去年的政变中立了大功，但向我要求的条件也很苛刻，由兵部左侍郎升任兵部尚书，并要求镶黄旗满洲都统与正蓝旗护军统领的职务。这些我都给了他，可这个贪心不足的家伙仍不满足，主动要求加封他为亲王。哼，这一条有点太苛刻了，亲王的头衔岂能随便加封，后来经奕䜣从中调和，没有授他亲王的头衔，但给了他一大批赏金，就这样，听说他仍不感到满足。真是得寸进尺！

如今胜保要是掌握了自己谋害云嫔的秘密，他会怎样做呢？是向慈安与恭亲王等人揭发自己，还是以此要挟自己呢？

慈禧正在左思右想，皇上蹦蹦跳跳地在李连英陪同下走了进来。

"额娘，李师傅今天又给我讲了好多历史掌故。"

慈禧让载淳靠近自己，轻轻抚摸着载淳的头，强作笑脸地问：

"皇上，李师傅讲了哪些历史掌故，你也讲给额娘听听？"

载淳昂起头，忽视一下大眼，"李师傅讲了秦穆公任用商秧变法的掌故，以及康太宗任用姚崇、宋璟为相出现贞观之治的故事。"

慈禧点点头，"皇上明白李师傅讲这些故事的用意吗？"

"当然知道，李师傅要把我培养成秦穆公、唐太宗那样的明君贤主。"

"皇上能做到这些吗？"

"能，我要记住阿玛的嘱托，振兴大清王朝，像康熙爷那样有所作为。"

慈禧见皇上进步很快，十分欣慰，一股暖流涌遍全身。她一把将载淳搂在怀里，紧紧的，许久才松开手，喃喃地说道：

"孩儿，只要你能成为一位有所作为的好皇上，额娘再苦再累，付出再多代价也值得。"

载淳抬起了头，看见两行清泪从额娘脸上流下，他伸出小手轻轻给额娘擦去，关切地问：

"额娘，你又哭了？"

慈禧忙抹一把泪水，"额娘不哭，额娘不哭。"

李连英也从旁边搭讪道："太后应该高兴才是，皇上学习刻苦，进步又快，将来一定是一代明君，这全是太后的福份。"

慈禧破啼为笑，"小李子真会说话，本宫让你服侍皇上，你可要好好地照看着皇上的生活，将来皇上独立执政了，少不了你的好处。"

"太后说得有理，奴才哪敢慢待了皇上，奴才一定让皇上服侍得好好的。"

正说着，安德海回来了。慈禧便对李连英说道：

"小李子，皇上在上书房经过典学礼，又听李鸿藻讲了几个时辰的课，也累了，你带他去休息休息吧。"

"喳！"

李连英和皇上一起走了。

安德海急忙奏报说："启禀太后，奴才已经查清了蔡寿祺的身世。"

"快讲——"

"蔡寿祺是四川人，咸丰五年进士及第出身，后授韩林院编修，不知因何原因于咸丰八年到胜保营中任职，是胜保帐下的幕府，如今正随军在胜保太营入陕平定陕西回民暴乱。"

慈禧点点头，"还有吗？"

"据说此人善于察颜观色，见风使舵，因在翰林院没有什么油水可捞，又一时提升不上去，才投靠胜保，在胜保帐下当差。"

安德海说到这里，看了一眼太后，"请问太后该如何处理？"

"这还用问我吗？是真是假先把蔡寿祺从陕西调回来再说。"

"是私召还是公调？"

慈禧沉吟一下说道："公召吧，以谕旨形式召蔡寿祺回京，补授日讲起居注官，让他在宫中行事，由你我看管着他，还怕他不老老实实把一切告诉我们，也省得他在外面起动乱嚼舌头，如果他实在不听话，就让他的嘴巴永远闭起来。"

安德海一竖大拇指，"太后实在高见！"

"哼！都是你这该死的奴才办事不力，给我闯下的大祸，否则怎会再费心思为你擦屁股？如果下次再发生类似的事，也让你的嘴巴永远闭起来！"

"奴才一定谨慎，奴才一定小心！"

"下去吧，老娘也休息了。"

"喳！"

养心殿气氛异常。

王公大臣们一个个静静站立着，他们虽然隔着一道半透明的帘子看不清两宫太后的表情，但从小皇上载淳的神色中已经隐隐约约感到两宫太后十分生气。

据内廷人透出消息，昨天，西洋驻华使节已经通过总理衙门大臣奕诉告到两宫太后那里，说清朝在前线剿匪的将领作战不积极，贪生怕生，全靠他们洋人打前锋，从而造成洋人死伤惨重。那些驻华使节要求两宫皇太后严惩前线贪生怕死的将领，不然就把他们的洋枪队全部撤走，不帮助大清朝平定叛乱。

两宫太后听到洋人的这些言告怎能不生气，起初他们担心洋人从中作难，直接抵制她们垂帘听政。由于奕诉从中调和，事先向洋人采取了妥协政策才换得洋人对两宫太后的支持，并同意协助大清朝剿灭太平天国长毛。当然，这付出的代价也是高昂的。

除了《北京条约》、《天津条约》给英法美俄等国的优惠政策外，海关总税务司的职务由英国人赫德来担任。此外，还要默许洋人在中国修铁路，开煤矿，办工厂，开银行，如果大清朝购买军火必须到他们这些国家购买，也要聘请他们的专家作顾问。

尽管条件如此苛刻，两宫太后还是一咬牙答应了。目的就是从屈辱的要求换取西洋列强的合作，早日平定南方的长毛作乱，也好了却一桩心病。

两宫太后怎能不忧心忡忡呢？太平天国的势力已经遍及十七八个省，占据了江南的大部分领土，明目仗胆地在金陵称皇称帝与清廷分庭抗争。这还不算，又多次西征北伐，大有包抄京津灭掉大清的野心。虽然几次北伐均被打败，但也令清廷心惊胆颤。

两宫太后听政的第一件大事就是重新调整的军事部署，大胆地任用了曾国藩、曾国荃、左宗棠、胡林翼、李鸿章等一批汉臣，让他们招兵买马，自办武装对付太平长毛，早一天攻下金陵，剿灭乱党。

近日不断有捷报传来，太平天国反贼所占领的土地陆续克服，江南江北大营行将攻破，金陵克复在望。

两宫太后听到这些好消息喜得合不拢嘴。可是，昨天洋人的控告又给两宫太后当头浇了一盆冷水，她们估计南方传来的捷报可能有诈，是虚报军情骗取朝廷的赏赐。进一步说，是欺负她们孤儿寡母不懂朝政，故意糊弄她们。

据说恭亲王昨日在宫中已经挨了两位太后的训斥，这话是否确实谁也不知，但从奕䜣的神色上似乎没有往日那么神采飞扬，多少有一丝的丧气。

整个养心殿仍在沉默着。

两宫太后不开口讲话，谁也不愿作这露头的青萝卜，说得顺耳还好，说得不顺耳轻则挨骂，重则丢官。众大臣起初以为两位妇人家能有啥本领，垂帘听政不过摆摆样子，这一年多的交往，众大臣再也不敢小瞧两宫太后了，一个个暗自心惊，私下里一致认为两宫太后比先皇厉害多了，特别是慈禧太后更不是一个省油灯，做起事来干净利索，说起话来不软不硬挺拿人的，比男人还男人。

静静地大殿上终于从帘后传来两声不大不小的干咳声，众人立即都小心地竖起了耳朵知道是那西太后慈禧要发话了。这两声干咳似乎是慈禧发话的信号，众人也习以为常了，都不由自主地向帘子的西见望去，只听慈禧问道：

"何桂清已经押解在京多日了，此案著刑部与吏部议定裁决处置，不知议定的结果如何？"

众人一听太后寻问的是一桩旧事，不是剿匪前线的事，也没提及洋人的质问，都稍稍放松一口气。只见掌管刑部的大学士周祖培出班奏道：

"启禀皇上皇太后，何桂清一案众说纷纭，一时难以定案，须进一步查清事实方可定罪。"

"一件小小的案子查来审去一晃半年有余，至今尚无定论，这等办事速度太令人失望！"

周祖培一听慈禧太后的口气十分不满急忙解释说：

"启禀太后，何桂清是二品顶戴署两江总督先皇曾加恩封太子太保衔，朝廷上下对处置何桂清一案也有两种不同说法，有人主张严惩，有人主张宽大处理，加恩降职使用，让他重回江浙战场，带罪立功，将功补过。"

慈禧一听周祖培这样说，小声问慈安太后："姐姐以为如何处置呢？"

慈安太后这才提高嗓门问道："何桂清本人是何态度？"

"先皇在世时，何桂清从常州逃到常熟，曾上疏自请议处，言辞之间流露后悔的意思，也想带罪立功效命朝廷。"

不待慈安发话，大学士祁寯藻出班奏道：

"启奏皇上皇太后，何桂清虽然在言辞上有悔改之意，但其本人却极力为自己辨护，狡辩自己逃跑到苏州是受江苏司道等人的邀请，足以见出他根本没有悔改的意思，言辞悔改只是为自己搪塞责任，减轻朝廷处罚。请两宫太后明示，此人只能加重处罚，决不能宽恕轻饶！"

周祖培立即为何桂清辨解道："他受江苏司道等人禀请离开常州逃亡苏州也是事实，何桂清曾说有江苏巡抚薛焕、浙江巡抚王有龄等人邀请函可以佐证。"

"薛焕、王有龄等人的邀请书信何在？何桂清是否出示公堂？"慈安问道。

周祖培急忙说道："何桂清说那些信札都存放在苏州，我也曾请两江总督曾国藩协助查清此事，可曾国藩回函说苏州常州失陷后所有的公文卷宇都毁于战火，无从查找那些书信。"

"薛焕、王有龄等人对此事有何看法，他们是否承认曾出函邀请何桂清逃离常州呢？"慈安太后又问道。

"薛焕、王有龄承认确实致函邀请何桂清弃城奔走他们的所在，这两人也一致奏请先皇对何桂清宽大处置，让何桂清带罪任用以赎前过。"

祁寯藻又驳斥说："周大人不可听信薛焕与王有龄等人的言辞，他们都是何桂清的部下，当然给他求情。更何况这些人在江浙战场也扮演着不光彩的角色，都有临阵溃逃的先例，就更要为何桂清开脱责任了，一定程度上说，他们为何桂清求情实际上是为自己推卸责任，周大人以为呢？"

"就是何桂清完全是临阵脱逃也理应宽大处理，我朝发生在阵前不战而逃的事也不是从何桂清一人起，更何况他本有是自请议处，又有悔改之意，何不让他带罪立功，以功赎过呢？"

慈禧立即发话了，"周大人话可不能这么说，如今我朝吏制腐败，法度不惩，封疆大吏贪庸，领兵守将贪生怕死又好假冒战功。如今想重整吏制，振兴朝纲，平定叛贼，不以严治法，从上而下，凭什么振作中兴将士的士气？逃帅得不到惩处，如何能服众人？"

周祖培一听慈禧太后这几句话，心中着实一怔，知道何桂清要倒霉，太后可能拿他开刀，急忙问道：

"太后以为作何处置？"

"临阵退逃，贻误战机，造成常州、苏州等地相继失守，依照我朝法令，罪当处斩！"

"请太后三思，如今战事紧张正是用人之际，战事未定，处斩封疆大吏在我朝也属少有之事，是否会引起朝野上下震惊、动摇军心?"周祖培跪下请求道。

慈安太后出面调和说："同意将何桂清处斩的人有多少?"

刑部侍郎绵森出班奏道："郭祥瑞、谢增、卞宝第、王宪成、何桂芬，李崇阶、曾国藩等人都主张严惩不殆。"

"那么主张宽大处理的人又有多少?"

"也有十七八人。"

慈安转向慈禧，"妹妹，你看此事是否再请大学士六部九卿翰詹科道开会再议一议，然后定夺呢? 这是我们姐妹听政以来遇到的第一桩大事，不能不慎重起见，以防处理不当引起非议。"

"姐姐不必多说，你听我的没错。"

慈禧又干咳两声，向群臣问道：

"众卿对南方战事了解如何?"

桂良奏道："捷报频传，曾国藩攻克安庆歼灭反王陈玉成的军队，陈玉成被胜保所俘处斩，常州、苏州等失地也已克复，反王部永宽、谭绍光、陈坤书等人相继被我大军击毙，江南、江北大营已经被打垮，金陵克复为时不远，我大军所到之处如风卷残云，也势如破竹。这是先皇有灵，更是两宫太后调度有方，用人有道，大清中兴之日可待。"

桂良一番话说得两宫太后面露喜色。

慈禧淡淡一笑，马上又十分严肃地说道：

"桂学士只知其一不知其二，只看到好的一面，也应该看到坏的一面，据洋人使节向总理衙门控告，说我大清朝的将士贪生怕死，作战不勇敢，冲锋在前的都是他们洋枪队的人，这作何解释? 养兵千日，用兵一时，国难当头，有人敢临阵退却，不当严惩何以明法纪树军威?"

　　其实这西洋使节到总理衙门控告也是有原因的。他们的将士的确死伤不少，太平军在上海一带的几场战斗中踏破清营三十多座，击毙法国水师提督罗德，打伤英国水师提督何伯，活捉了好称常胜军的副统领法不思德，英法的助剿军伤之惨重可想而知。浙江战场上，慈溪一役英国洋枪队的头目也被太平军打死，连法国驻宁波的海军司令勒伯勒东也受伤而死。这些洋人驻华使节怎不大惊失色，他们到总理衙门控告大清朝的前线将领作战不勇，一是为自己军队的无能寻找借口，另一方面也是要求大清王朝多给一些抚恤的银两，多出卖一些国家的利益。

　　洋人找到总理衙门大臣奕䜣，提出一系列的要求，奕䜣虽然有权，但这些事也不敢擅自作主，只好去请示两宫太后。两宫太后一听洋人的控告，说洋人伤亡惨重的原因都是大清朝的将领贪生怕死，把主攻的责任推给了他们。洋人一提条件就等于割太后的肉，怎能不心疼，把奕䜣狠狠训斥一顿。奕䜣必定是两宫太后的主心骨，又是政治上的靠山，即使训斥也不同于对待其他官员，两宫太后才决定从下面官员中找人开刀，这何桂清自然是首当其冲的开刀对象。因此，停了半年有余的何桂清一案今天太后又重新提起。至此，众大臣才明白慈禧太后为何不说前线剿匪的事，也不提洋人质问总理衙门的事，而突然问及对何桂清的处置意见，原来是要拿何桂清开刀，杀鸡给猴看，严法是为了立威。

　　众人明白了两宫太后的目的，谁还敢出言顶撞要求宽大处理何桂清呢？

　　第二天，从后宫传出圣谕：

　　已革两江总督何桂清一犯，自常州节节退避，辗转逃生，致苏、常等郡全行沦陷。追奉文宗显皇帝严旨拿解来京，犹敢避匿迁延，迟至两年，始行到部。朝廷刑赏。一秉大公。因廷臣会议，互有异同。酌中定议，将该犯比照常带兵大员失陷城寨本律，予以斩监候，秋后处决，已属法外之仁。今已秋后届期，若因停勾之年，再行停缓，致情罪重大之犯，久稽显戮，何以肃刑章而示炯戒？且何桂清著即行处决。派大学士管理刑部周祖培、尚书绵森，即日监视行刑。钦此。

谕旨一下，再无更改可能，满朝上下无不耸然，但也无一人再去求情，只能怪何桂清倒霉，运气不佳，碰到太后严打的关头。

这何桂清，字根云，云南昆明人，道光十五年中进士，而始援予翰林院编修，后升到内阁学士，咸丰四年，从江苏学政升任浙江巡抚。咸丰七年，代替怡良出任两江总督，咸丰八年又援予钦差大臣办理各国通商事务，咸丰十年，皇上加恩，援予太子太保衔，与名震朝野的胡林翼享有同样的名声，人称"何胡南宫保"，他做梦也没想到自己会落到处斩的地步。

谕旨一到即刻行刑，何桂清苦喊着要见两宫太后一面。周祖培也想让何桂清向两宫太后当面忏悔一番，求得一丝宽荣，可宫内传出话来，准时行刑，不得延误。

菜市口行刑时刻，何桂清大叫一声：

"我死不瞑目！"

语音未落，一颗血淋淋的人头滚落于地。

御前大臣荣禄兴冲冲地来到储秀宫，刚一进门，安德海就冲着他冷冷地说道：

"太后不再。"

荣禄一愣，"怎么？安德海，我没说是来找太后的呀？"

"嘿嘿，荣大人，这储秀宫你除了太后还会找谁？怎不会来找我安德海的吧。"

荣禄挠挠头，"还是小安子聪明，告诉我太后去了哪里？"

"去御花园散心赏花去了？"

"和谁一道去的？"怎么你没有陪着太后？"

安德海撇撇嘴，"有你御前大臣在，我哪有那个资格呀？荣大人，还愣着干么，去呗，太后正等着你呢？"

"真的？"

"真的，太后临走前告诉我，如果荣禄来了，让他到御花园找我！"

荣禄来到御花园，果然看见慈禧太后一人正站在一株秋海棠前发呆，整个御花园就她一个人。

荣禄来到慈禧身后，躬身施礼说道：

"荣禄参见太后！"

慈禧转过身，"你怎么来了？谁告诉你我在这里的？唉，一个人想静一静都不能够……"

"不是太后让我来这里的吗？如果太后有心事我就先回了。"

"既然来了，就多呆一会儿吧，反正也没有人陪着，我这几日心里闷得慌。"

"还是为何桂清的事吗？"

"哼哼，为他？一个小小的何桂清能值得我为他心烦吗？杀了就是杀了，无论谁阻拦，我所要做的事就坚决做到底，谁也拦不住。大行皇帝和肃顺、载垣、端华等人都拦不住，更何况是这些人。"

　　荣禄悄悄地靠近慈禧一些，他的呼吸略为有些急促，心也怦怦跳得厉害，他想上前一把抱住慈禧，又怕这一时冲动抱过去，自己所有美好的前程瞬间化为乌有。他定了定神，终于没有这样做，只轻轻地把太后鬓角一缕被风吹散发丝理了理。

　　"我已经够烦的了，你千万别再给我添麻烦。"

　　慈禧的口气很冷很硬，不容更改。

　　荣禄急忙把手缩了回来，脸上有一丝的尴尬。

　　慈禧看了看荣禄，苦笑一下，"他们都认为我的心狠了一点，正想找我的茬呢？还是收敛一些，以防被他们抓到什么把柄，这事是说不清的，待我的地位稳定了再说其他的。我让你到我身边，是让你多给我出谋划策的，不能胡思乱想。"

　　"奴才不敢！"

　　慈禧一见荣禄的这个神色，笑了。

　　"你也不用如此害怕，我没有别的意思，帮我度过眼前这道难关。"

　　"是不是恭王与慈安太后认为你独断专行杀了何桂清有所不满？"

　　"也不全是。他们不满是他们的，我偏要这么做！"

　　"兰儿，你的脾气还是没改。"

　　荣禄终于大胆地说出了这么一句。

　　慈禧抬起头盯着荣禄的双眼，这双眼睛对他，是那样熟悉又那样陌生，遥远而又切近。她也仿佛被"兰儿"这一火辣辣的字眼感染了，一股暖流传遍全身。她自言自语地重复着这两个字眼"兰儿"、"兰儿"。

　　慈禧笑了，笑得那么凄婉。

"我的脾气一直没改吗?"

荣禄点点头,"还是那样犟,像当年一样。"

"当年……"

"当年……"

两人不约而同回忆起当年的那段往事。

报春的鸭子用红掌拨开了春的踪迹。

镇江北固山脚下,一对热恋中的青年男女忘情地追逐着、嬉戏着,喊叫着。

"我的飞得高!"

"我的飞得远!"

"我这小天鹅一定赛过你的花蝴蝶,天鹅吗,生来就是在天空飞翔的命,蝴蝶只能在花丛上飞舞,瞧,我的天鹅上天了。"兰儿像只百灵鸟,咯咯地夸着自己的风筝。

荣禄也不示弱,"哼,你哪是天鹅? 分明是丑小鸭,永远也飞不上高空,瞧,落下来了吧。"

兰儿恼了。

"你是丑小鸭,你是丑小鸭,我就是天鹅,一定能飞上蓝天,一定能,一定能!"

"好了,好了,我的小天鹅,本少爷不与你争辩了,你是天鹅我是丑小鸭,天鹅飞得越高会摔得更惨,而我这丑小鸭上不了天也就不会摔痛屁股。瞧瞧你的屁股是不是被摔成了两瓣?"

"你坏,你坏,你的屁股才摔成两半呢?"

"我的小祖宗,我求饶还不行吗? 别打了,别打了,我的屁股是两半,而你的屁股是个整的,还不行吗?"

"荣禄坏,荣禄是小乌龟,你的屁股才是整的呢?"

"小姑奶奶，说你的屁股是两半的不行，说你的屁股是个整的也不行，你自己说你的屁股是几半？哈哈……"

你又捉弄我了，小乌龟，丑小鸭，花蝴蝶，看我不拧你耳朵才怪呢！"

"别闹了，别闹了，瞧你的小天鹅挂那半坡的树上了。"荣禄用双手捂住自己的耳朵说。

"糟了，我的天鹅要上吊了。"

兰儿向山坡上跑去，荣禄从后面追了过去。

两人一口气跑到挂着风筝的那棵大树下，都累得气喘吁吁。兰儿失望了，树长在山崖上，那样高，没有足够长的杆子把她的风筝取下来。

"荣禄大哥，我的风筝，我的小天鹅，这可怎么办？"

"树这么高，山崖这么陡，上去取风筝太危险了，为了一只风筝搭进一条命不值得，咱们回去吧。你心灵手巧，再花上一天时间扎一只不就行了吗？"

"不吗？扎这只风筝我已经付出很大代价了，妈妈把我狠狠地训斥了一顿，妹妹几次向我索取我都没答应给她。"

"如果不想扎了，我回去到街上给你买一只更好更大的风筝？"

"不吗？荣大哥，我只要这一只，只要这一只小天鹅。我已经在庙里许过愿，这只小天鹅就是我自己，如果它挂在这树上下不来吊死上面，我会不吉利的，也会像这只风筝一样吊死在树上的。"

"真的灵验吗？"荣禄瞪大了眼睛。

兰儿点点头，"我特别相信命运，这小天鹅的命运就是我的命运。"

荣禄急了，站在树下望着高高的树杈上的那只小天鹅风筝，来回走动着，搓着手。

兰儿有点生气了，噘着小嘴，“荣大哥，你真没用，枉被称作男子汉，连一个风筝也取不下来，将来如何做一番轰轰烈烈的大事呢?”

荣禄被激怒了。

“好，我上树给你取风筝，就是拼了这条命也给你把你的小天鹅取下来!”

荣禄爬上了树。

兰儿笑了，在树下高喊着：

“荣大哥加油，荣大哥加油，再向上爬一点就可以摸到风筝的线了。”

荣禄早已满头大汗，双手紧紧地抓住树干，一点也不敢分神，他瞅准枝上的风筝线，又吃力地向上一点一点地挪动着，心道：你说得多轻巧，向上爬这一点我费多少劲，冒多大险，这下面是山崖，摔下去就全完了。

又过了一会儿，荣禄攒足劲，终于爬了上去，伸手抓住了风筝的线，把风筝取了下来。

兰儿在树下拍着笑，快活地直嚷嚷：

“荣大哥真行，荣大哥勇敢，将来一定是一位顶天立地的男子汉。”

荣禄沿着树干慢慢下来了，就在双脚快要着地时，他双手一滑，猛地从树干上拖了下来。幸亏距地面低，才没有摔伤，但双手也拉破了鲜血直流，白净的小脸上也划出一道血痕来。

兰儿急忙掏出巾帕给他擦脸上的伤痕，用巾帕给他包扎流血的双手。心疼得跺着脚，大颗大颗的泪水滚了下来。

荣禄却满足地笑了，他用鲜血赢得了兰儿的眼泪和男子汉的称号。

荣禄看着慈禧又流出了大颗大颗的泪水，无可奈何地叹口气：

"你真的是一只天鹅，而我确实是一只丑小鸭，花蝴蝶、小乌龟。"

慈禧也叹息一声："我这只天鹅也是你从那树上解救下来的，将来还可能再一次被大树所绊，山岸所阻，仍需要你这样的男子汉去解救。"

荣禄苦笑一下，意味深长地说：

"如果真的需要，别说是划破脸皮，拉破手皮，就是丢了这条命也值得。没有同年同月同日同时生，只愿同年同月同日同时死，生死相许，舍我其谁。"

"如果真有这么一天，我也会随你一同离去的。"

荣禄摇摇头，"你能记住我，对我如此，我已经感激不尽了，还会再渴求什么呢？这也许真的就是命运吧，你是天鹅，我是丑小鸭，天鹅小鸭注定要分离的。那时我不信命，现在信了。"

慈禧看着荣禄，"别说这些伤感的事了，说点现实的吧。你来宫中找我有事吗？"

"你不说我差点忘了呢？有事，有事，一封从陕西送来的密札，封面上要求你亲启。"

又是陕西来的密札，慈禧内心一怔，她接过来看了看：

"你先回去吧，我再静静呆一会儿。"

荣禄深情地向慈禧看了一眼，不声不响地走了。望着荣禄离去的背影，慈禧心中也不是滋味，问世间情义价几何？

慈禧迅速拆开信札，只见上面简短地写着：

恭请慈禧太后台驾:

臣在陕剿匪之际捕获一西藏喇嘛叫桑巴特,他自称是太后旧相识,曾在宫内为太后效力,不慎得罪太后而逃脱,臣请示太后作何处置?

臣在陕剿匪实在辛劳,望太后给臣嘉奖,以鼓舞士气,早日荡平乱党,以安太后心头之病。静候太后佳音。钦差大臣、兵部尚书胜保顿首。

慈禧看罢胜保的来信,气得咬牙切齿,如此看来,那蔡寿祺所奏之事属实。哼,你胜保要以此要挟于我,没门,我且与你胜保斗一斗,看看是鱼死还是网破!

胜保是怎样的一个人慈禧十分清楚,早在她为贵妃时就与胜保有所交往。胜保是权臣,咸丰皇上对他也是高看一眼,那时,那拉氏没名没分,当然希望朝中有个靠山,能在皇上面前给她美言几句,她在宫中的地位能够巩固,日子也好过一些。她曾私下备了一份厚礼着人给胜保送去,胜保虽然收下了那拉氏的礼物,却什么事也没给她做,让那拉氏气得直瞪眼也没有办法。

自从生下载淳之后,胜保对那拉氏的太后明显转变了,主动备了礼物来向她进贡,希望那拉氏在皇上面前给他美言几句。当然,胜保也看出了载淳一定是未来皇位的继承人,那拉氏的地位会日渐上升的。从那时起,慈禧就知道胜保是一个见风使舵的人。

在辛酉政变过程中,那拉氏为了能拢住胜保这位实权派人物,也费尽了心思,让奕䜣向胜保许下好多动听的诺言,其中一条就是加封他为亲王头衔。处死肃顺、载垣、端华的过程中,胜保确实立下汗马功劳。事成之后,慈禧也一一向胜保兑现曾许下的诺言,给他加官进爵、赏赐古玩珍品,唯有那亲王的头衔没有给胜保兑现。也不是她不想给胜保，实在是慈安太后坚决不同意。认为亲王头衔只能加封皇族内部诸人，其他王爷头衔多是世袭，而胜保非皇族亲属，加封亲王头衔不合祖制，也会引起朝野震动，不利于对吏制的管理。慈禧私下找到宗人府令奕䜣，同他商量，奕䜣也认为加封胜保亲王头衔不合适。慈禧刚开始听政，又有慈安同在，从名分上慈安比她稍长一些，她也不敢独断专行。就这样，胜保的亲王头衔才不了了之。

但是，胜保并不这样认为，他就认为慈禧出尔反尔，违背诺言，轻视于他，心中很是不满。也是事情凑巧，那桑巴特竟然落到他手中，并把一段鲜为人知的秘密告诉了他。胜保怎能不借此机会要挟慈禧加封他为亲王呢？

胜保在信中虽然说得含蓄，但慈禧心中有数，她知道胜保向她要求什么？这不是硬逼鸭子上架吗？为了何桂清与荣禄的事，慈安与奕䜣对她十分不满。杀了何桂清是为了明纪立威，但有点过分，提升荣禄是为了嘉奖荣禄在回銮途中的贡献，但把他从一个没名没份的小官儿猛然提到御前大臣之职，真可谓一步登天。更令慈安与奕䜣不满的是大行皇帝梓宫刚刚下葬，慈禧竟然与荣禄卿卿我我，眉来眼去，弄得储秀宫太监总管安德海都醋意大发。

慈禧回到储秀宫，安德海就主动迎了上去，嘿嘿奸笑一声：

"太后在御花园中赏景还开心吧？"

慈禧一听就知道这小子说这话是不怀好心，也知道荣禄去御花园是他告诉的。便朝脸给他一巴掌，骂道：

"小安子，你这个龟孙王八羔子，其他人在背后对老娘说三道四我可以原谅，不知者不怪，只要老娘站得直行得

正，就让一些不怀好心的人嚼舌头去吧？而你这该死小东西
也跟着起哄乱嚷嚷，看我不宰了你这小蹄子。"

这一巴掌着实不轻，安德海小小白脸马上肿了起来，嘴
角也流出一丝血来。安德海顾不了脸上的火辣辣痛，扑通一
声跪在地上哀求说：

"太后，奴才确实没有别的什么意思，奴才对太后的一
片忠诚太后不会不知吧，望太后看在奴才侍奉您老人家多年
的情份上……"

安德海跟随慈禧多年，对于她是什么样的人何偿不知？
她杀一个人真如宰了一只小鸡，话在气头上说什么都可以，
万一当了真，自己的这条小命算完了，再次叩头哀求说：

"太后的心情奴才何偿不知，奴才挖空心思给太后开开
心，让太后高兴高兴，想不到奴才弄巧成拙，求太后……"

慈禧翻眼瞧瞧安德海苦丧着脸，一把鼻子一把泪的样
子，又好气又好笑，缓和一下神色说：

"起来吧，下不为例，念你一向诚实可信，这次就饶了
你。"

"谢太后！"安德海急忙爬了起来。

"小安子，我这几天的处境你也不是不知道，你给我惹
的麻烦够大的啦，还不知好歹地惹我生气，打你亏不亏？你
瞧这是什么？"

慈禧把胜保的要挟信递了过去，安德海接过一看，暗暗
吃惊，十分后怕地说：

"太后，小的实在弄不明白，我亲眼看见桑巴特吃了奴
才给他的鹤顶红药酒，他居然没有死，真是邪门，莫非这人
真有起死回生之术？"

"现在说这些已经没有用了，不管他是怎样活过来的，

必须想法弥补才行，如今可怕的不是桑巴特，而是胜保，对付胜保比桑巴特要难得多，他是举朝上下人人皆知的一品大员，又手握兵权，弄不妙会偷鸡不成反蚀一把米，须小心谋划才行。"

"太后分析得有理，太后分析得有理！太后心中一定有制服胜保的妙计了吧？"

慈禧的眉毛拧成一团，她思索了许久，才狠狠地说道：

"一不做二不休，如今唯一可行的办法就是杀人灭口！蔡寿祺信中说胜保已将桑巴特除去，他这样做是防止桑巴特把秘密外泄，他就不能独自占有这个秘密了，我设法抓住胜保的一个过错将他押解回京，再想法处死他就行了。"

安德海有所顾虑地说道："与其把胜保押解回京处死，不如在陕西就地处死了。他到了京中，万一知道是太后给他定的罪，这么一嚷嚷，岂不更糟吗？"

"小安子，这你就不懂了，胜保是钦差大臣，兵权在握，你能在陕西处死他吗？将在外君命有所不受，万一将他逼急了，他起兵谋反不更是心头大患吗？对于他这样的人不同于桑巴特，可以不明不白地把他毒死，只有先解除胜保的兵权，把他拿回来才好收拾他。桑巴特已经死了，死无对证吗？把胜保投进大牢，派我的人好生看管着，他嚷嚷给谁听，如果他胆敢乱言乱语，本宫抓他一个诋毁罪即刻将他赐死。"

安德海把头点得如小鸡啄食，"太后的见识实在令小的佩服，只是如何捏胜保的错呢？必须一项能说得出口，摆上桌面的罪状才行啊？"

慈禧冷冷一笑，"胜保做事一向专横跋扈，为人贪婪好色，捏他一个什么罪还不是易如翻掌。"

"他远在陕西，我们没有真凭实据呀，必须暗中派人去陕西调查才行。"

"那倒不必，蔡寿祺能够事先向我告密，说明他和胜保是明合暗不合，他跟随胜保多年，对胜保所作所为自然了如指掌，只要他回到京城，答应给他一些好处，还怕他不给我们办事吗？哈哈！"

安德海一拍脑瓜，"哎哟，我这龟孙羔子的脑袋怎么就这样不开窍呢？今后还得让太后多骂几句，多打几巴掌，长期不打不骂这小脑瓜就锈成一个铁蛋了。"

"小安子，照你这么说老娘还得多打你几下才行？"

"太后，打是痛，骂是爱，不打不骂不自在呀。"

哈哈，两人都开心地笑了起来。

二、至尊至荣恭亲王

胜保是奕訢的心腹，杀了他等于砍去恭亲王的一个臂膀。

载淳是宫中唯一真正的男子，也是唯一的孩子。

奕訢想不到荣禄也当众讥讽他。

荣禄的惶恐被慈禧太后几句柔情似水的话说得烟消云散。

蔡寿祺刚回到京城就先向慈禧太后的贴身太监安德海投了贴，在安德海的安排下，慈禧太后在储秀宫接见了蔡寿祺。

拜见礼节完毕，慈禧就急忙令安德海赐坐，然后假惺惺地说道：

"早就听人奏报蔡编修才高智深，本宫也早有请蔡编修到内廷任职的念头，无奈人微言低，一直没能如愿。自听政以后也是诸事缠身，一拖再拖，就把这事给搁了下来。近日得了蔡编修的信札才知道你到胜保帐下任职去了，蔡编修是读书之人，对于领兵打仗可能是外行，就是在胜保帐下任职也不过是个慕僚，岂不枉了蔡编修的满腹经纶？本宫考虑再三，还是把你调回京师任职，恰好内廷缺一位日讲起居注官，就暂且委屈了蔡编修，先补这个缺，早晚之间也好讨教一二。一旦其他部有空缺，再令蔡编修升迁，何况蔡编修刚由京外调入京师、破格晋升太快也会引起他人嫉妒，又不知该疑神疑鬼说些什么啦。不知蔡编修对这一职位是否满意，如果不满意只管说来，本宫再另作安排？"

蔡寿祺一听，心里寻思道：这日讲起居一职虽说不大，但也比自己原先的翰林院编修高一些。何况这是内廷之官，每日在皇上皇太后旁边打转，太后一高兴，给自己升迁几级是正常的，与皇上关系融洽了，将来升到大学士之类的官衔儿也是常有的，祁寯藻、李鸿藻、翁心存等人不都是从这日讲起居注官做起来的吗？什么满意不满意，先干着再说。

蔡寿祺急忙跪下谢恩道："微臣一切听太后安排，微臣能受到太后青睐到内廷任职，这是太后对小的信任，微臣受宠若惊，今后一定尽心尽力为太后做事，决不辜负太后的提挈之恩。"

慈禧满脸笑容地摆摆手，"蔡起居快请坐吧，本宫还有一事相问？"

"太后请问——"

"京中有人传说胜保贪廉骄奢，滥杀无辜，弹劾的折子也有许多，但考虑到他曾为朝廷四处征战出力不少，一直没有追究。可是，最近有人说他在河南、陕西等地更加飞扬跋扈，引起地方官员十分不满，朝廷商议许久，决定将胜保解职问罪。蔡起居曾随胜保多年，对他的所作所为再清楚不过，能否详细整理一份材料奏报上来？”

蔡寿祺也是在官场上混了多年的人了，对慈禧太后的意思当然明白，他急忙回答道：

“胜保领兵在外确实犯下许多不可饶恕之罪，军营上下也怨声载道，微臣早有将其罪状整理成册奏报朝廷之意，无奈微臣人微言低恐怕所奏的折子不会引起朝廷的重视反而会搭进这条小命的，就一直没敢上疏，唉，说起来惭愧。如今有太后撑腰，微臣就可以大胆地揭露胜保的罪行了。”

安德海急忙从旁边说道：“只要蔡起居会做事，还愁将来不能升迁到一品大员的职位吗？”

“安总管说笑了，我蔡寿祺只求尽心尽力为太后做事，为朝廷出力，怎敢有非份之想呢？”

慈禧淡淡一笑，“蔡起居也不必自谦，凭着你的聪明才干和学识，将来官居一品也不是什么可望不可及的事，当然，这要看蔡起居努不努力啦。”

“卑职一定努力，一定听从太后的吩咐，有什么事太后尽管吩咐，卑职唯命是从，就是为太后而死也不足惜。”

“那倒不必，我且问你，你在信札中说胜保抓到一个西藏喇嘛，他从中得到一个有关本宫的秘密，这是怎么一回事，请你详细说来。”

“回太后，事情是这样的：胜保大军刚到陕西时，先头部就遭到围攻，损失惨重，胜保也因此不敢轻举妄动，想抓几个知情者了解一下情况，不想兵丁抓住一个西藏喇嘛来，那人自称叫什么桑巴特，和胜保相识，胜保问他为何流浪至此，他才讲起自己已经是死过一次的人了，准备进京找太后评理，他说他掌握了太后的一个秘密。"

蔡寿祺讲到这里，安德海吓得几乎变了颜色，慈禧也暗暗吃惊，但她却不动声色地问：

"到底是什么秘密？蔡起居尽管说来？"

蔡寿祺叹息一声，"就在那西藏喇嘛准备讲出什么秘密的时候，胜保却喝退众人，他留下桑巴特单独讲给他自己听。不久帐内传出一声惨叫，胜保把我等喊进帐内一看，啊，那西藏喇嘛已惨死在地上，胜保说桑巴特是故弄玄虚欺骗他，目的在于欺骗他的钱财，后来又说桑巴特早已投靠了回匪，是一名奸细，特意来刺杀他的。至于什么秘密卑职一无所知，有没有秘密也不得而知了，但我从胜保当时的表情看，他是故意杀死桑巴特独自了解那个秘密，以此要挟太后。卑职担心太后受蒙弊，才冒险给太后写了一封密札，有不什么妥之处请太后见谅。"

慈禧一听蔡寿祺果真不了解内情，放心了许多，随即掩饰说：

"那西藏喇嘛原是为宫中的驱鬼除邪的，他竟然偷了宫中的许多珍品，被发觉后痛斥一顿，他便怀恨在心，后来又屡教不改，决定将他严惩。桑巴特听到风声后悄悄地溜出宫逃跑了，想不到竟然逃到了陕西，和当地的回民混在一起，这次回民闹事也与他的煽动有关。桑巴特仅在宫中呆了不到一年的时间，本宫能有什么秘密被他掌握呢？这一定是他欺骗胜保所编造的谎言。胜保能识破他的奸计，将他杀死还是对的，这桑巴特身为出家之人却不做善事，也是死有余辜。"

慈禧谈到这里，又故意叹口气说：

"胜保虽然为朝廷立下汗马功劳，但也不能姑息养奸，功是功，过是过，功过分开，奖惩分明才对。不能因为有功于朝廷就可以胡作非为不听朝廷派遣而擅自专行了。倘若所有的将领都像他一样，那大清的江山如何继续呢？"

蔡寿祺也知道太后故意说这些话掩饰那个外人不知道的秘密，但他怎敢挑破呢？

几人又叙谈一些有关陕西剿匪的事，蔡寿祺才跪辞告退。

不几日，蔡寿祺就把一个折子转递到慈禧太后那里，上面详细叙述了胜保多年来所犯的各种罪状，蔡寿祺把它归纳为十大罪状。慈禧看过蔡寿祺的折子，很是满意，大大把他夸奖一番，又赏黄金百两。

慈禧带着胜保的十大罪状折子来到钟粹宫，慈安太后因近日天气有变偶感风寒身体不适，身在床上还没起来，一听说慈禧来了，立即传话请她进来。

慈禧走进内室，慈安刚好坐起来，她急忙上前给慈安盖好被子：

"姐姐就不用坐起来了，还是躺下吧，又不是别人，咱们姐妹也不见外，听说姐姐病了，妹妹特来看望，是否请御医诊视过？要不我派人去请。"

"妹妹不必费心了，御医已经诊视过，说是受了凉，吃几付药剂就会好起来的。"

"唉，这样我就放心了。姐姐整日操劳，实在费心太多，特别是近日天气突变，更要注意身体。如今可不同于往常，咱姐妹必须学会自己照料自己，不然卧病在床，会影响朝中大事的处理。现在这些朝中的许多大臣倚老卖老，对咱们姐妹根本不服气，万一哪个地方考虑不周，做出一丝不对的地方来，又会惹他们说长道短。"

"妹妹说得极是，不管别人怎么说，咱们姐妹的心一定要抱成一气、事事多思量一些。宫中的事我内行一些，可以多操些心，这朝中的事妹妹就多多费心。"

慈禧马上又假情假意地说："别说多费心，就是再累妹妹也愿意，但朝中的许多重大的事还是由姐姐拍板定头好，那样众臣才肯服气。"

慈安心道：你说得好听，做起来却不是这样的，还说大事让我拍板呢？把荣禄从一个军营中的道员猛然提升到御前大臣，是你一人作主，说他在回銮路上立下奇功，没有他我们的命早就丧在沙滩上了。哼，后来才知道，你提升他原来荣禄是你昔日的情人！这样做，也不怕别人说闲话。这件事不说，斩杀何桂清也是你自作主张。依我之见撤职查办，降职使用，让他带罪立功，以功补过也就行了，而你坚决主张杀掉，用斩杀大员的办法明纪树威。

慈安仍在胡思乱想，又听慈禧说道：

"姐姐对我主张斩杀何桂清一事可能认为我心太狠了点，姐姐可曾想到这些臭男人哪个是省油的灯，不杀他一两个，他们还以为咱孤儿寡母好惹呢？将来还不爬在咱头上拉屎？如今正处于剿灭长毛的当口，如果人人都临阵退却，谁还给咱大清朝卖命？法度严一点也好给中外臣工们一些颜色看看。就是这样，仍有部分带兵的大员我行自素呢？根本不买咱姐妹的帐，我正想请示姐姐该如何处置呢？"

"谁？"

"刚刚被认命为钦差大臣的胜保，他在河南的恶迹昭著，地方官员弹劾他的折子一大堆。如今入陕又作战不力，接连遭到惨败，大清朝的脸被他丢完了，几个毛贼作乱，我大军一到定让寇贼闻风丧胆，而他有多年征战的经验，竟让几个回民打得稀巴烂，可见他又纳贿渔色贻误战机了。对这样的人不惩治何以服众人?"

慈安点点头，"胜保是个跋扈将军也不是一日两日了，很早就有官员弹劾他，大行皇帝也曾想惩治他，但考虑到他多年的战功，只批评他几句，让他悔改。况何胜保在处置肃顺等人的斗争中也立下了汗马功劳，你答应为他加封亲王的头衔也没有兑现，我总觉对胜保多少有一点愧疚心，如今怎好将他捉拿治罪呢? 那样做，大臣们会不会心寒，认为我们姐妹是兔死狗烹鸟尽弓藏呢? 还是先忍一忍，等平定南方叛乱之后再说吧。"

慈禧连连摇摇头，"姐姐，千万不能姑息养奸，养虎为患呀? 今日有一个胜保这样做咱姐妹不闻不问，明天就可能有更多的领兵大员像胜保那样做，到那时咱姐妹治谁去? 怎不能专治其中一人而放过众人吧，那样做中外臣工也不服气。据说南方几位领兵的大员像曾国藩、胡林翼、左宗棠、李鸿章等人也都有胜保同样的劣迹，只不过没有胜保那样过分罢了。听说科尔沁亲王僧格林沁也受胜保的影响有骄恣纳贿贪污糜烂，不能不慎重行事，防微杜渐，早除后患呀!"

慈安一听慈禧把问题说得那么严重，也略有惊慌地说："以妹妹之见如何做呢?"

"解除胜保的兵权，将他押解回京师问罪，根据他的态度和罪情再决定处以何罪?"

慈安想了想，略有顾忌地问道：

"这样做合适吗? 朝中大臣会怎么看待这事?"

"嘿，朝中许多大臣对胜保的所作所为早就不满了，这不？弹劾的折子好多个，并且给胜保列出十大罪状呢？”

慈安接过折子一看，果然列举出十大罪状：

一．骄纵贪婪，滥耗军饷，粮台设立杂支局，糜费多于正项；

二．收受盗贼张隆的妻子为义女，接受劣员的贿赂；

三．军营保举的将勇必须认作门生，赠送敬礼，否则不得重用；

四．携带眷属于军营中，到处携妓随营，收留民间妇女入营为妓；

五．纵容家人丁祥捐纳道员，重用家兵在周家口设局抽厘，肥己损公；

六．每到一地，勒索地方官钱粮为己私有；

七．讳败为胜，捏报战功，欺满朝廷；

八．纵用属下掠夺抢劫、奸淫民女；

九．私杀战俘，不上报朝廷；

十．接受匪贼贿赂，放走朝廷钦犯，将陈玉成妻占为己有。

慈安太后看罢所列举的十大罪状，心道：哪一条也是以治胜保的死罪，可是胜保是朝中一品带兵大员，刚刚杀了一个文官，如今又要拿一名武将治罪吗？这样做合适吗？

慈安把折子递回给慈禧，忧虑道：

“这折子所奏确实吗？”

“我正派人一一核查呢？全部如实，请问姐姐是否同意将胜保治罪？”

慈安沉吟片刻，疑迟地说道：

“妹妹先找奕诉商量一下，再由军机处讨论，如果众人一致同意将胜保治罪就将他解职受审吧。唉，我这几日身体不爽，也无法去和众臣商讨，妹妹多费心吧？先和奕诉通通话，看看他的态度，再作下一步处理，他是男人家要比咱们妇人家考虑得周到一些。

"姐姐说得对，我明日同恭亲王商讨商讨，姐姐不必为一些小事分心，好好养病，有什么新的决定我再来通报姐姐。"

慈禧又安慰几句，刚要离开，皇上进来了。

载淳刚一进门，看见额娘也在，急忙跪下大声说道：

"儿臣给皇额娘和额娘请安！"

不待慈禧讲话，慈安就微笑着说道：

"皇上快起来吧，又不是外人何必那么客气，还要劳皇上下跪请安。"

慈禧却正色说道："姐姐万万不可娇惯了皇上，宫中的礼节是万万不可废的。"

慈安从床边的匣子里亲手取出一些点心递给载淳：

"皇上读书一定饿了吧，先吃点东西解解乏。"

载淳接过慈安手中的点心，咬了一口，笑道：

"每次来给皇额娘请安都有好吃的，皇额娘好象摸透了儿臣的心，备下的点心都是儿臣喜欢吃的。"

慈安笑了。

"既然喜欢吃就多吃一些吧，皇额娘就喜欢看皇上吃东西，皇上吃东西的神色特别像先皇。"

载淳吃了几块可口的点心，这才抹抹油腻的嘴巴问道：

"听说皇额娘病了，儿臣也读不下书了，就提前请李师傅放我回来了。皇额娘病好一些吗？"

"难得皇上如此关心皇额娘，我只是偶感风寒，吃几付药就会痊愈的，皇上不必劳神，还是用心读书，满腹经论时皇上也就长大了，就可以独立执政了。到那时，我和你额娘把一切大权交给你来掌握，皇额娘就可以天天安心度日，贻养天年，皇上早日长大吧?"

"皇额娘每次教诲儿臣的话我都用心记着，请皇额娘放心，儿臣决不会令你失望的。"

"这样就好，这样就好!"

慈安边说边把载淳拉到自己床边，从头到脚来回打量两遍，抚摸着载淳的头说:

"皇上如此小的年纪，读书也太辛苦了，也要注意身体。瞧，两腮清瘦多了，这几日天气突变，要注意保暖防寒。"

载淳也拉着皇额娘的手点点头。

慈安忽又说道:"皇上万万不可逃学，多听几位先生的讲授，不懂就问，学习知识必须诚实，来不得半点的骄傲。"

不待慈安说下去，载淳急忙接了过来:

"子曰:知之为知之，不知为不知，是知也。"

慈安笑了，夸奖说:

"皇上果然进步不小，可以用孔圣人的言论指导自己的言行了。人们常说，半部《论语》打天下，半部《论语》治天下，皇上学会了《论语》，将来一定是位出色的皇帝，像康熙爷那样轰轰烈烈，名震番夷，各国都来朝拜。"

慈禧虽然面带笑容地坐在旁边，内心早就恼了。她一直把儿子看作自己的私有财产，想不到不知何时儿子竟和慈安打得一片火热，今日不是碰巧遇上还不知晓呢?

小时候，儿子是自己的心头肉，也最疼自己，很少到慈安这边来。如今一天天长大了，却和自己略有疏远了，也许自己整日把心思都用在政事身上，把儿子给忽略了。慈安倒精明，不知不觉把母爱夺走了，自己亲生的儿子竟和她如此热乎，心中怎能不有气？

哼，一定要把失去的母爱重新夺回来！

慈禧一听慈安用夸奖的方法骗取载淳的高兴，马上接过话纠正道：

"姐姐，小孩子不可多夸奖，那样他会骄傲的，还是对皇上要求严一点好。古语说：严师出高徒，棍棒出孝子，就是这个道理。皇上，额娘问你，今天师傅教了你些什么？"

载淳一听额娘见问，马上把脸转了过去，一看额娘的脸色是那么严肃，刚才从慈安太后那里得到的笑容全部消失了，小心谨慎的说道：

"回额娘，今天李师傅教儿臣一首词。"

"什么词，你且背诵给额娘和皇额娘听一听。"

载淳挠挠头，眨巴一下眼睛，看看额娘。

"连一首词也背不出来吗？"

不等皇上说话，慈禧太后就很不满地问道。

"儿臣会，但不是太熟。"

"会多少就背诵多少！"

载淳学着李师傅的样子把双手放在背后，并剪在一起，昂首挺胸背道：

> 东南形胜
>
> 三吴都会，
>
> 钱塘自古繁华。
>
> 烟柳画桥，
>
> 风帘翠幕，
>
> 参差十万人家。
>
> 云树绕堤沙，
>
> 怒涛卷霜雪，

　　天堑无涯。

　　载淳背到这里停住了，慈禧白了他一眼，十分不满地说：

　　"短短的一首词都背不完全，心思都用在什么地方去了，你现在的任务就是学习，学习，除了学习，其他什么歪事邪事不要问。"

　　慈禧训斥了载淳几句，又抬眼看看慈安说道：

　　"姐姐，我们须同六爷商讨一下，让他教训教训李鸿藻，一是对皇上要求严一点，二是教授的课程有所选择，不能什么都可以教给皇上。皇上将来的任务是处理朝政，治理国家，可不是当一个悠闲文人，怎么尽教一些与治国无关的靡靡之词呢？"

　　皇上刚进来就说挂念慈安太后的病而早早放了学，显然心思都在皇额娘身上，而慈禧训斥皇上说他把心思用在歪事邪事上了，显然慈禧是责备儿子多管闲事。慈安太后当然不高兴，他也抓住慈禧话中的不是反驳说：

　　"妹妹若说皇上没有把全部心思用在学习上我也相信，可皇上还是个孩子，怎能用成人的标准要求他呢？孩子有孩子的天性，也有孩子的需求，只能循序善诱地加以引导，一味地训斥是行不通的，甚至让他更加厌学。"

　　慈安说到这里，顿了一下又说道：

　　"至于妹妹责备李鸿藻不懂教学，不会因材施教就更不应该了。你我姐妹之间随便说说没什么，若让外人听了会笑话妹妹学识太浅。这《望海潮》一词虽是婉约词人柳永所作，但整首词是对杭州繁华市井的形象描绘，能够激励皇上对东南美丽富饶水乡的向往，至少能够让皇上知道大清江山的可爱，自幼树立收复江南半壁江山的雄心与信心，将来也做一位贤君旺主。就是不学柳永的这首词，而学习他的另一首词《雨霖铃·寒蝉凄切》也不为过。作为一位治理国家的皇上，所学必须博，个人所具备的修养要高，修身治国平天下，而修身放在第一位，只有先修身才能治国与平天下。对诗词歌赋的欣赏，对琴棋书画等六艺的精通，都是修身之道，李鸿藻如此选择所学内容就是因材施教。而妹妹主张对皇上所教的所有内容都是与治国有关的内容，那才是急功近利、拔苗助长的做法，其结果呢，欲速则不达。"

慈禧一听，气得脸色惨白，猛然站了起来，冷冷地说道：

"有姐姐处处袒护着皇上，只怕会把皇上教导成一个刘阿斗那样的皇帝，哼!"

说完，转脸走了。

慈安太后看着她离去的背影叹息一声。

慈禧知道奕䜣和胜保的关系十分要好，胜保是奕䜣的军事武装靠山，奕䜣是胜保政治的同盟。若询问奕䜣逮捕胜保的事，他是坚决反对的。因此，慈禧并不急着把解除胜保兵权的事同奕䜣商讨，她先寻找代替胜保的人。

在御前大臣荣禄的保荐下，慈禧选择了多隆阿入陕代替胜保。她一边暗中让多隆阿携带谕旨驰抵陕西，一边找到奕䜣，同奕䜣商讨解除胜保兵权的事。

慈禧在养心殿西暖阁召见了奕䜣，拿出一摞折子对奕䜣说："恭王爷，胜保在外带兵的所作所为你是否有所耳闻?"

"怎么? 难道太后听到什么风声?"

"何止是风声? 你瞧，这弹劾他的折子有十多份。"

对胜保在外的所为奕䜣何偿不知道，他也知道一些地方官员对胜保的作为早有不满，但碍于胜保的权势，人们只是敢怒不敢言，有些人递上的折子也被奕䜣悄悄压了下来。如今一见太后手中的折子，奕䜣着实吃惊不小，心里暗想，这些折子我都没有见到怎会直接递到太后手里呢？莫非太后知道我和胜保关系友好故意不让我知道的？奕䜣正在孤疑，又听慈禧说道：

“胜保和恭王交往密切，对这些弹劾的折子有什么看法？”

奕䜣一听这话心中又是一惊，慈禧太后到底是什么意思，莫非她今天召见我的主要意图就处理胜保的事？如果她想搬倒胜保，这先说我和他交往密切可不是好事。

奕䜣故意装作十分轻松的样子笑了笑，说道：

“微臣和胜保关系确实非同一般，不然，在和肃顺等人的斗争中他也不会那么爽快地站在太后和微臣的立场上。至于这些弹劾的折子，意图就各不相同了，不乏嫉妒之心与私人之间的过节。谁人背后不说人，谁人背后不被他人说呢？若严格追查起来，这满朝文武大臣谁没有几项过错？”

慈禧脸一寒，“依六爷所见，这些弹劾胜保的人就是卑鄙无耻的小人了？一个是出于嫉妒之心，二个是私人恩怨，这三个四个十几个呢？这些都是无耻之人，唯独胜保是个上上君子？”

奕䜣一见慈禧脸色不对，急忙改口说：

“微臣决无袒护胜保之心，我只是提醒太后对此事慎重一些，以大局为重，万万不可操之过急，如今国乱未平，正是用人之际，太后不可听信个别人的言辞而误了国家大事！古人云：兼听则明，偏听则暗呀。”

慈禧冷冷一笑，“本宫正是做到了‘兼听则明’，没有听

信个别人对胜保的袒护，而是根据十多个人对胜保的弹劾才
决定对胜保进行审查的。”

“请问太后，这些人都弹劾胜保有哪些罪状？”

“主要有十大罪状。”

慈禧说道，将蔡寿祺的折子递了过去。奕訢接过来一
看，果然列举了十大罪状，奕訢看罢，心里说道：这十大罪
状，任何一条都当斩首，不知西太后到底有何意图？是想用
这些罪状教训一下胜保，让他收敛一些，还是想把胜保严
惩，从此严明法纪树德立威呢？若是这样，胜保不就成了何
桂清第二？

奕訢看罢折子说道：“蔡寿祺是何许人，微臣没有听说，
他所列举的十大罪状是否成立呢？合不合乎大清的律例？”

“六爷身为军机大臣，又为六部之首，对属下之人却不
了解，难怪有人怀才不遇。人不能尽其才，物不能尽其用，
国家何以中兴？六爷不可不详察属下，善于识拔人才，任人
唯贤啊！不然，又会有人高呼：千里马常有，伯乐不常有。”

奕訢故意装作十分惭愧的样子说：

“依太后之言，奕訢实在有负皇上皇太后众望，没有及
时了解下情，埋没了人才，但不知这蔡寿祺在何处当官？”

慈禧明知奕訢想知道蔡寿祺的身世情况，也毫不隐瞒地
说：

“六爷可能怀疑这十大罪状是蔡寿祺捏造的，也想了解
一下这个敢于太岁头上动土的人，实话告诉你，蔡寿祺就在
胜保帐下当差，这些折子大多都来自安微、河南、陕西等
地，他们所奏的情况初步查明符合事实。今日召六爷到此就
是决定对保胜的处置情况，请六爷详细谈谈个人的见解。”

奕訢一听慈禧这么说，知道太后又要拿胜保开刀，无论

如何也要保住他，胜保是自己的一个台柱子，他倒了，不就等于砍去自己一个臂膀吗？

奕䜣装作沉思良久的样子说："慈安太后是否知道这件事？"

慈禧点点头，"慈安太后同意将胜保加以处置，至于如何处置想听听六爷的意见。"

奕䜣这才说道："胜保纵然有许多过错，但如今正是用人之际，陕西回民暴动猖獗，多次围攻西安，西安险些被攻破，太后何不加恩，让胜保带罪立功为朝廷效力呢？将功补过，待平定陕西叛乱后再按功过加以处置。"

"我和慈安太后也都有这个心思，只是胜保有负众望，连遭惨败，临潼之战几乎溃不成军，如此下去，只怕他没有平定回民暴乱，回民贼众就把我朝廷大军给吃掉了，依我之见，应立即将胜保解职，逮捕归朝交吏部与刑部议处。"

奕䜣心中一震，忙问道：

"将胜保解职，何人能代替他呢？"

"六爷以为我朝除了胜保以外就没有能够领兵作战的将帅吗？"

"不，微臣不是这个意思，望太后明察。"奕䜣急忙解释说。

"以本宫所见，多隆阿足以代替胜保，若论起领兵作战的谋略来，只怕胜过胜保呢？"

奕䜣没有作声，他知道西太后意志已决，一定要将胜保解职是问，决定立即通知胜保，让他早早有个准备，只管在前线安心打仗，拒不交出兵权，待平定回民叛乱之后，他再从中周旋一下即可求得两宫太后的谅解，争取宽大处理。

奕䜣站起来说道："请太后以朝廷大局为重，万万不可率性从事，以免刺痛前线领兵将士的心做出非常的事来。"

慈禧略带不悦地说："难道六爷以为本宫是为了私人恩怨处理胜保？请问六爷，本宫与胜保有何过节呢？"

慈禧说着，又叹口气，"我何偿不知胜保有恩于我朝，为我朝立下大功，可是，功是功，过是过，要赏罚分明。如果人人都像他那样居功自傲，胡作非为，这其中的祸患可能比洋人与长毛还严重吧？请六爷三思，不能因为个人的私情而凌驾于法令与社稷之上吧？"

奕䜣知道再说也无益，一拱首说道："请太后慎重行事，卑职告辞了。"

说完，躬身退出殿外，大踏而去，行动中颇有几分不满。

慈禧望着奕䜣离去的背影也很不高兴，但她明白自己还无力对他有所掣肘，只能拉拢他，而不能排挤，怎样才能做到既除去胜保而又能拢住奕䜣的心呢？慈禧陷入沉思。

陕西同州胜保大营一片混乱。

显然胜保刚刚打了败仗。

只见营帐散乱，兵丁躺得到处都是，哭嗥声叫疼声和怒骂声不断，许多兵器锅灶也扔得到处都是。

胜保心烦意乱地走出大帐，看到眼前这乱哄哄的场面，狠是恼火。妈的，老子吃了败仗都是你们这些没用的东西贪生怕死所致。也真是晦气，自从进入陕西以来，自己总是打败仗，不是自己无能，是这陕西的回子太狡猾了，你进他们就退，你退他们就进，趁你不防备的时候突然袭击你一次，待你醒过神来，他们又逃得杳无踪影。自己带兵到此，地形不熟，处处挨打，处处被动，真像老牛掉进了陷阱，有力用不上。

胜保出帐走了一会儿，看见一个伤兵正在那里嗥叫，走到跟前一看，这人只伤了一条大腿，也不是什么重伤，他上前怒喝道：

"皮肉之疼就此大呼小叫挠乱军心，该当何罪？"

那人一见是胜保喝问，吓得跪了起来，也不再喊疼，只顾叩头求饶：

"大人饶命，大人饶命，小的再也不说疼了，死也不说。"

胜保看了他一眼，冷哼一声，挥挥手，"拉过去斩了！"

两名随从侍卫上前把那伤兵拉了就走。那伤兵连呼饶命，胜保理也不理，对其他人说道：

"有再叫喊疼者，一律斩首！"

这一招果然灵验，再也没有人叫疼。一些受重伤的士兵也只能咬紧牙暗自流泪而不敢叫疼。

胜保正要转身走回自己的营房，一名探马来报，说多隆阿带兵从河南来此。胜保一愣，估计多隆阿是奉命增援自己的，但朝廷为何没有事先通知自己呢？

胜保心中不悦，对通报的士兵说：

"让他进帐见我，就说我公务在身不便起身相迎。"

多隆阿闻报，心中也老大不快，心里道：这胜保果然骄纵，如今打了败仗，连出门见我都不同意，如此托大，真是罪有应得，看我如何收拾你这狂妄之人。

多隆阿安顿好自己的兵马，便率领八个随从来到胜保营中。胜保见多隆阿进入帐中才站了起来，一拱手说道：

"将军是从河南来援助我们吧，一路辛苦了，请坐吧。"

多隆阿摆摆手，"胜将军不必客气，我是奉两宫太后之命来此剿匪的，请将军接旨吧。"

多隆阿一抖马蹄袖，掏出圣旨。胜保急忙跪下接旨。

多隆阿向自己的亲兵使一个眼色，这才高声念道：

"钦差大臣，正蓝旗护军统令胜保，自入陕督办军务以来矜功恃宠，日即骄淫，督办不力，屡战屡败，著革去钦差大臣，护军统领等职务，缉拿回京交吏部刑部议处。钦此。"

"不可能，两宫太后决不会如此忘恩负义将我捉拿问罪！"

胜保大叫一声，就要站起来，多隆阿厉声说道：

"来人，将胜保拿下！"

多隆阿的亲兵上前把胜保捆个结实。

胜保边挣扎，边叫喊道：

"来人，把多隆阿等人给我拿下，他们是假传圣旨来夺朝廷兵权的。"

胜保的亲兵刚要动手提拿多隆阿等人，多隆阿又取出一份圣旨念道：

"著太常寺少卿多隆阿为钦差大臣，代理胜保督办陕西军务，特赐神雀刀一把，有贻误军机者，副将以下立斩。钦此。"

多隆阿读罢圣旨，唰地一声抽出神雀刀说道：

"有谕旨和谕赐神雀刀在此，敢抗旨者立斩不怠！"

胜保的那些亲兵你看看我，我看看你，谁也不敢上前。胜保急了，大声催促说：

"将在外君命有所不受，你们只管将多隆阿拿下，天大的事我来担着，还不快动手！"

在胜保的吆喝下有两名亲兵想扑去捉拿多隆阿，不待他们靠近，多隆阿飞身上前两刀砍死那两人，他又厉声斥道：

"胜保，不敢抗旨不从，怂恿属下造反，罪加一等！如果还想活命的话，就老老实实到京城叩见皇上与皇太后，请求宽大处理，不然，死路一条。"

胜保自觉自己并无大错，就是解到京中交刑部与吏部议处也只会降职任用，决不会处死。而自己真的抗旨不遵，那罪状就大了。想至此，胜保叹息一声，也不再言语。他的亲兵一见胜保同意押解回京伏法，谁还自讨苦吃呢？都放下手中的兵器。

这时，胜保才猛然想起两宫太后下旨将蔡寿祺调回京师的事，心中着实吃了一惊，莫非蔡寿祺这小子将自己出卖了，向慈禧告密，说自己掌握她的一个秘密，要不两宫太后怎会猛然下旨解除自己的兵权呢？就是败了几仗也不致于拿回京师议处。可是转念一想，又十分不可思议，自己和桑巴特谈话时蔡寿祺根本不在场，他决不会了解自己知道那个秘密。唉，无论怎样回京再说吧，反正也没有什么大不了的事，何况自己掌握慈禧的秘密，谅她不敢对自己怎样，一定是自己的那封信惹了祸。但是，胜保心中又有点恼怒奕䜣起来，别人不说，你我可是同盟者，两宫太后要拿我问罪你不会不知道吧，为何不给我通个信，让我心中也早早有个准备，不致束手就擒。就是抗旨不遵，只要能平定回民暴乱也可将功补过。究竟是自己的那封信惹的祸，还是自己打了败仗遭的祸，胜保一时也摸不清。

多隆阿将自己的兵马与胜保的兵马合并一处，对胜保部下一些罪大恶极的人也一一逮捕，并把胜保的随军眷属也一同押解回京。

恭亲王府

奕䜣这几天一直闷闷不乐，他边摆弄着廊檐下的鸟儿，边想着心事。

西太后有点太过分了吧，刚刚杀了一个何桂清，怎么又要将胜保治罪呢？不是胜保在关键时刻站在自己和太后的立场上，鹿死谁手还难以预料呢？说不定肃顺能把两宫太后逼得毫无权力。如今掌握了大权，反过来又要拿有功之人治罪，真是好了伤疤忘了疼。唉，自古当权者都是只可同苦而不能同甘，为什么呢？奕䜣实在想不出个所以然。虽然胜保有些过错，如今又连吃败仗，给太后一个把柄，但也不致于捉拿问罪，将他降职使用，以功补过不就行了？

奕䜣始终觉得两宫太后同意将胜保解职问罪的真原因是胜保要求两宫太后封他为亲王。胜保的要求尽管有点过火，但这也是你两太后曾经为了拉拢人亲口许诺的，如今不愿兑现就算了，也不必以治罪的形式给胜保敲敲警钟呢。

奕䜣又隐隐约约觉得两宫太后，或者干脆说西太后如此坚决处置胜保的原因似乎不止于此，究竟是出于什么原因自己也说不清，是为了害怕在外带兵的大员不服杀一儆百，还是借着胜保来给自己敲警钟呢？人人都知道胜保是自己的死堂，难道太后害怕自己权力过大，又有胜保这个军事同盟，将来难以驾驭，才先剪除自己的羽翼，然而削弱自己的大权呢？要真是这样，一定要小心谨慎，决不能给两宫太后抓住什么把柄。自己能够拥有今天的位子确实不容易，如果再像先皇对待自己那样高兴时用自己不高兴时一脚把自己踢开，那自己岂不太笨蛋了，这一腔治国之才又何处施展呢？必须收敛自己的行为，以退为进，以安求稳，以静制动，保住自己千辛万苦争得的权力。当然，胜保也万万不能倒台，他必竟是自己的同盟者，关键时刻会给自己做砥柱的。

再过两天不见太后发出捉拿胜保的谕旨，自己送出的信胜保就会知道。胜保只要按自己信中说的去做，挨过这一段时间，待平定了回民暴动也就没有事了。奕诉正想着，猛然听道女儿的说话声：

"阿玛，你又遇到了不愉快的事？"

奕诉放下手中的鸟儿转过身，看了一眼女儿：

"荣荣，你怎么知道阿玛遇到了不愉快的事呢？小小年纪胡乱猜测大人的心事。"

荣荣仰着青春而可爱的秀脸说道："荣荣每次见到阿玛侍弄这些鸟雀时都阴沉着脸，眉毛拧成团，话也少说，饭也少吃，还好肯发脾气。而阿玛在平日里是从来不关心这些鸟儿的，因为阿玛很忙，无暇顾及这些，只有当阿玛遇到不愉快时才会静下来找鸟儿谈心。"

奕诉抚摸着女儿的头，他不得不佩服女儿对自己观察得细致。也的确这样，平日里公务缠身，哪有心思放在这些无聊的事上，只有自己心烦时才会边斗鸟儿边思考问题。

"荣荣，你希望阿玛成为一位人人都拜倒在门下的朝廷权臣吗？"

话都说了出来，奕诉才意识到不该同女儿谈论这些，她必定还是一个十几岁的孩子。不等奕诉想下去，只听荣荣十分认真地说道：

"阿玛，荣荣不想让你成为权臣。"

"为什么？"奕诉颇感意外。

"阿玛已经是皇室亲王了，拥有常人所无可相比的富贵。如果不满足，仍然用心攫取各方面的大权必定招人嫉妒，毁谤阿玛，三人成虎，难免阿玛不因权而招祸，累及自身及家人。知足常乐，水秀于林而风必摧焉，阿玛不经常这样教诲女儿吗？为什么事情落到阿玛身上就自己忘记了呢？莫非真是当局者迷，旁观者清？"

奕䜣突然觉得女儿长大了，仔细端详着女儿，好久才叹息一声说道：

"唉，人在江湖，身不由己啊！"

荣荣看着阿玛一脸无可奈何的愁容，关心地问道：

"阿玛，莫非你与两宫太后发生了不顺心的事？或者两位太后是阿玛权势太大有心收回部分权势？如果那样阿玛也不必太过强求，功成名退才是智者的选择，古人都能做到阿玛为何还不如古人呢？"

"荣荣，大清朝内忧外患正是用人之际，阿玛想施展才华做一番惊天动地的大业，不然，如何对起祖上在天之灵呢？阿玛是宣宗成皇帝的谪传啊，如果大清的江山在阿玛眼中破败下去，阿玛是罪臣啊！"

荣荣理解地点点头，"那阿玛就应当和两位太后搞好关系，多为两宫太后着想一下，尽量顺从两宫太后的意志做事，也适可而止地取悦两宫太后才行。"

奕䜣刚要讲话，有传事太监来报，说慈禧太后在储秀宫召见恭亲王以及恭王福晋和格格、阿哥们。

奕䜣一听让自己的家人全进宫，十分惊慌来问传事太监：

"请问太后召见有何吩咐，能否提前打个招呼，我也有个思想准备？"

那人神秘地一笑，"太后在宫中召见自然是好事呀，恭王爷何必多心呢？小的告辞了。"

奕䜣看着那太监离去的背影，仍然琢磨不出太后突然召见全面的目的。荣荣十分平静地说：

"阿玛,既然太后召见就去是了,常言说,是祸躲不了,是福推不掉,进宫之后再见机行事就是。"

奕䜣全家来到储秀宫,奕谖夫妇早已等在那里了。慈禧太后一反往日的严谨,破例站了起来,笑容满面地对奕䜣夫妇说道:

"大家等了好久,就等着你们全家的到来呢?"

奕䜣和福晋正准备给慈禧请安,慈禧急忙制止了:

"六爷不必多礼,这是在后宫,不同于在殿上,又都是自己人,礼就免了,快坐下叙话吧。"

奕䜣的一颗悬着心这才落了下来,但也仍然谨慎地说道:

"回太后,这宫中的礼节是祖上定下来的,万万不可荒废,特别是对于后世子孙的教导更要严格。"

说着,便带领他的全家给皇上与皇太后问安。

赐坐后,奕䜣这才问道:"请问太后,将卑职全家召来有何吩咐,太后只管讲来,奕䜣一定照办。"

慈禧微微一笑,"六爷整日操劳公务,莫不是得了什么精神病吧,怎么一说话就是公务上的,就不能说的家务上的吗?刚才开了小小玩笑,实话说吧,今日难得空闲,特意让恭王与醇王全家来此,大家好久没有见面了,今日我做东,请大家聚一聚,乐一乐,交流交流感情,特别是他们小辈也多接触一下,总不能一家人都不相识吧。"

慈禧说完,哈哈一笑,转脸对皇上说:

"皇上今日休假,也不必在此陪着大人了,去和恭王的两位阿哥一起乐去吧。"

其实慈禧没说之前,皇上就和奕䜣的两位阿哥载潋与载濬挤眉弄眼了。载淳虽然贵为皇上,但必定是个孩子,有儿童好动好玩的天性。但他的出身决定了对他的管教和日常行为要求，只能抹杀他的儿童天性，把他当作一个小大人看待。载淳在宫中也可算是唯一的男人吧，也是唯一孩子，整日里想找个玩耍的伙伴也没有。每日的生活几乎是早晨起来向两宫太后问安，然后早点随两宫太后听朝，听朝回来后就去弘德宫读书。如此枯躁无味的生活之余就是和几位小太监一起斗蟋蟀，要么就是骑马，可不是真骑马，而是让太监爬在地上当马骑。

今天宫中突然来了几位和自己年龄相仿的人，不用说心的距离是很近的，有一见如故的感觉。载澂、载滢刚一进来，载淳就想和他们一同跑出去玩耍，但没有额娘的同意他是万万不敢主动提出去玩耍的，只好偷偷地和两位小阿哥挤眉弄眼。如今一听额娘发话，急忙从御椅上跑了下去，拉着载澂、载滢就向外走。

奕诉急忙请示说："太后，这样不妥吧，载澂与载滢还是个孩子，不懂宫中的礼节，万一惹恼了皇上，臣担当不起呀？"

慈禧笑道："恭王不必多虑，载淳虽是皇上，和载澂、载滢他们也都是小弟兄，就是在一同玩恼了也没有什么大不了的，就让他们去吧！"

奕诉还在犹豫，皇上已经拉着载澂与载滢跑了出去。

这时，荣荣站起来说道："如果太后同意，就让我去照顾一下皇上和载澂与载滢他们，我比他们年长几岁，会照顾好皇上的。"

慈禧微笑着点点头，"荣荣真懂事。有你去我很放心，那就去吧。"

"谢太后！"

荣荣一鞠躬走了出去。

待荣荣走后，慈禧称赞道：

"六爷真是好福气，有这么一位通情达理的格格，这也是咱皇室祖上的恩德啊。"

奕䜣急忙躬身说道："多谢太后夸奖！荣荣如此年幼，能得到太后的夸奖真是她的福份。"

慈禧忽然叹息一声，"大行皇帝可没有这个福份呀，荣安固伦公主能抵上荣荣一半就好，她太弱太孤僻了。"

慈禧话音未落，外面传来一声清脆地娇笑声：

"谁说大行皇帝没有这个福份？妹妹把荣荣收为自己的女儿，大行皇帝不就有这个福份吗？"

随着声音，慈安太后带着两名宫女走了进来，慈禧等人急忙站起来迎接。

"大家何必这么客气呢，都快坐下谈话吧，真是远路赶早市，我竟然落后了，也不知妹妹给不给吃呢？"

慈禧也笑道："姐姐白吃也来得这么晚，如果心意过不去，就凑上一些银子？"

慈安笑道："谁说我来晚了。瞧，你们不也坐着吗？"

"哈哈，不是等姐姐，我们早就去了御膳堂。"慈禧忽又转过身认真地说道，"刚才姐姐的提醒倒是个好主意，我倒真心喜欢荣荣，想认她做女儿，也不知恭王和福晋答不答应呢？"

刚才慈安太后进来时说的话就让奕䜣十分紧张，如今再听慈禧这么说，更是紧张。他看一眼福晋，慌忙说道：

"荣荣能博得两宫太后的夸赞已令奕䜣受宠若惊，荣荣无德无才，出身卑微怎配做太后的女儿？"

慈禧笑道："六爷不必自谦，荣荣德才兼备，有胆有识，如果能做大行皇帝的女儿，大行皇帝在天有灵也会同意的。莫非六爷舍不得这么一个宝贝女儿，不乐意让荣荣认我为额娘？"

奕䜣一听这话，早已额头浸出汗来，躬身说道：

"太后能够不以卑职的女儿卑贱收为义女，这实在是微臣三生有幸，也是荣荣上世积的恩德呀，卑职高兴还来不及呢，怎有不同意之理，让卑职和福晋先谢过两位皇太后。"

奕䜣和福晋一同上前叩首致谢。

慈禧笑道："六爷如此慷慨，把宝贝女儿给了我，说感谢的应该是我，请恭王夫妇不必多礼，快快落坐吧！"

慈安也笑道："妹妹这顿饭可出得便宜啊，白白捡了一个女儿去，好福气。如此说来，我只好等醇王夫妇生下女儿后再来捡便宜啦？"

慈安的一席话又把大家逗笑了，也把醇王夫妇说得满面通红。不知怎的，醇王夫妇结婚多年了，却一直没有生出孩子，醇王夫妇早已心急了，一听慈安太后这么说更觉得难堪。慈禧又从旁边打趣说：

"你们也加一把劲啊，争取来个双胞胎，给慈安姐姐一个，她就没有意见了。"

慈安又笑着说："妹妹也别高兴太早啊，你认荣荣是女儿，不知荣荣是否同意认你这个额娘呢？还是先把荣荣叫来问一问吧？"

众人正在说笑着，外面传来了皇上的哭喊声，接着皇上追赶着载澂进来了。荣荣也随之跑了进来，她边跑边从脖子上解下自己的香袋递过去：

"皇上是男子汉，皇上不哭，我的香袋给皇上。"

原来，载淳正同载澂争香袋呢？载淳向载澂索取，载澂不但不给还打了皇上。

奕䜣气得脸色铁青，想打儿子可又不好当着两宫太后的面痛打儿子，甚至训斥也不敢，看见皇上接过荣荣递上的香袋不再哭了，面色稍稍缓和一下，又听荣荣说道：

"皇上先拿着这个香袋，待我回去，一定亲手给皇上做一个又大又好的香袋，让皇上一看就喜欢。"

载淳这才破啼为笑。

众人都松了一口气，慈禧打破刚才的冷清问道：

"荣荣，我想认你为女儿，你乐意吗？"

荣荣看了父母一眼，急忙跪了下来，十分真诚地说道：

"荣荣如此卑贱，能承蒙太后不嫌弃收为女儿，这实在是荣荣的福份，荣荣先行谢过皇额娘。"

说完，连磕三个响头。

慈禧乐了，急忙说道：

"荣荣快起，可别磕坏了身子，过来让皇额娘好好看一看。"

"谢皇额娘！"

荣荣站起来，走到慈禧跟前。慈禧把荣荣从头到脚细细打量一下，一把把她揽在怀里：

"荣荣是个好孩子，荣荣更是个好女儿，皇额娘一定把你当作亲生女儿一样看待，现在就封你为荣寿固伦公主。"

不待慈禧说下去，奕䜣急忙说道：

"太后万万不可，固伦公主的封号万万不可加在荣荣头上，这样做有违祖制，荣荣如此出身怎敢担当起如此封号呢？"

慈禧固执道："六爷这话可就不对了，荣荣如今已是本宫的女儿，为何不可加封为固伦公主呢？请六爷不必多言，我主意已定，这个封号是封定了，就叫荣寿固伦公主！"

奕䜣迟疑片刻，看看慈安太后，仍然说道：

"请两宫太后三思，还是收回这固伦公主的封号吧，如果传扬出去，让一些不明事理的人知道，还不知怎么议论我奕䜣呢？也许说微臣有觊觎上野心呢？"

"恭王不必多虑，谁愿意嚼舌头就让他们说去好了，这固伦公主的封号就这么定了。"

慈安太后也说道："既然是太后认荣荣做女儿，封她为荣寿固伦公主也不过分，恭王放心好了，别人只会羡慕你呢？谁敢多说些什么，我们姐妹还不相信六爷吗？"

奕䜣知道不好再说什么，只好坐了下来。要知道，按照《大清会典》，只有皇后的女儿也才有资格封为"固伦公主"，妃嫔的女儿只能叫做"和硕公主"，像恭亲王这样的亲王女儿只可称为"郡主"。慈禧把荣荣认做女儿也只能是义女，名意上的女儿，加封为和硕公主或公主就相当不错了，慈禧却故意封为固伦公主，显然是对奕䜣施恩拉拢，奕䜣当然也明白这一点。但他知道，这是两宫太后事先商量好的，自己再说也无益，太后这样做的目的无非是让自己为她们卖命，永远站在她们的立场上。

待奕䜣坐定，慈安又说道：

"妹妹既然加封了格格，对阿哥也理所当然有所封赏啊！"

"姐姐以为封两位阿哥什么最合适呢？"

慈安想了想说道："那就加封两位阿哥为贝勒、载澂为辅国公，封载濬为入八分辅国公，赏载澂三眼花翎顶戴！"

奕䜣给搞懵了，两宫太后今天是怎么回事，封过女儿又封儿子，到底有何目的呀？

"请太后不必加封载澂与载漪，无功不授禄，两人如此年幼，待他们将来长大后为朝廷建功立业时，再请太后加封不迟，如此小小年纪就得到皇太后加封何以服众人呀？"

"两位贝勒将来有功于朝廷时仍有封赏，可以加封亲王衔。如今对两位阿哥加封，实际上是嘉奖六爷，望六爷尽心尽力为朝廷做事，辅佐皇上长大，将来好振兴朝纲，做中兴明君。"

"请两宫太后放心，臣决不会辜负太后的厚爱，尽最大努力把太后吩咐的事做好。这加封一事就——"

不待奕诉说下去，慈安就向他挥了挥手：

"六爷恭敬不如从命，就让两位阿哥接受封赏吧。我这样封赏并不过分，完全是按照祖制的要求。"

慈禧一听这话，心中老大不快，哼！你是按照祖制，我就不是按照祖制了？

慈禧故意请恭王全家与醇王夫妇进宫畅叙赐宴，目的为了拉拢奕诉，想不到慈安一眼看破慈禧的心思，心里道：你加封荣荣为荣寿固伦公主，要拉拢奕诉，我也加封他的两位阿哥，决不能让奕诉处处听命于你，成为你的同盟，那样我的位子就岌岌可危了。

慈禧也看出慈安加封奕诉的两位阿哥是故意与自己对抗，十分反感，虽然嘴上不说，心中却不满，略一思忖，又淡淡一笑说道：

"姐姐，我们对荣荣、载澂、载漪这些小字辈都有封有赏，对恭王与醇王不也应该略施皇恩吗？"

"哦，妹妹原来今天宴请的真正目的就在这里？"慈安不失时机地反问一句。

慈禧也趁机说道："如果姐姐不想加封两位王爷也就算

了，权当妹妹没说。”

慈禧说着，提高了嗓门，“传御膳堂，准备酒宴！”

慈安一听，嗬！你这不是故意让两位王爷对我有意见吗？他们会认为你慈禧想给他们封赏，是你慈安阻拦了，好事你全占了，让我背黑锅落骂名，我才不干呢？慈安也提高了嗓门，略带不满地说道：

“给两位王爷封赏，请执事太监笔录：赐恭王四人肩舆一顶，特准在紫禁城内乘坐。赏醇王黄马褂一件，入宫免跪。”

奕䜣、奕譞看出两宫太后话语言间都带着火药味，如此下去今天的宴席还怎么吃下去，这赌气的加封还有何意义，大家在一起叙谈叙谈，交流一下感情本是好事，现在却变成了坏事。两人同时上前躬身说道：

“启禀两位太后，对我们两人加封的事就算了，今天只是叙话，我们无功受封心中有愧，请太后收回承命。”

慈安想了想说道：“那也好，待攻克金陵后再对两位王爷封赐，今天的加封寄存于此吧。”

慈禧却说道：“如果姐姐想收回对两位王爷封赏的承命，何不了却恭王的一桩多年的心愿呢？”

“什么心愿呢？”慈安不解地问。

“大行皇帝在位时，由于肃顺等人从中挑拨是非，致使大行皇帝与恭王之间略有不和。因此，孝静成皇后仙逝时大行皇帝没有谕旨给予谥号，更没有祔庙，仅仅葬于慕陵东。如今肃顺等人早已铲除，大行皇帝业已宾天，应该给孝静成皇后追谥、祔庙才行，也以此了却恭王的心愿。”

奕䜣一听这话，立即向慈禧投去感激的目光，这的确是他多年来都耿耿于怀的心事，如果两宫太后能给予了却，真是太感恩不尽了。奕䜣见慈安仍在犹豫，扑通跪倒，恳求说：

"微臣宁可不要太后的一切封赏，包括对载澂、载滢与荣荣的封赐，也求太后开恩给孝静成皇后追谥、袝庙?"

慈安点点头，"恭王请起吧，所有封赏一样也不少，也同样会给孝静成皇后追谥、袝庙的。"

"谢太后，谢两宫皇太后。"

奕䜣重重地叩了两个头，内心十分感动，几乎要流出泪来，这是他多年的心愿啊，如今终于如愿以偿，怎能不感激呢? 孝静成皇后是奕䜣的生母，早在咸丰五年时就仙逝了，咸丰皇帝与奕䜣有矛盾，累及到他母亲也蒙羞、死后没有谥号，没有袝庙，更不同意将孝静成皇后与宣宗成皇帝合葬，在奕䜣的多次祈求下才勉强同意葬在慕陵东。后来，由于慕陵发生倾斜的事，咸丰又把责任归于奕䜣，并要求拆除孝静成皇后的慕东陵。虽然慕东陵没有拆除，但那追谥与袝庙的事也就无望了。

袝庙就是在太庙奉安神御，供上一个牌位，说明得到祖宗的认可。不追谥，不袝庙，就是得不到列祖列宗的认可，没有名也没有份。这对于奕䜣当然是个打击，也是个心病，他总觉得愧对母亲在天之灵，因为这是由于他的过失而引起母亲的无名无份呀!

几天后，经礼部磋商，拟出追封孝静成皇后的谥号，两宫太后发出谕旨：

上孝静成皇后尊谥曰孝静康慈懿昭端惠弼天抚圣成皇后。钦此。

三、杀人灭口

　　女人的心，如天上的云，孩子的脸，说变就
变。
　　同治帝一听两宫太后争吵起来，十分着急。
　　那拉氏，你不要狂妄，大行皇帝专门留下一份
惩治你的谕旨！"
　　奕䜣估计胜保掌握了朝中的重大秘密。

　　今年北京的冬天似乎来得较往年早一些，刚一入冬，天
就这么冷，特别是清晨就更冷了。
　　天还没有全亮，四周仍笼罩薄薄的雾气，大臣们就哆哆
嗦嗦地等候在朝房了。随着御前太监一声公鸭似的吆喝，两
宫太后拎着睡意朦胧的小皇上走上墀阶。
　　待皇上和两宫太后坐定，两旁等候已久的文武大臣们齐
声高呼：
　　"皇上，皇太后万岁，万万岁！"
　　"免礼，平身！"
　　随着慈安太后这声不大不小的话语，大臣又回到各自的
位置站好，静听两宫太后问话。
　　慈禧看了一眼两旁的大臣，平声问道：
　　"众家王公大臣，有本奏来，无本退朝。"
　　荣禄走上前躬身奏道："臣有本奏？"
　　"何事？请讲！"
　　"胜保已被多隆阿逮捕押解到京，请太后发落？"
　　荣禄话音已落，马上引起众人的骚动，众人也知蔡寿祺

等人弹劾的事，并列出十大罪状交众人讨论，这事讨论的结果还没确定呢？怎么胜保就已经被押解回京了。奕䜣更是吃惊，他估计自己派出的侯使今天最多到陕西。如此看来，慈禧太后是一边同众朝臣讨论对胜保的处置，一边暗中着人下谕旨命多隆阿入陕接替胜保，并将他捕拿进京，哼！真是岂有此理！

慈禧见众人交头接耳，议论纷纷，知道让众人议论下去对自己不利，便干咳两声说道：

"既然押解到京，就交刑部严议，此事由荣大人全权负责。"

"谢太后！"荣禄领旨退回一旁。

"姐姐还有什么吩咐？"

慈安补充说道："胜保一案关系重大，务必据实查清方可定罪，万万不可草率从事以免伤了前线将士的感情。"

慈禧点点头："姐姐言之有理，此事先交刑部审定后再作定罪吧，姐姐没有事就退朝吧，皇上 还没吃早点呢？"

慈安点点头，慈禧平声说道：

"退朝——"

她率先拎着皇上站了起来，慈安也站了起来。

奕䜣本想说点什么，已见皇上、皇太后走下了墀阶，把到嘴的话咽了下去，心里道：等我先见过胜保再想办法解救他吧。

奕䜣来到刑部大牢，胜保一看见他就气呼呼地吼道：

"六爷，两宫太后拿问罪你为何不提前给我通知一声？害得我好惨。"

奕䜣有口难辩，苦丧着脸说：

"克斋，你我的关系情同手足，我怎会不帮助你，太后抓你是瞒着众大臣做的。等我知道消息就派人去陕西给你送信，估计今天信使才能到达同州。刚才听到你被解到京师的消息众人都十分吃惊呢？"

"无论怎样，恭王要想办法救我？"

"你在河南、陕西都干了些什么，为何有那么多人弹劾你呢？"

胜保委屈地说："恭王，带兵在外又能干些什么，不外乎是吃些喝些捞些，偶尔玩玩女人，哪个带兵的不是这样，这又有什么？这些地方官不免小题大作，眼红了一点。"

"你为什么对属下的人也没维持好？蔡寿祺将你的罪行列为十大罪状呢？"

胜保一咬牙，"果然是这个狗杂种，待我出去不扒了他的皮才怪呢！他们都弹劾我哪些罪状？"

奕訢把蔡寿祺所列举的十大罪状大致说一下，最后又补充说：

"如今又要另加一条，骄奢狂妄，指挥不力，屡战屡败。"

胜保听罢嘿嘿一笑，"哼，逮捕我的主意一定是西太后所出的，蔡寿祺所列举的这些罪状根本不是将我解职捕拿的真正原因。"

奕訢一怔，问道："那么真正原因是什么？"

胜保还没有讲话，荣禄就来到跟前，略带嘲讽地说：

"恭亲王的腿可真快呀，恭王爷对胜保一案挺关心啊。卑职明日奏明两宫太后，此案由议政王亲自审理好了。"

奕訢想不到荣禄也敢讽刺他，心里道，你小子不要以为是西太后的红人就不知天高地厚，我会让你瞧瞧我奕訢也不是好惹的。

奕䜣冷冷一笑："荣禄，也掂量掂量自己的份量，不要拿鸡毛当令箭。荣大人能有今天也不容易啊，但万万不能好了伤疤就忘了疼。"

荣禄也不示弱，淡淡一笑回敬道：

"恭王爷提醒别人的同时更应该提醒自己才对呀，王爷能有今天也不容易，万万不可因小失大，为了一个朝廷的罪臣而置自己的名声地位而不顾，这样做值得吗？请王爷三思。"

"荣大人提醒得极是，但荣大人更要明白，无论做什么事都要把握住分寸，不可把自己的后路堵了，事事不必太认真，更不要拦得太宽，属于份内事则做，不属于份内事得过且过。"

荣禄哈哈一笑，"这话不应从恭亲王的嘴里发出呀，事事不能太认真也不能不认真。若说管得宽，恭亲王身兼多职又是议政王，那才真正叫管得宽呢？至于得过且过，这难道是王爷官场上的经验之谈？王爷是诚意诚心为朝廷做事，还是得过且过空占其位而不办实事呢？"

"荣禄妒嫉本王职务太多是不？可这些都是两宫皇太后任命的，我是奉命做事。"

不待奕䜣说下去，荣禄急忙把话接了过来：

"恭王说得太对了，卑职也是奉命做事，卑职奉太后之命在此，提审胜保，请王爷不要阻碍下官办案，王爷请吧。"

奕䜣知道荣禄不想让自己呆下去，看此情景再呆下去也无益，待荣禄审定出结果后自己再出面为胜保求情吧。

奕䜣转过身对胜保说："克斋多保重，我会尽一切努力为你求情的。"

不知为何，胜保在路上还有些侥幸心理，而如今好象预感到什么，害怕起来，冲着奕䜣的背影大喊：

"恭王要救我，恭王要救我！"

待奕䜣走后，荣禄低声喝斥道：

"胜保，你罪恶多端，作孽深重，死到临头，谁也救不了你。"

荣禄禀退其他人，又小声哄骗说：

"当然，胜将军是我朝重臣，曾四处拼战疆场为朝廷立下汗马功劳，两宫太后也很为胜将军惋惜。特别是慈禧太后对将军更是大加赞赏，有心想对将军开恩，但又恐朝中重臣不服，故此派我来审理此案，可以从中为将军周旋。"

荣禄说到这里，扫一眼胜保，欲擒故纵地说：

"致于对胜将军处置的轻重全靠将军自己的表现，看看将军对太后忠不忠，将军是明白人，应该理解我话中的意思吧？"

胜保似懂非懂地看看荣禄，"荣大人的意思是——"

"不是我的意思，是太后的意思。"

"太后让我做什么？"

"你给慈禧太后的密信中提到了什么就做什么？"

尽管胜保早已想到了这一点，经荣禄这么一说他仍然有些吃惊，愣了一下神问道：

"西太后让我怎样？"

"对任何一个人都不要提及那西藏喇嘛，致于那该死的喇嘛所说的话胜将军就永远把它忘在心里，对任何人也不许说，特别是恭亲王。你以为奕䜣真的有能力救你吗？不要忘了，胳膊是拧不过大腿的，馒头再大也是笼蒸的，奕䜣的所有职位都是太后给的，太后可以给他也可以收回它。胜将军明白吗？只有太后可以救你，当然，太后也可杀你！"

　　胜保倒真的被荣禄这几句话唬住了，他仔细一想也有道理，向荣禄保证说：

　　"请荣大人转告太后，只要饶过我，我什么也不会说的，全当那件事从来也没发生，其实根本就没有发生什么事，是我同太后开一个小小玩笑。"

　　荣禄这才点点头，"胜将军，算你聪明，待我禀告太后，一定会给将军一个将功补过的机会，让将军早日官复原职。如果刑部审理此案，让你如实交待，你只管承认军队上的事，至于审理的结果要上报到太后那里，她会给你一一开脱的，请胜将军不必多虑！"

　　荣禄又进一步威胁说："胜将军应该知道，这刑部的大小官员都是西太后亲自任命的，你这牢狱四周也都是太后的眼线。如果胆敢不守诺言，有个风吹草动太后都会送你去西天！实话告诉你，奕䜣只是来做做样子，他根本不会来救你，即使有这个心也无能为力。你想想，太后下令捕拿你的消息早就在京中传开了，奕䜣为何都不派人给你透个信呢？他敢为了你而去得罪太后而失去一切吗？如果奕䜣再来见你，你推说没时间或干脆拒见。"

　　胜保本来就是一介武夫，经荣禄这一威逼利诱骗他完全被征服了，心中暗暗祈祷太后给他开恩，早日让他重返陕西战场。

　　一钩弯月透过枯枝照在紫禁城的红砖青瓦上，给这寒冷的冬夜又增几分寒意。

　　西太后草草吃罢晚饭就推说身体不适早早回房休息了。

　　安德海听说太后身体不适，急忙前来问安：

　　"太后是不是操劳过度疲倦了，腿痛腰酸，让奴才给你捶捶，按摩按摩？”

慈禧摆摆手，“小安子你回房吧，早早歇息吧，我实在太困了，只想睡觉，你给他们几人打个招声，没有我的传唤谁也不许入内打扰本官睡觉，不然乱棒打死！”

“喳！”

安德海翻了一下老鼠眼退了出去，临走前在房内四下看了看，暗暗点点头，轻轻把门扣上。

慈禧等到安德海的脚步声完全消失才猛地一翻身坐了起来，向屏风内轻轻拍了三掌，荣禄悄悄地走了出来站在慈禧床前，他看着和衣坐在被窝内的慈禧，又看看那雕龙画凤的床，心里咯噔一下，不由自主地后退一步，站在那里不动了。

荣禄脑子乱哄哄的，自从晚上到现在心里一直在思考着这事。他爱兰儿，曾经爱得死去活来，为她几乎发了疯，冲破父母的阻拦疯狂地追求一位破落官僚家庭的落迫女儿。然而，就在两颗彼此相爱的心就要碰撞在一起时，一场灾难将他们分离了。

那是一个比今冬要冷得多的寒冬，病了将近两年的兰儿父亲终于熬尽最后一点心血而撒手人寰，给孤儿寡母留下一笔沉重的债务。失去一切生活支柱的兰儿全家被迫携带着父亲的棺木走向生活未知的京师，一对多情的男女相拥相抱，哭得死去活来。

那是临别的前天晚上，荣禄应约来到兰儿的房后，他们从相见的刹那就紧紧地抱在一起。虽然这以前也曾偶尔这么做过，但总是那么羞羞答答，而今天不同了，也许他们都意识到这别后天涯情长，留给两人的可能是终生遗憾。为了不给终生留下遗憾，凛冽的寒风中，四片火热的唇第一次碰撞在一起，碰撞的火花将两人的心点燃了。

兰儿终于鼓足了勇气，焦灼而急促地恳求说：

"荣大哥，我的心早已给了你，这身子也——"

荣禄愣了一下，双手捧起兰儿的脸仔细端详着，尽管风很大，天很黑，他什么也看不见，但他仿佛看到了兰儿一颗赤诚的心。

荣禄压抑着自己，摇摇头：

"兰儿，谨此就足了，把更美好的东西留给将来吧？"

"荣大哥，将来，我们还有将来吗？也许将来只有遗憾？"

荣禄苦笑一下，"我不相信！没有同年同月同日生，只愿同年同月同日死，非你不嫁，非我不娶，此情可待，舍我其谁？"

兰儿再一次哇地一声哭了，"荣大哥，你等着吧，兰儿永远是你的！"

寒夜中只有两颗心是热的。

一晃多年过去了，那声音一直在耳畔响起，直到刚才，荣禄似乎又听见兰儿的哭喊：荣大哥，你等着吧，兰儿永远是你的！

荣禄又看看床上的慈禧，这早已不是自己原先的兰儿，兰儿早已死了，这是慈禧太后，今朝执掌生杀予夺大权的太后，太后是当今皇上的母亲，这样女人是自己可以有非份之想的吗？

从下午慈禧的话语、声调和表情眼色里，荣禄知道自己等待的这一天终于来了，他自从第二次相遇兰儿，确切地说是相遇太后，也就是自回銮途中之后，荣禄就上百次设想这一天到来时的情景，他是多么激动、幸福和痛苦。

然而，如今这一天真的来了，他反而平静了，怯懦了，犹豫了。

慈禧见荣禄傻愣愣地站在床前不动，有点恼了，气呼呼地说：

"哼，枉是男子汉大丈夫，真是没用，一到关键时候就成了熊包，当年不是你——"

慈禧没有说下去，赌气地一翻身脸向内帐和衣睡了。

这瞬间，荣禄有一种羞辱感，更有一种猎人终于从对手中夺回自己的猎物感，他也好像有了说不出的勇气，猛地甩去外衣扑上了床，三下二下掠去慈禧身上的内衣，又猛地蹬去自己身上的内衣，双手紧紧地把慈禧扣在怀里，用两片火热的唇寻找当年的感觉。

慈禧也紧闭着双眼，想象回到了镇江，是金山也好，瓜洲也好，这些都不重要了，重要的是回到多年前，找回曾经丢失的东西。

蓝天白云下一匹骏马在扬鬃奋蹄，这是一位驰骋疆场的帝王，也许这帝王骑马跑得太久太累了，他的马儿只在鸣叫着就是不向前走，最后连马加人倒在一片血泊中，草原又恢复了平静。忽然，一位身强力壮的将军纵马驰来，他虽然是位生手，骑技不好，他的马也似乎是初上战场的一匹新马，惊慌失措地狂奔着，和蓝天白云下游戏，在奔到兴奋之际，纵马一跃，甚至可以上九天下五洋了。这里，草原无际，马就这样漫无边际地跑下去。

马也累了，人也乏了，慈禧迷迷糊糊醒来，见荣禄早已倒在一边呼呼酣睡着。她轻轻推了一下，从他那笨重的身下抽出压痛的胳膊，想象着刚才的每一个细节，这是自己渴望已久的事，特别是和他更有一种情的投入、心的陶醉。

　　唉，自从随大行皇帝逃亡热河至今，再也没有做过那事，一个女人应该拥有的东西一天天远离自己，乃至最终消逝。相反，取代它的却是一般女人所没有的尊严与地位。然而，其间所付出的代价也是惨重的，表面上的屈辱算得了什么，真正的代价是内心的煎熬与压抑。

　　如今，冒天下之大不讳享受到女人应该享受的东西，这后果是什么她早已料到，但她又无法抵挡，只好放纵自己。但她十分自信，所有的损失她都能找回，所有的漏洞她都能堵上，这才是比男人更加男人的女人，是横空出世、百年不遇，而慈禧相信这么一个人就落在自己身上，自己是当之无愧的女男人！

　　慈禧见荣禄仍在呼呼大睡，抬头看看窗外，那弯新月早已不知落到何处，周围黑沉沉的，也静悄悄的，只偶尔传来几声更鼓声。

　　慈禧全无睡意，她轻轻扭了一下荣禄的屁股，荣禄一翻身，略带惊慌地说道：

　　"现在就赶我走吗？万一让人发现，我的命就白搭了。"

　　慈禧灿然一笑，娇嗔道：

　　"谁说赶你走了，天还早呢？我睡不着，想和你谈谈心。"

　　荣禄的睡意也被慈禧这几句柔情似水的话逗引得烟消云散，他伸出有力的臂膀将慈禧揽在宽大的胸脯上，另一只手轻轻搓揉着她那高耸而富有弹性的玉乳。慈禧就喜欢男人这样做，特别是男人的双臂把她搂得紧紧的，最好能达到一种几乎喘不过气的程度。那样她才觉得过瘾，有一种力的感觉，一种被征服的快意。她自认为自己是一位女强人，但她渴望有更强的男人将她征服，把她打败，只有这样她才真正体味到做女人的乐趣。在咸丰皇帝那里她很少能享受到女人的这种乐趣，虽然，咸丰帝无愧于大清朝第一号男人，但她觉得咸丰帝不是猛男，征服不了她，也因此统治不了她的心。也许是这第一号男人征服的女人太多了，对所有征讨的女人都是点到为止，没有真正重点出击各个击破。而荣禄就不同了，在他心目中的女人也许只有一个，就是兰儿，就是怀中的宝贝，他当然投注了全部的心力与身力，所以慈禧才满足，找回了曾经失去的美好的回忆。

两人相偎相依，只有动作没有言话，彼此几乎可以听到对方的心跳，这无声的静默是她们所有交谈中最好的话语。

慈禧最终还是打破了静默，娇羞地问道：

"仲华，你每天都想我吗？"

"每一时刻都在想，想和你在一起，就像现在这样，永不分离。"

"我也是，我时常在夜深人静时作出种种假设，设想和你在一起的日子，设想如何才能摆脱这清规戒律的束缚，挣脱宫庭的羁绊和你相亲相爱，永远也不分离。"

荣禄听了这几句话，心里热乎乎的，为了这样的女人，就是死也心甘，但他又十分清醒地知道，慈禧这话只是说说，做不到的。他叹息一声：

"你真的愿意为我舍去一切吗？你如今有了高贵的尊严，至上的权力，崇高的地位和奢侈的生活，而我荣禄只是手下的一条招之即来挥之即去的狗，你愿意为了一个一无所有的人舍弃优越的地位吗？"

慈禧没有立即回答他的问题，长长地叹息一声：

"我有两个灵魂组成，一个是兰儿，另一个是慈禧太后。作为兰儿，我愿意随荣大哥相伴到天涯，过一种与世无争的田园农家生活，我担水你浇园，我纺织你耕田，咱们生儿育女白头偕老。作为慈禧太后，我只想保住自己至尊的地位，将大权独揽，让所有的人都听命于我，享受一下'普天之下莫非臣，率土之滨莫非王土'的滋味。"

"这么说我只能拥有你的一个灵魂，听命于你的另一个灵魂？"

"白天主宰我的是叫慈禧太后的那一个灵魂，晚上主宰我的是叫兰儿的那个灵魂。"

"如果真是这样，我只想这样的夜晚永远不亮。"

慈禧苦笑一下，"唉，只可惜天一定会亮的，太阳每天都照常升起。"

荣禄酸溜溜地说："作为慈禧太后，你对谁都那么残忍，如果有一天我也冒犯了你，你会饶恕我吗？"

"那要看你怎样冒犯我了，冒犯我的什么，必要时也会让你同那些人一样，永远闭上嘴巴。我不允许任何人背叛我，只允许他们听命于我，无二心地服从我，特别是我认为最亲密的人、最值得信赖的人背叛我，我更要加倍惩除，置他于死地。"

荣禄的心猛地一颤，那只抚摸玉乳的手停住了，略有心悸地问道：

"你真的要胜保死吗？"

"胜保一日不死都是我的心头大患，必须尽快将他处死才行。我让你先利用软硬兼施的手法堵住他的嘴，绝对不能让他同奕訢有太多的交谈，每次交谈的内容必须了解得一清二楚汇报给我，明白吗？"

荣禄伸伸懒腰，"请太后放心，看押胜保的人全部换成我的人了，只要有个风吹草动我也会知道，何况我已经对胜保采取了威逼利诱的手段，哄骗胜保与奕䜣有矛盾，让他不再相信奕䜣就不会对奕䜣乱嚼舌头了。"

慈禧仍有点不放心地说："不要把大话说得太早，做事一定要稳妥，当初不是安德海大意，怎会留下今天的大患呢？嘿，真他奶奶的气杀本宫！"

"你一定要慎重行事，万万不可莽撞，已经杀了一个何桂清，再杀一个胜保，内外臣不知怎么议论你呢？不说别人，慈安太后与奕䜣也不会同意，胜保可不同于何桂清，他在京师之中很有势力。稍一不慎会招致群臣的一致反对，到那时，只怕你杀不了胜保反而会弄掉自己垂帘听政的位子。"

慈禧十分自信地笑了笑，"胜保不同于何桂清，不过，我杀胜保的理由也不同于何桂清。慈安奕䜣不同意，我自有办法让他们同意，其他那些与胜保交情较好的人不过是因为胜保的势力而趋附他，众人只要是胜保大势已去，自然从各自的利益出发还怕惹火烧身呢？为他真正卖力的人也就微乎其微了。"

慈禧和荣禄正小声说着，猛然听到外室的廊檐下有一丝响动，慈禧一惊，急忙示意荣禄悄悄地去看个究竟，荣禄刚到门口，那一丝响动就消失了。

荣禄要出门看个究竟，慈禧轻声把他喊了回来：

"不必了，估计是安德海这个王八羔子，明天我再收拾他。"

"太后怎知是安德海？"

"哼，不是他还能有谁如此大胆呢？"

荣禄略为惊慌地问："我们的事——"

"嘿，能瞒住别人还能瞒住他这个猴子精，晚饭后他来给我问安，我让他早早回去休息，他临走时那对老鼠眼在这房内四下瞅了几遍，就是想看看你在不在房中。”

荣禄更是惊慌，“他会不会暗中报告给东边呢？”

“你放心好了，这宫中上下百拾人还没有一个敢那样做的，安德海这小王八羔子来偷听我俩讲话是吃你的醋，小傻帽。”

慈禧说着狠狠地点了一下荣禄的鼻子，荣禄用手摸了摸自己点痛的鼻子，若有所悟地笑了笑：

“安德海他一个太监也能吃醋？”

“你不是太监哪里知道太监的心里，他们虽然被阉割了，成为不男不女的人，但心里仍是一种男人的欲望和需求，也想和女人做那种事，只不过无法进行罢了。我们做女人的也理解他们这些太监的心里，在不违反宫规的情况下，有时也让太监亲热一下，满足一会儿他们那种心里。”

荣禄一听这话也是醋意大发，不自然地问道：

“你也让安德海这个王八羔子亲热过吗？”

慈禧脸一本正色说道：

“荣禄你好大胆，敢侮辱本宫该当何罪！”

荣禄本来只是开一个玩笑，想不到慈禧竟来了真格的，马上可怜巴巴地哀求说：

“太后息怒，荣禄纵有天大的胆子也不敢有辱太后，何况——”

“何况什么？”

慈禧的语气稍稍缓和一些。

“何况太后的另一个灵魂兰儿早已许给了我荣禄，侮辱太后不就等于侮辱我自己吗？这世上哪有这么傻的男人。”

荣禄大着胆子说出这句话，他边说边悄悄把手又伸到慈禧的那对玉乳上。慈禧这才装作不情愿的样子娇嗔道：

"你这恨心的家伙就会耍滑头说漂亮话讨好人，一点真格的都没有。"

荣禄笑了，心里道：女人的心真是天上的云、孩子的脸，说变就变。他又猛地一翻身，把慈禧紧紧地压在身下。

灰沉沉的天宇将紫禁城压得几乎透不过气来。

不知何时天空飘起了雪花，一片一片又一片，雪花由小到大，渐渐地满天飞舞起来。不多久，整个紫禁城都变成白茫茫的一片。

弘德殿上书房传来琅琅读书声，同治帝几乎每天都这样苦读。他虽然在年龄上还是个孩子，而心理上已经是个小大人了，他早已知道自己是大清国的第十位皇帝，自己将来的任务就是治理国家，完成先皇临终遗命，收复失地，废黜屈辱条约，重振祖宗家业。这许多许多的事等待他去做，不潜心读书，精通圣人精典怎么行？更何况两位皇太后对他期望很高，几位师傅对他教读细致，要求也十分严谨，特别是李师傅李鸿藻对他更是严格要求，几乎不把当作一个十来岁的冲龄看待，完全用一个真正皇帝的标准要求他，给他灌输各种治国方略和治世经典，希望他能成为大清朝的第二位康熙爷，同康熙爷一样有叱咤风云威镇四海的本领，那样大清的宁兴也就有望了。

同治虽然小小年纪却也不负众望，攻读用心，学习刻苦，许多精典篇章几乎都成诵。当然，这也与两位太后的严格要求相关。慈安太后对同治是严中带慈，用慈爱关怀促进他成长，这也许是一种爱的教育，当然，她采取这种教育方式的原因也许具因为载淳不是自己的亲生儿子，别人的儿子自己怎么可以随便打骂呢？而慈禧就不同了，她也许觉得载淳是自己的亲生儿子，更有一种望子成龙的迫切心里，对同治要求很严，动辄就是一顿训斥，她相信棍棒出孝子、严师出高徒这个道理。

同治读了半个多时辰，不知是读累了，还是被窗外飞舞的雪花所吸引，出神地望着这雪景想着自己的心事。

昨天，他从上书房去储秀宫的路上，由于是抄近路，无意听到两宫太监的对话。虽然是这么匆匆一过随便听了一句，却也听到一点门道，似乎是议论额娘与荣禄之间的事。当那两名太监看见他走来时都吓得变了颜色，一吭也不声，问他们议论的什么内容，都支支吾吾不愿说，他还狠狠地踢了那名太监几脚。

唉，额娘也真是，贵为太后，母仪天下，位在万万人之上，人人顶礼膜拜，万乘之尊，怎么竟和荣禄这么一个人人不齿的卑鄙之徒打得火热呢？她们之间有没有苟且之事不曾知道，但宫中已有人私下议论额娘和荣禄的事，唉，自己作为一国之主母后却——

同治正在胡思乱想，猛然听到身后有脚步声，转身一看，李鸿藻走了进来，浑身落满了雪花。

同治帝站了起来，"李师傅，下这么大的雪朕以为你不来了呢？"

"天虽然冷了一些，皇上尚能够坚持读书，臣岂有不来之礼？皇上如果不累，臣就接着昨天的内容讲解吧。"

同治点了点头，率先打开书。

李鸿藻今天讲授的内容是《孟子》里面的《齐桓晋文之事》，分析"仁政"与"王道"的关系。讲读之间，李鸿藻发现皇上今天情绪不振，也不能够很好地集中精力，以为皇上是天冷厌学，就径直说道：

"皇上整日读书辛苦很少休息，今天又恰逢大雪，天寒地冻，皇上如果觉得太累，就回宫休息吧。"

李鸿藻话音未落，恭亲王奕䜣进来了，他拱手说道：

"臣奕䜣给皇上请安！"

"皇叔请坐吧，"同治边吩咐贴身太监给奕䜣看坐。边问道："如此大雪，皇叔不在府中取暖，到此有何贵干？"

奕䜣欠身答道："臣见今日雪景极佳，信步边走边看，不知不觉来到宫中，想到这大雪天皇上该不会到上书房读书了，便前来看一看，实在令臣欣慰，几位伴读的阿哥都没有来听课，唯独皇上在此。也令臣十分放心的是几位师傅今天一个也不缺，李师傅还特意从府上赶来授课，卑职一定将事奏明两宫太后给几位师傅嘉奖，对皇上更应该大加褒扬。"

李鸿藻一抱拳，"恭王爷太客气了，皇上都能不怕寒冷不畏辛劳在此读书，臣有何不能来此授课呢？何况给皇上授课也是臣的份内事呀！"

同治也说道："难得皇叔如此关心朕的学习，朕决不辜负皇叔的一片赤心。"

正在这时，李莲英慌慌张张地跑了进来，上气不接下气地奏报道：

"回皇上，两宫太后争吵起来，无人敢劝阻，请皇上快去劝解。"

李莲英抬头一看恭亲王也在这里，又急忙说道：

"恭王爷也一同陪皇上去劝解一下两宫太后吧？"

"你可知道到底为何争吵？"

"可能是为了杀不杀胜保的事吧。"李莲英答道。

同治一听两位太后争吵起来，也十分着急，急忙合上书本对李鸿藻说：

"李师傅，今天的课就上到这里吧，朕要和皇叔去劝阻两位太后争吵。"

李鸿藻连忙点头，"皇上尽管去吧，但不要莽撞支持一方反对另一方，冷静思考，平和劝解，不能把矛盾进一步扩大。"

同治帝会意地点点头，又催促说：

"李莲英，你还愣着干什么？还不快带路！"

"喳！"

三人直奔储秀宫。

储秀宫内已闹得不可开交，但由于是两宫太后争吵，那些宫女太监们谁也不敢上前阻拦，唯恐自己说话不当得罪哪一位。这两宫太后都不是好惹的，得罪了谁做奴才的也不会有好下场。一般人就不用说，是太监总管崔长礼，储秀宫总管太监安德海这样的人都不敢上前，更何况一般人呢？

慈安太后气得脸色发白，却也毫不示弱地说道：

"你那拉氏不要好了疮疤忘记疼，不是我等从中求情，大行皇帝早就将你处死了，你怎会有今天的嚣张？自从垂帘听政以来，许多事我都装作不知，不和你争夺高低贵贱，事事由着你，可你也太不像话，自以为是，自作主张，今天提升这人明日又提升那人，想杀谁杀谁，想贬谁贬谁，这大清的天下仿佛成了你那拉氏家的私有财产，真是岂有此理！"

慈禧一听慈安竟然揭了自己的老底，怎能不气恼呢？白净的脸由白变红，由红而青，她气急败坏地说道：

"打人不打脸，骂人不揭短，大行皇帝要杀我是受了肃顺、载垣等奸臣的蛊惑，这一点也是满朝王公大臣人人皆知的。你当时为我求情算你明智，看破肃顺等人的险恶用心，那并不是我的过错，错只能错在乱臣贼子身上，错在大行皇帝听信了谗言。事情已经过去了许久，你不应该提起这捧不上桌面的事压我。若说起人的短处，谁没有一些，当初戊午顺天乡试科场案中，你为了侄女碧罗冰玉的丈夫程秀，不也四处活动，恩威并用给程秀开脱罪状。你骂我心狠手毒，我这样做是为了谁？如果不心狠手毒，能除去肃顺、载垣、端华等人吗？你不杀人，人却逼你杀人，如果不是我坚决同意除去他们几个逆贼，你我能活到今天吗？这大清的天下还在不在爱新觉罗氏的手里都很难说。"

"当然，治理国家处理朝政也不能不杀人，但你也要把握住分寸，该杀的人才能杀，不该杀的人也杀，不就成了滥杀无辜的暴君吗？我出面阻止你杀胜保实在是为了你的名声着想，你却一点也不体谅我的心，认为胜保给我送了许多贿赂之银，我才三番五次给他求情的，你我相处多年，我是那样的人吗？我还是一句话，你杀肃顺、载垣、端华，那是他们罪有应得该杀，他们死有余辜！你杀何桂清我不没有反对吗？为了前线将士作战勇敢，人人奋力向前不当逃兵，他虽然不该死罪，但在非常时期杀一儆百也是可以理解的。但你如今又要杀胜保，是万万不行的！"

慈禧已气得两唇发抖，憋了一会儿，才缓口气道：

"胜保可有罪？"

"有罪！"

"他的那十大罪状哪一条不当杀？抛弃这些不说，他虽然在铲除肃顺等人的过程中出过一些力，我们也给他升官封赏了，可他不知足，再次要求我们封他为亲王，这亲王的头衔是可以随便加封的吗？居功自傲，要挟太后不当杀吗？带兵剿匪，连续溃败，损兵折将不当杀吗？"

慈安太后被慈禧这几句话问得一时哑口无言，过了许久才说道：

"胜保固然有罪，但罪不当斩，可以降职任用，以功补过，令他重新到战场上杀贼立功赎罪。如今正是用人之际，江浙战场吃紧，洋枪队又遭惨败，陕西回民起事声势浩大，战事未定，就斩杀功臣，前线将士会心寒的，丧失大军战斗积极性。更何况胜保是举足轻重的人物，朝中势力雄厚，斩了他，也会引起朝中重臣反对的。实话告诉你，我已经收到许多为胜保求情的折子，就是恭王与醇王也不同意将胜保处斩。"

恰在这时，同治与奕䜣了进来。奕䜣一听慈安太后提到自己也不同意斩杀胜保的时，便为难起来，自己还如何出面劝阻呢？只要自己一出口，慈禧太后一定说自己是站在慈安太后的立场上讲话。奕䜣无法劝说，只好让皇上去劝说了。

奕䜣俯在皇上旁边耳语几句。

那边，慈禧与慈安又争吵起来。

慈禧一听慈安提到奕䜣，奕谡等人不同意杀胜保，冷笑道：

"他们这些人不同意杀胜保是因为胜保是他们的死党，是他们这些人的军事武装靠山。据我所知，瑞麟、祁寯藻、荣禄等人就坚决主张斩杀胜保。"

慈禧不提荣禄还好，这一提及他把这场争吵推到了顶峰。

慈安一听慈禧提及荣禄，冷冷一笑：

"你还说起荣禄，他是什么东西，不是你看在往日的情份上怎会把他从一个下等小官提升到御前大臣一职。无论是看在往日旧情的份上还是后来破格提拔的情份上，荣禄也会死心踏地听从你的命令，他这么一个见风使舵、钻营投机之人能不看着你的眼色行事吗？只怕——嘿嘿！"

慈禧的脸刷地红到了耳根，心中奇道，她怎么会知道我和荣禄的这些私事呢？莫非她暗中派人监视我的行动，那天晚上的响动声就是她所派遣之人碰出的？哼！抓贼抓赃，捉奸拿双。你没有真凭实据胆敢诽谤我一定要你知道那拉氏的厉害！若想道听途说几句话就治住我你是白日做梦。

想至此，慈禧也冷笑着，紧逼一句喝问道：

"只怕什么？有话尽管直说，别吞吞吐吐，我那拉氏站得直行得正，心里无事不怕鬼敲门，哪个该死的乱嚼舌头之人尽管去说好了！"

"哼，越是这么说越是此地无银三百两，真是问心无愧就——"

"就什么？"

慈安也只是从下人的议论中听到几句风声，确实无根无据，按照她平时的修养是决不会提及这等"莫须有"无聊之事的。今天也是在气头上，一时冲动说了出来，说出来后有点后悔了，但为时已晚。

慈禧知道慈安并没有抓到自己什么，马上来了劲，猛地一拍桌子质问道：

"你血口喷人是为自己掩羞吧？"

慈安一听这话又气得脸色发青，却一时讲不出话来。

正在这时，同治从外间闯进内室，高声喊道：

"孩儿拜见两位太后！"

他匆匆施一个礼，先上前拉住慈安太后说道：

"皇额娘，儿臣送你回宫，请皇额娘息怒。"

慈安憋了一肚子气，一见皇上用手拉着自己，仰头可怜巴巴地哀求神色。一时百感交集，紧紧地抱住同治委屈地哭了。

同治也不知说些什么，陪着默默流泪。好久，才抬起头，用手拉了拉慈安的衣袖：

"皇额娘，你回宫吧，天这么冷会哭坏身子的，儿臣扶你回去。"

慈安还能再说什么，她抹一把眼泪拎着皇上走了出去。到了门口，又回头说道：

"那拉氏，你也不要太狂妄，请自重一些，大行皇帝早就预料到你会有今天的，专门留下惩治你的谕旨呢？事情太出格，我会行施大行皇帝遗诏的！"

说完，跨出门去。

雪停了，整个世界银装素裹。

太阳出来了，红日镶嵌在浩白的大地上，异常壮观，分外妖娆，好一派绚丽的景色。

玉树琼树之间，几位小太监忙里忙外，有的滚雪球，有的堆雪人，几名宫女也跟在后面叽叽喳喳，又给这园中的雪景增添一道亮丽的色彩。

慈禧太后推开窗户，看着外面的美景却无心欣赏，她思考着自己的心事，想着慈安太后的那句话，自从那日与慈安太后争吵之后，她一直坐卧不安，吃不香，也睡不着。

从慈安太后说那句话的神态、表情看，决不像随便说句假话骗骗自己，再联系一下大行皇帝宾天之前的那一段时间内对自己的态度和当时所发生的事分析，大行皇帝可能私下给慈安太后留下遗旨，防备我篡权夺位凌驾于慈安太后之上。

　　慈禧越想越觉得自己的判断正确，大行皇帝要效法汉武帝钩弋事件的办法将自己处死，自己虽然侥幸免于一死，但大行皇帝不能不留下一条后路吧？如果这样，必然秘密留下一份谕旨对付自己。

　　慈禧想到这里是咬牙切齿，哼！好个奕詝，你生前打击我压制我，死后也要把我管得服服贴贴，真是太狠毒！我为你生下龙种，让你有传宗接代之人，你却一点也不感激我，处处要置我于死地，既然你不仁，也别怨我那拉氏不义，我倒要看看你奕詝能留下什么谕旨，又能奈我何？

　　慈禧虽然这样安慰自己，但还是十分害怕的，害怕慈安太后真的动真格的取出咸丰帝的密旨公布于众，自己又要栽个大跟头，好不容易取得的地位又要受到影响，说不定一切全完呢？她又不愿意轻易向慈安太后妥协，一是胜保对她的危害太大，非杀不可；二是这刚开始就向慈安妥协，委屈求全，那将来的日子怎么过，还处处听任于她。慈禧是一位有胆识有主见的人，决不愿意随便听任他人使唤。

　　正在这时，李莲英走了过来，慈禧灵机一动，喊住了他：

　　"小李子，你匆匆忙忙去哪儿呀？"

　　李莲英听到呼喊，急忙停住了脚步，回头一看见慈禧正端在窗前看着自己，急忙施礼说：

　　"哟，是太后，有何吩咐？"

　　"你还没有回答本宫的问话呢？"

　　李莲英裂嘴一笑，"回太后，奴才奉太后之命服侍皇上一点也不敢怠慢，皇上正在御花园堆雪人呢？奴才去请皇上回上书房读书。"

　　慈禧微笑道："难得小李子如此忠心，待皇上独掌大权之时，一定重重加封你，也让你做高官享鸿福。"

李莲英急忙躬身答道："奴才不敢有如此奢想，奴才只想忠心耿耿服侍皇上。请问太后，有什么需要奴才做的吗？尽管吩咐，小的一定照办。"

慈禧四下里扫了一眼，压低声音问道：

"小李子在热河时经常出入烟波致爽殿，是否听到先皇留下什么密诏？"

李莲英摇摇头，"小的没有听说先皇留下什么密诏，莫非太后最近听到有关先皇密诏的传说。"

慈禧不置可否地说："如果你没有听到就算啦，今天留心一些，倘若听到什么风声立即汇报于我。"

"小的知道了。"

待李莲英离去之后，慈禧又陷入了沉思。无论有没有密诏存在，暂且向慈安妥协，主动认个错，缓和一下矛盾，也试探试探她的心，看她到底有何想法，侧面了解一下到底有没有密诏，以退为进。至于胜保的事，硬的不行来软的，看她是否松口。

慈禧带着四名宫女，来到钟粹宫。

慈安一听宫女来报，说慈禧太后向她赔礼来了，有心不见吧，又怕被人说自己心胸狭窄，见吧，她的一肚子火至今还没消呢？实在不情愿，考虑再三还是同意让她进来。

慈禧来到房中，急忙上前施礼道：

"妹妹拜见姐姐！"

"不敢当！"慈安冷冷地吐了三个字。

慈禧坐了下来，微微一笑问道：

"姐姐仍在生我的气吧？妹妹十分后悔那日顶撞了姐姐，自从姐姐回宫后，妹妹一直心神不宁，为自己在气头上说了伤姐姐心的话而后悔。千错万错都是妹妹的错，求姐姐原谅妹妹这一次吧。"

慈安抬眼看看慈禧，淡淡地说道：

"只怕你不是真心来向我道歉的，是害怕我用先皇遗诏将你治罪吧？"

慈禧一听这话，扑通跪在地上。

"姐姐如果认为妹妹犯了弥天大罪，罪不可恕，就动用先皇遗诏将妹妹治罪吧？该杀该斩随姐姐的便。"

慈禧说着哭了起来，边流泪边说：

"先皇受奸人迷惑要害死奴才，是姐姐舍命将我这条命救了下来，姐姐的大恩大德我终生没有忘记，只想好好协助姐姐辅佐幼皇早日长大，振兴大清行将衰败的绩业，不想妹妹心直口快，做事也直截了当，狠了一点，惹姐姐生气了。如果姐姐认为妹妹触犯宫规或大清律例，就取出先皇留的遗诏吧？妹妹死不足惜，请求姐姐看在我们多年和睦相处的份上好好看待皇上，载淳是妹妹唯一的寄托，他虽然承袭了皇位，但必定太小，需要人照顾。姐姐，妹妹就将皇上拜托你了。"

说完，早已泣不成声。

慈禧呜呜哭了一会儿，偷眼看慈安面色稍稍缓和一些，又流泪说道：

"姐姐，妹妹死前斗胆再说一句话，胜保是万万不能留的。胜保如生骄横若不被处斩，将来如何惩处其他人呢？内臣不服是朝臣最大的祸患。姐姐如此年轻，皇上如此年幼，中外臣工本来就不服，倘若再不严肃法度，皇权必遭蔑视，望姐姐以大清三百年绩业为念……"

慈禧呜呜哭倒在地。

慈安这才站起来，上前扶起慈禧：

"妹妹何必这样呢？姐姐那日也是在气头上才说出许多过分话。妹妹能主动来给姐姐认错，姐姐还有什么说的呢？姐姐也是气昏了头才说出拿出先皇遗诏制裁妹妹。当初，先皇留下遗诏时我就想告诉妹妹的，接着就是先皇去逝，随后一联串的事接踵而至，就把这件事给忘了。"

慈安与慈禧分别坐回自己的位子上，慈安看着哭成泪人的慈禧，又安慰说：

"妹妹别伤心了，姐姐收回所说的话，今后再也不提用先皇遗诏欺负妹妹的话。那天争吵后，姐姐回来后把事情的前后经过仔细想一想，姐姐也有许多不对的地方，也很后悔同妹妹争吵。皇上如此年幼，我们姐妹倘若相处不睦，这将来的朝政还怎么处理呢？大臣们还不利用咱姐妹的矛盾从中渔利？既然妹妹能主动来我这里认错，可见妹妹心胸宽广，倒是我做姐姐有点斤斤计较了。今天姐姐就再听妹妹一次，同意处死胜保，但胜保毕竟为咱姐妹立下过赫赫战功，应该加恩赐死，就免斩了，妹妹以为呢？"

慈禧一听慈安同意把胜保处死，心花怒放，她没有想到慈安会转变得如此之快。只要同意把胜保处死，至于处斩与赐死那就无关紧要了。

慈禧急忙抹一把眼泪说："一切听姐姐安排就是了。说心里话，妹妹与胜保也无冤无仇，并不想置他于死地，只是胜保目无朝廷，罪大恶极，不处死何以服众人呢？以严治国，整顿吏制，对于大清王朝的中兴是有好处的。"

慈安点点头，"眼看快要过新年了，处斩大臣不吉利，此事暂且压一压，到来年再下道谕旨将胜保赐死也不迟。"

"姐姐说得在理！"

慈禧终于达到了目的，松了一口气。

沉重的铁门"咣啷"一声打开。

胜保从昏睡中惊醒，他抬起头，睁开双眼，看见奕訢走了过来，像见到救星一般猛地站了起来，向前迈了两步，失声喊道：

"恭亲王救我！两宫太后同意放我出去了吗？"

奕訢看着披枷带锁的胜保，胡须多长，人也清瘦了许多，他十分难过，也十分惭愧，一时不知说什么好，微微叹口气，无可奈何地吐了三个字：

"克斋，我——"

胜保失望了，一屁股跌坐在地上，狠狠地瞪了奕訢一眼，吼道：

"奕訢，你走，你走！我不想见到你，你忘恩负义，诚心让我死！"

"克斋，你冷静一下，听我解释？"

胜保冷笑一声，"我不听，不听！凭你恭亲王在朝中的位置、政权、军权、族权、财权、外交大权这五权独握，两宫太后对你是言听计从，你说让谁死谁就得死，你说让谁活，谁就死不了，你是觉得自己大权独握位子会稳了不需要我了，才想让我死的，这样，就没有人和你争权夺位了是不是？哼哼，实话告诉你，爬得越高摔得越响，我胜保的今天就是你奕訢的明天！"

奕訢见胜保误会了自己，有口难言，他不是不想救胜保，实在是无能为力呀。他虽然集五大权于一身，但也决不像胜保所说的那样，两宫太后对他是言听计从，实际上，两宫太后对他是既信任又防备，既打击又拉拢。那慈禧太后更是心计颇深，对他是多种心思并用。奕訢也明白，如今皇上年幼，两宫太后对处理朝政不熟，才优厚待遇用他，让他卖命，一旦皇上长大，两宫太后翅膀变硬，他的下场也许真如胜保所说呢？

奕訢又上前一步，平静地说：

"克斋，你冷静一些，无论你说什么我都不会埋怨你的，但也请你相信我的确为你尽力了。"

奕訢说到这里，痛苦地摇摇头：

"我是有口难言呀！克斋，你的家人我会给你照料的，你还有什么要求尽管提出来，我尽力为你去做。"

胜保将信将疑地抬起头，"是慈禧太后让我去死还是东太后让我去死？"

"两宫太后都同意了。"

胜保点点头，愣了好大一会儿，忽然哈哈大笑起来。

奕訢被他笑得一愣，十分不解地问道：

"胜将军笑什么？"

胜保收住了笑，直盯着奕訢说道：

"恭王爷，麻烦你回宫通报一声，就说我胜保要见慈禧太后，有重要的事要告诉她，也许她听了我的话会放过我的，饶我不死。"

奕訢不相信地问道："你先告诉我，我这就去宫中拜见慈禧太后，请求她能否饶过你。"

胜保摇摇头，"这些话我只能同慈禧太后一人直说，决不能有中间转告，恭王爷只要问一问慈禧，就说有一件十分重要的事要告诉她，太后就会明白的，估计她一定会来见我一面的。"

奕訢见胜保说得那么肯定，就说道：

"好吧，让我再去试一试。"

奕䜣来到储秀宫，慈禧早已得报，知道他从刑部大堂胜保牢房赶来，不用通报，就已经传下话来，准许奕䜣拜见。

奕䜣见过慈禧，把胜保的话转述一便，慈禧装作十分吃惊的样子说：

"胜保说有重要的事情告诉我，让我到牢中见他，六爷可知胜保所说的什么重要的事？"

奕䜣摇摇头，"卑职不晓，但胜保说了只要说有重要的事相告，太后就知道是什么事，一定会去见他的。太后可否想起什么事？"

此时，奕䜣也估计胜保一定掌握了一件什么重大的事或与朝廷有关的重大秘密，足以能够换回自己的命。否则他不会多次要求面见太后的。但令奕䜣感到失望的是，慈禧并没有像他所想象的那样立即同意去见胜保，而是哈哈大笑一声：

"六爷，胜保这样说话不过是故弄玄虚，妄图蒙骗你与本宫，目的是要让我从中为他求情，放过他一条生路，此雕虫小技能蒙骗住谁呢？恭王不必相信他的话。"

"太后，万一胜保在剿匪过程中得到一件与我朝有关的什么秘密呢？请太后三思，还是见他一面为好，是真是假去一趟也就明白了，太后全当去刑部大堂，私防一次？"

慈禧点点头，"既然六爷这么说了，本宫明日就去刑部大堂，当面查实胜保到底有没有什么重要的事？"

奕䜣一听慈禧太后同意去见胜保，对于挽救胜保一命不死他又升起了一线希望。

奕䜣刚一离开，慈禧就命安德海携带早已拟定好的谕旨去见荣禄，命荣禄立即将胜保赐死。

荣禄和安德海来到胜保所在牢房。刚一打开牢狱的门，胜保一见不是慈禧太后就大惊失色，知道自己末日到了。只听安德海捏着公鸭嗓子念道：

胜保身为朝廷重臣不思为国效力，骄横跋扈，所犯十大罪状，罪不可恕，当斩！念及曾有功于朝，特加恩赐死，免除妻儿子女一切罪过。钦此。

胜保起初十分怕死，如今真的就要被处死了，反而冷静了许多，哈哈大笑起来，上前接过谕旨撕得粉碎，边撕边叫道：

"我要见太后，我要见太后！我掌握了太后的秘密，他怕我泄露出去有损自己的名声才将我处死的。"

安德海向荣禄使个眼色，两人不等他再喊下去，拿起准备好的白绫缠住胜保的脖子。

安德海喝问道："胜保，是你自己爽快一些，还是让我们来帮助你？"

胜保见安德海真的要勒死自己，破口大骂：

"安德海你不得好死，你助纣为虐，和那拉氏一同谋害云——"

安德海和荣禄同时用力拉紧了绳子，胜保再也发不出任何声来，双腿乱蹬着，带木楔的双臂乱晃动着，但这种毫无意义的反抗并没维持多久就结束了。

安德海和荣禄来到储秀宫报功，安德海抢先说道：

"太后不必担惊受怕了，你的一块心病掉了。"

慈禧见安德海那洋洋得意的神色，白了他一眼，不满地说道：

"都是你惹出的事，差点害了我，把奖给你的奖品扣除一半加在荣大人身上。"

"是，是。小的并不是来讨奖的，奴才自知有错在身，怎敢和荣大人争功呢？何况荣大人又是——"

"又是什么，嘴又痒痒了就自己掌嘴！"

安德海偷偷看慈禧一眼不再哼声，心里嘀咕道：见了旧情人就把我给扔了，真是岂有此理！

荣禄便十分谨慎地上前说道："太后不必提心吊胆了，尽管放心和慈安太后一比高低了，不必担心胜保把那秘密传给慈安太后，他只会到阎王爷那里诉说去了。"

慈禧并没有像荣禄想像的那么高兴，只是淡淡地笑一笑，忧心忡忡地说道：

"有许多事你们还不明白……"

"到底是何事？"荣禄急忙问道。

"唉，真是腿痛遇到了连阴雨，去了一病又一病，我怎么能与慈安太后相比呢？"

安德海和荣禄同时问道："太后可不能长他人志气灭自家威风，太后哪些不如她？"

慈禧又叹息一声："不是我在处理朝中大事的才能上不如东太后，我实在有难言之隐，先皇留下一个挟持我的密诏在慈安那里。"

两人一听，都大吃一惊。

第七章　姐妹情义

一、兵分两路

"我根本没有差遣他进京，更没有指使他入宫当太监，是他贪生怕死逃出了捻子，做一名叛徒。"

谁能捉住匪首张乐行，赏黄金万两。

失败的真正原因是五路旗主在关键时刻闹了一场不大不小的风波。

沃王被清兵掠去，恐怕凶多吉少。

新年的爆竹稀稀落落地响了几下，整个雉河集又沉浸在一片萧杀之中。

天公也不作美，西北风呼呼刮着，铅块似的乌云聚集着，一场暴风雪就要来临。

雉河集一反往年的热闹，没有一点过年的气氛。

沃王张乐行在屋内来往踱着，眉头紧锁，他也为眼前的局势一愁莫展。曾国藩、李鸿章、左宗棠已经攻破江南、江北大营，天京危在旦夕，据太平军传出的消息，天王洪秀全已病了好几个月仍丝毫不见好转，可能不久将会病逝。天京一旦被攻克，天王洪秀全再病死，群龙无首，太平天国的气数也就到此为止了。其他几路反王更难成大器，翼王石达开在四川大渡河全军覆没，英王陈玉成安金一战也几乎全军覆没，后来侥幸逃出仍为胜保所杀。扶王陈得才、遵王赖文光在陕西扯起杆子，虽小有气候又能撑多久呢？

何去何从张乐行实在理不出个头绪来。

噔噔噔，一阵脚步声，张禹爵进来催促说：

"父王，饭菜都凉了，你快去吃一些吧，这大年三十，你不动筷，几位将军叔叔怎肯先吃呢？"

沃王张乐行看看长得像自己一样高大结实的儿子，叹口气说：

"禹爵，你已经长大成人了，遇事要多思考一下，今后也多为父王分担些军务，父王一旦有个三长两短，这个担子就由你来挑了，子承父业就是这个道理。"

"父王何必说这种不吉利的话呢？父王如此年轻，今年尚不到五十岁，寿命长着呢？父王不是常说空云大师给你看过面相，不到五十能封王，过了六十能称帝，孩儿准备随父王东征北上捣毁满清老巢，协助父王登上帝位呢？"

张乐行叹口气，"别痴人说梦了，父亲虽然被封了王，仍不过是一个捻军的盟主，受太平军的节制为他们卖命罢了。天京马上就被攻破了，洪秀全又能有什么好的结果？一代天王尚且如此，我一路反王还能如何，对于称王称帝早已失去了信心。"

"父王怎么能说这丧气话呢？几年前父王对称王称帝信心十足，怎么如今反而志气全无了呢？"

"几次北伐失败动摇了我的信心，如今这形势不能不让父亲丧志啊，也许大清的气数未尽呀。"

"父王派德顺叔去北京卧底，不就是从内部削减清朝的气数吗？咸丰已死，幼皇同治不过是个十来岁的娃娃，两宫太后又是女流之辈，她们连斩两员重臣早已搞得上下臣工人心恐惶，听说恭亲王都不愿为朝廷卖力了，他们窝里一斗，这朝廷内部自然乱起来，那时父王再北伐也许胜利在望。由此可见，父王听信空云大师所言派德顺叔入宫还是正确的。"

张乐行听着儿子的分析，心里又升起了一丝希望，也为儿子真的长大了，人大心眼也多了感到欣慰，但对于儿子反复说到自己派张德顺进宫很不高兴，生气地训斥道："今后再也不要提张德顺这个忘恩负义的东西，我根本就没有差遣他进京更没有指使他入宫当太监，是他贪生怕死逃出了捻子，做一名叛徒，至于他逃到了哪里，是否进京我也一无所知。哼，也许死在兵荒马乱之中呢？"

"可是，我曾听娇娇姑姑说过，德顺叔去京城当太监，他决不会对娇娇姑姑撒谎吧？如果他真的想逃亡异地怎会不把娇娇姑姑一起带走呢？他们俩的关系父王也是知道的。"

张乐行仍带着气说："起初我也从娇娇那里听说张德顺为了我能当上帝王去了宫中当太监，我曾派出几人暗中到京师打探消息，都说宫中根本没有一个叫张德顺的太监，可见他根本没有进京。"

"不可能吧，德顺叔不是那样的人，父王将他收养成人，他就是知恩不报，也决不会背叛父王的，也不会扔下娇娇姑姑不闻不问的，宫中这么大又是禁地，怎好打听一个人呢？也许德顺叔一直为父王的帝制大业暗中活动呢？"

"今后不许再提起他这个忘恩负义的东西，如果有朝一日被我撞见，一定把他杀了！"

张乐行说完，气哼哼地走了。

张禹爵看着父亲离去的背影微微摇摇头，他知道父亲私心太重，只能让别人服服贴贴地跟着他干，为他卖命，不允许任何人对他有私心杂念，正是这样，他所领导的五旗捻军也是面和心不和，内部不团结是几次北伐惨败的根本原因。如今更是势单力孤，又有几路捻子脱离了总旗的指挥，各自为政才被清军各个击破。

对于张德顺出走的事，张禹爵并不太清楚，众人的说法不一，陈大喜曾私下告诉他说是父亲暗中派遣他潜入京城混进王宫当太监实现空云大师的推算。陈大喜是父亲的贴身侍卫，也是父亲最信任的人，他的话应该是可靠的。可娇娇姑姑并不是这么说的，她也曾告诉自己，是张德顺为了报答父亲的大恩大德主动入宫的。当然，更多人说张德顺是个叛徒，是个逃离家乡，出走捻子兄弟的败类、贪生怕死之辈。总之，众说不一，但张禹爵并不这样认为，他始终相信张德顺不是这样的人。

从辈份上张德顺比他长一辈，从年龄上张德顺仅比他大七八岁。自小，他几乎就是张德顺拎大的，对于德顺的为人张禹爵还是清楚的。他知道父亲派入到京城寻过德顺叔，每次都是杳无消息，寻访不到并不能说明德顺叔就当了叛徒。父亲的逻辑是宫中没有他，他既然进不了宫就应该返回家乡，如今一去多年没有回来也没有音信，父亲估计他不是死了就做了叛徒。对于捻子的规定是十分严格的，一日入捻终生为捻，脱离就是叛徒。

即使德顺叔脱离了捻子，父亲也不应该这样对待他，特别是对于娇娇的事，张禹爵始终觉得父亲做得过分。

那是在父亲第三次寻找不到德顺叔的下落时，父亲动怒了，把怒气发泄在娇娇姑姑身上，一气之下强迫她嫁给了英王陈玉成。许多将士都认为父亲把娇娇逼嫁给陈玉成是讨太平军的欢心，目的是取得太平军的支持，为自己扩大势力寻找靠山。也有人认为父亲就是为了把对德顺的怒气报负到娇娇身上。而其中真正的原因只有极少人知道，父亲曾想让娇娇做姨太太，娇娇宁死不答应，父亲无奈才逼她嫁给陈玉成的。当然，也有讨好陈玉成的原因。

张禹爵一想到父亲的种种不够光明磊落的一面就觉得缺乏干大事的胸怀与气魄，他常想，如果让他代替父亲领导五旗捻子他一定比父亲做得更好。至少不会像父亲那样心胸狭窄私心太重，在领导各旗人马上也一定比父亲更会处理各旗主之间的内部矛盾，可能真是初生牛犊不怕虎吧，但父亲一直认为他不成熟，是纸上谈兵，至今仍不重用他。

"唉——"

张禹爵暗自叹息一声，抬头见张宗禹走来，并向他吆喊道：

"禹爵，大年三十生啥闷气，大家都开吃啦。"

张禹爵和张宗禹走进屋，张乐行、陈大喜、邱远才等人正在吃着，一见他二人来到急忙令他们坐下吃饭，饭后还有重要的任务呢。

等到几人都吃得差不多了，张乐行这才说道：

"根据大喜刚才巡视的情况看，咱雉河集的父老乡亲没有过好这个年，许多户人家连一顿饺子也吃不上。咱捻子拉杆子就是要为自己父老乡亲争口饭吃，人人都过上好日子，过年连顿饺子都吃不上，父老乡亲还不指着我张乐行的脊梁骨骂，什么沃王，没给父老乡亲办一点好事，反而连累了乡亲。"

张乐行说到这里，看了一下其他几人：

"我想把营中的猪羊全宰了分给乡亲们吃怎样？还有那些粮食也分给乡亲们吧？"

邱远才一听，急了，阻拦说：

"张大哥，那可是咱们的家底子呀，就指望它与僧格林沁长期相对峙呢？分给乡亲吃了怎办？这仗还打不打？"

"我考虑再三，这样长期被清兵包围着也不是办法，必须想办法突围出去，与僧格林沁周旋，不失时机地杀他一阵子才行，变被动为主动才有击败清军的可能。"

"叔叔，什么时间突围？"张宗禹问道。

"今晚是大年夜，清兵防犯可能松一些，就在今天突围，你们看怎么样？"

"我赞成沃王的提议。"陈大喜随先说道。

其他几人也一一表示同意。

"突围可以，无论到哪里都要有粮草才行。"邱远才又说道。

"携带粮草突围不便反而连累了行动，留着若被清军掠去反而更糟，不如分给乡亲们吃或藏起来，也算给雉河集的父老乡亲们做件好事。留得青山在不怕没柴烧，只要人在就有粮草，请邱兄弟别担心。"张乐行分析说。

"从何处突围呢？"邱远才问道。

"我考虑再三，还是从东北方向突围，清兵在那里的防守薄弱一些。因为僧格林沁的大营扎在正北方向，他将兵力重点放在其他方向，他认为我们不可能有胆量从北方突围，我们偏要从他的大营旁边突围。为了促进这次突围成功，我们选定从东北方向突围的同时，也要采用声东击西的战术，由我率领部分人马从南方攻打，把敌人的兵马吸引过去，你们集中主力从东北方向杀出一个缺口突围。"

张乐行话没说完，张宗禹就阻止说：

"叔叔，由你率兵在南边吸引敌人的主力，这太危险了，还是我去吧，你和禹爵他们一同率主力突围，我来掩护。"

张乐行摆摆手，"不用了，就这么决定了，下午就杀猪宰羊慰劳将士和父老乡亲，同时派人把粮食分下去，天黑之前完成，让兄弟们早早吃完饭打点行李准备行动。"

"突围时间定在什么时候？"邱远才问道。

"凌晨三点，人最困的时候，也是清兵防守最容易麻痹大意的时候。"

张乐行吩咐完毕，命令手下将领立即行动起来，为今夜的突围做好一切准备。

夜，又黑又冷。不知何时，又刮起了雪花，一片又一片，不多久大地就变成白茫茫一片。

沃王张乐行悄悄来到儿子所在的营地，看他对突围的准备工作做得如何。

张禹爵一见父亲走来，急忙迎上去握住父亲的手：

"父王，你还没休息，突围的时间还早呢。"

张乐行紧紧攥住儿子的手，"我怎么能睡得下呢？这关系到咱雉河集一带的捻子生死存亡的大事，父王身为盟主有不可推卸的责任呀！"

"事到如今着急也没有用，父王应保重身体要紧，夜间突围必有一场血战，父王不休息好怎么应付得了。父王在自己帐中休息不便，就在孩儿这里休息好了，我给你警卫。"

张乐行拍拍儿子的肩膀，"禹爵，父亲还没有老到那种程度，父亲征战多年，经过无数场战斗，像这样的突围也不是第一次了，不会有什么问题的。我担心你年轻好胜，刚开始领兵打仗，作战经验不足，战场上别出什么差错，特来看看你，也想和你聊几句。父亲长年在外奔走，对你关心也不够，一晃你长这么大了，我总觉得和你疏远了许多，也许就是人们常说的两代人之间的差异吧。"

"父王千万不要这么说，孩儿只是觉得父王忙于军务太辛苦，一些小事就不想打扰，你我父子之间能有什么隔阂呢？"

张乐行叹口气，欲言又止，他看了一下儿子，还是略带歉疚地说了出来：

"禹爵，上次战斗，父亲要是听从你的建议也许不会落到今天这个地步。唉，也许我真的是老糊涂了！"

"胜败乃兵家常事，父王何必为一次小小的过失懊悔呢？过去的事就让他过去吧，突围之后重新调整战术，再与僧格林沁一决雄雌为时不晚。"

张乐行摇摇头，"五旗人马如今四分五裂，重新联合起来恐怕不容易？"

"父王不必为此事担忧，车到山前必有路，即使五旗人马一时不能联合起来，至少还有邱远才、陈大喜、任化邦、宗禹哥以及孩儿所率的几支人马，纵横这中原尚绰绰有余，实在不能攻克京津，父王就在这中原称帝算了，效法洪秀全分封诸王建立帝制。"

张乐行连连摇头，"你有时分析问题十分透彻，一针见血指出根本所在，有时又显得太幼稚，太简单化。这分王称帝如此大事岂是随随便便任何人都可以做得的，以父王所见，洪秀全封王称帝就早了一些，如果晚封王晚称帝也许如今坐在北京紫禁城里的不是大清的皇帝，而是洪秀全了。"

张禹爵也点点头，"父王分析得十分正确，洪秀全东乡封王后到天京又大批封王，王封得太多太滥，一方面造成权力下放，大权旁落；另一方面诸王定都天京后大兴土木不思进取，各自为政，才造成后来爆发的内讧事件，杨秀清、韦昌辉先后被杀，石达开出走，太平天国的实力大大削弱，才造成如今风雨飘摇之势。"

父子两人正说着，张宗禹进来了，一见张乐行也在这里，急忙跪地拜见：

"侄儿拜见叔父！"

"宗禹快快请起，你我叔侄之间何必这么客气呢？我正准备从这里到你营中看看呢？看你对突围的工作准备得怎样了？"

"回叔父，一切工作就绪，只待凌晨三时突围令下。"

张乐行拍拍张宗禹的肩膀，"宗禹啊，你随叔叔征战多年立下许多大功，叔叔也没有给你太多的提升，这次突围又要靠你打前锋，待突围之后一定重重奖赏你，封你为梁王。"

"叔叔这样说就见外了，一家人不说两家话，为叔叔效力也是侄儿应该做的，侄儿不求什么封王，只想随着叔叔打天下，盼着叔叔早日打进北京赶走满清鞑子自己坐上皇帝宝座，咱张家也出几代帝王。"

张乐行哈哈一笑，"有宗禹这几句话，叔叔一定不负众望为咱张家祖上添添光，到北京坐一坐龙塾是啥兹味。"

张乐行笑后立即收住笑容，很严肃地说：

"不过，这次突围事关重大，你们一定要小心，不可蛮干，待我把清兵主力吸引到南方后你们再乘虚突围。"

张宗禹点点头，"侄儿记得，只是叔父更要多加小心，如果叔父被大队清兵围住，我和禹爵弟再杀回来迎接叔父。"

张乐行摆摆手，"那倒没有必要，叔父会想法摆脱清军纠缠的，待突围后我们到西阳集汇合。"

张乐行说完，独自走回自己的大营。

雪越下越紧，待凌晨三时左右足有一寸多厚。

张乐行一声令下，亲率一队精兵从雉河集正南方向杀出去。

僧格林沁也估计到张乐行最近几日要突围，加重了防守。上半夜没有听到有捻子突围的奏报，估计张乐行今夜可能不会突围，再加上雪越下越大，便安心地回营睡觉了。

僧格林沁正在酣睡之中听到士兵奏报，说张乐行率领大军从正南方向突围。僧格林沁猛地坐了起来，愣了一下神喝问道：

"消息可靠吗？是否真有张乐行，还是只有他的旗子？"

"回王爷，真是张乐行带领大队人马突围，绝对没有错。"

"哼，再探！张乐行诡计多端，也许从正南方向突围只是幌子，主力人马还不知准备在哪个方向突围呢？"

僧格林沁一方面下令其他各部严阵以待，一方面亲自率领部分人马到雉河集正南方增援。

僧格林沁亲率大军赶到南方，那里杀得正紧，由于捻子人多势众，清军渐渐不支，张乐行眼看要冲出包围。

僧格林沁知道张乐行真的是在南方突围，一方面命令清军层层围住张乐行突围的人马，一方面下令从其他地方调集队伍。

清军主力大部分已被张乐行吸引到南方，其他几个方位防守显然空虚了许多。张宗禹、张禹爵、邱远才等人估计突围的时机到了，急忙率大军从东北方向杀出去。

僧格林沁正在指挥将士包围张乐行，准备全歼张乐行的主力。忽然接到东北方向的告急信号，知道上当，再折回头派兵增援东北方向守军，但为时已晚，捻子大队人马杀出包围圈。

　　张乐行被清兵围得死死的，忽然发现包围自己的清兵松动了，又听到东北方向的呐喊声和厮杀声，知道张宗禹、张禹爵他们已经开始突围。从兵力对比上看，东北突围的捻军一定胜于清军几倍，估计突围一定能够成功，自己和陈大喜所率的精锐部队也必须突围，再蛮战下去自己的这支人马恐怕如羊落虎口有去无回。他让陈大喜集中兵力与他汇合一处杀开一条血路，尽管两人合在一起，但人马死伤已经过半，在清军的大队人马包围下想冲出去实在困难。

　　此时，张乐行稍稍有点后悔，后悔自己留下作掩护，应该留下邱远才或张宗禹。但作出决定自己留下掩护主力突围也是经过再三考虑的，留下一定有危险，这是人人皆知的，但他自己不得不这样做。造成主力被围的主要原因就是张乐行没有听从儿子和张宗禹的劝告，他应当负责。如果他再随从主力突围而让其他人留下掩护必然引起众人的不服，他曾经这样做导致了五旗的分裂，如今还能重蹈覆辙吗？要么儿子与侄儿留下，要么自己留下，最后他决定自己留下。一是他比儿子作战经验丰富，他不想让唯一的儿子张禹爵冒险，那是自己唯一的希望。第二，他比儿子更能吸引住僧格林沁的注意，容易促使掩护主力突围的可能。

　　僧格林沁知道围攻捻军主力已经没有可能了，决定将这支掩护主力突围的精锐部队吃掉，争取活捉张乐行，便下令清军大队人马将张乐行和陈大喜团团围住，不放走一个生者，谁能捉到张乐行赏黄金万两。

　　重奖之下必有勇夫，张乐行和陈大喜的处境更艰难了，想杀出重围恐怕已不可能。

张乐行暗暗叹息一声：想不到我张乐行驰骋中原多年，本打算称王称帝，想不到竟在自己家门前毁了一生英名，死在清兵的包围之中。

由于张乐行一时心乱，身上连受两处重伤，胳膊腿都被砍伤了。

陈大喜一见张乐行受伤，十分着急，纵马上前解救，大叫道：

"沃王不要惊慌，我来保护你！"

陈大喜拼命地挥动手中的大刀将张乐行近旁的两名清兵将领劈死。

张乐行咬紧牙关忍住疼痛说道，"大喜，别管我，我恐怕难以突围了，你快走吧，去追赶主力。"

"不，我跟随沃王多年，我的脾气沃王也是知道的，为情为义生死与共，肝胆相照。"

张乐行内心一阵激动，陈大喜几次救了自己的性命，他为了自己出生入死，身上不知留下多少伤疤，他对自己比亲儿子张禹爵对自己还忠还孝呢。

又一支箭射来，张乐行只觉得右手一阵疼痛，几乎要栽下马来。

陈大喜再英勇也难抵多人围攻，渐渐有些不支。

正在危机时分，猛然听到前面传来一阵撕杀声。张乐行一怔，不知清兵中发生了什么事，但他马上感觉到围困的清兵搅动起来，似乎有一支人马从外围杀过来。

陈大喜也来了劲，他杀到张乐行跟前，兴奋地说道：

"大哥，咱们有救了，有人援助咱们来了。"

不多久，张乐行就听到叫喊声：

"父王，孩儿救你来了！"

"叔父，侄儿救你来了，你在哪里？"

啊，是禹爵和宗禹，难道他们没有突围？张乐行来不及细想，张禹爵和张宗禹率领一队骑兵已和他汇合在一起。

"父王，快走，我在前面开路，让宗禹哥与大喜叔断后，我们保护你杀出重围。"

"你们所率的大军主力呢？"

"已经突围了，由邱远才率领向东北方向行进，我和宗禹哥担心父王有危险，特意率一支骑兵前来援救。"

张禹爵边说边杀在前面为父亲开道，陈大喜和张宗禹随后掩护，他们终于杀出一条血路突围而出。但付出的代价也是惨重的，张乐行所率的一个精锐队伍所剩无几，张禹爵和张宗禹所率的援救骑兵也损失半数以上。

张乐行回首观望仍在拼杀的队伍，心中很不是滋味，叹气一声：

"他们还在拼杀，而我当了逃兵！"

"父王千万别这么说，打仗就是流血牺牲，做大事的人不注意细节，突围之后重新组织队伍，再扩充人马。"

"事到如今也只好这样了。"

张乐行十分痛心，他擦一把满身的血污，猛抽一下马屁股，和儿子与侄儿等人一起去追赶突围而出的主力部队。

张乐行终于苏醒过来。

张禹爵略带颤抖的声音喊道："父王，你终于醒了，让孩儿好担心。"

"叔父，你度过了危险期就平安无事了。"张宗禹也激动地说道。

张乐行看了一下围坐在床头的儿子和侄儿，张了张干裂的嘴唇问道：

"我昏睡了多久？"

"叔父，你睡了三天三夜滴水未进，让我们好担心。"

张禹爵端来一碗糖水，"父王，快喝点水吧，瞧你口干得。"

张宗禹端着碗，张禹爵一勺一勺给父王喂水。

这时，任化邦进来了，一见张乐行醒来，急忙紧走几步，上前说道：

"沃王昏迷几日，如今终于脱离危险，就安心在这西阳集养病吧，待病全愈后再共同商讨和清兵作战的事。"

张宗禹站了起来，"任大哥，雉河集一役我们捻军虽然冲出僧格林沁的包围圈，但损失惨重，折损将近三分之一的弟兄。僧格林沁知道我们转移到西阳集，会不会乘胜追赶到这里呢？"

任化邦摇摇头，"你们红旗黑旗捻军虽然吃了败仗，我们黄旗捻军主力尚在，如今我们三旗合在一起仍不下三十万人，就是僧格林沁的二十万大军都来我们在人数上也远远超过清军，他们不会轻举妄动的。更何况雉河集战斗你们虽然死伤不少，据探马奏报，僧格林沁的兵马也折损不少，估计他不会立即来我西阳集找倒霉。"

张禹爵仍不放心地说："僧格林沁暂时不会追赶到西阳集倒是事实，据我派出的人侦探所知，僧格林沁已经调集袁甲三和瑞麟的兵马向皖北一带进发，山东巡抚丁宝桢的兵马也有向南进军的迹象。如果这几支人马到来，只怕我们淮北的捻军要遭到清兵的围击，后果十分急迫，请任大哥三思。"

任化邦点点头，"禹爵小弟，以你之见如何应付目前的局势呢？"

"如今陕西回民起事声势浩大，又有遵王赖文光、扶王陈得才所率的太平军作响应，整个陕南渭水流域与汉中地区全部活跃起来，清军主帅胜保因为入陕剿回连吃败仗被召回北京处死，派往陕西代理军务的清兵主帅多隆阿也是败多胜少。根据这些情况分析，河南、陕西一带清军守备空虚，防卫松弛，我们不如避实击虚，放弃咱淮北的老根据，西进河南向汉中一带进军，与那里的遵王和扶王相汇合，再联合陕甘一带的回民占领中原，等到队伍进一步扩大，有足够的实力后再回师东来直捣京帅，你们以为如何？"

张宗禹连连说好，"禹爵的这个战略方针十分可行，汉中自古是兵家必争之地，当年刘邦就是以此为根据地招兵买马挥师东进而拥有汉家三百年天下，如今中原一带守备空虚，又有几支义军在活动，我们到达那里发展壮大自己，占据一定地区后进可攻，退可守，时机成熟后杀回老家再北上山东河北围攻京城，时机不成熟也可在汉中一带拥兵自制称王称帝又何偿不行呢？西安是几朝古都，地势险要，夺取后完全可以作为帝都，东边只要重兵扼住潼关天险，有黄河作屏嶂把清兵堵在关外就可与清朝分庭抗争，形势不若于太平军的天京。我认为这个计策可行！"

任化邦没有立即作出反应，他看看张乐行，试探着问道：

"沃王对这个计策有何看法？"

张乐行认认真真思考一会儿，强撑着身子要坐起来，张禹爵急忙扶起父亲，让他坐好。张乐行这才说道：

"领兵打仗非同儿戏，你们俩兄弟还年轻，提出作战方案看似具有战略眼光，实际上都是纸上谈兵，任何事不是一厢情愿。我们想怎样就怎样，应该注意大局，从全局看问题。翼王石达开率军出走，从湘南入云贵到四川，准备在四川建立根据地，发展势力然后从川北进入中原夺取京津。四川有肥沃的成都平原，四周地势险要，内部良田肥沃，是聚草屯粮养兵的好地方。石达开也希望自己有三国刘备的天时，与洪秀全和满清三分天下，结果呢？他在大渡河一役全军覆没，自己也被俘遇害。"

张乐行说到这里，十分痛苦地咳嗽几声，缓缓地叹口气：

"任何事情不是自己设想的那么美好，计划跟不上变化啊！"

"父王，你先休息一会儿吧。"张禹爵见父亲十分疲劳急忙劝说道。

张乐行摇摇头，"在家千日好，出门一日难，捻军都是淮北人，谁不恋家，故土难移啊，何况许多兄弟的妻儿子女都在淮北地区，抛妻别子于异地，谁乐意呢？在家乡周围一带做事也有基础，容易招兵招人，到了异地谁听咱的，异地欺生，你行军的粮草也不容易采购。"

张禹爵知道父亲不赞成自己的做法，他又伤势太重刚刚苏醒，不想让他说得太多便安慰父亲说：

"这事暂且放着，等父王伤愈后再慎重商讨吧。"

任化邦的想法和张乐行的观点差不多，他也安慰说：

"我们先惕防着僧格林沁的动向，等到沃王伤好后再决定下一步的行动方案。"

张禹爵走了出来，张宗禹也急忙追了出来，从后面喊道：

"禹爵，这次你一定要拿定主意说服叔父，不能让他像上次一样再失误了，如果再被清围住，可能更惨。经过雉河集一仗，损失惨重不说，突围出来的将士精神也大多萎靡不振，感到前途暗淡，士气不振是作战的大忌，比兵败还可怕，不能不提醒叔父。"

张禹爵点点头，"我正是见士气低落才想到战略转移，暂且避开清军主力转到清军守卫空虚的地方调整兵马，可父王听不进我们的劝说，一时又不能说服他，我实在不知怎么办？"

"我俩再同陈大喜，邱远才商量一下如何呢？把咱的想法告诉他们，看看他们的态度？"

"这样也好，只要邱远才与陈大喜同意我们的主张，父王不得不慎重考虑我们的建议了，再加上雉河集惨败的教训，我想父王应该接受咱哥俩的主意。"

张宗禹与张禹爵找到陈大喜和邱远才，把他们的主张告诉两人，陈大喜和邱远才都十分赞同，一致认为这是当前唯一可以挽救他们这支捻军的可行办法了。但当他俩一听沃王并不赞同时也十分失望，最后，他们在张禹爵的鼓动下，决定一起去劝说沃王张乐行，看他能否听从众人的意见。

张乐行的伤势逐渐好转，能够下床走动了。

这天，张禹爵、张宗禹、陈大喜和邱远才四人一同来见张乐行。张乐行一听陈大喜和邱远才也同意儿子的主张，挥师西进，深入陕南与那里的太平军汇合，他知道这是儿子和侄儿两人暗动的结果，十分生气地训斥说：

"你们两人跟随我多年，对于领兵打仗还能没有一点长进吗？怎能听从两个娃娃的蹿掇呢？他们是初生牛犊不怕虎，什么事都敢想敢做，好冲动欠考虑，你俩竟能听从他们的一派胡言，真令我失望！"

陈大喜和邱远才都垂下了头。

张乐行又批评说："你们该不会让我也学习做石达开吧？我死不足惜，这捻军十几万兄弟的生命岂是小事，他们若有个三长两短，我怎么能够对得起咱家乡的父老兄弟？"

张禹爵一听父亲仍这么顽固，再也按不住心中的火气，嗵地一下站了起来，不顾一切地顶撞说：

"众人都说你做事独断专行，我原先并不相信，从最近几件事看，你比众人说的还要专断。哼，如果不是你专断，这五旗人马也不会闹分散，不是做事专断，雉河集怎么会遭到清兵围剿，让众兄弟死伤近半呢？还有——"

"禹爵！"

张宗禹见他在气头上说了许多不该说的话，急忙喊住了他，制止他说下去。

张乐行做梦也没想到一向对自己言听计从的儿子竟会在众人面前顶撞自己，并且揭了自己的老底，他气得面色由红变白，由白变黄，两手发抖地指着儿子骂道：

"大逆不道，大逆不道！"

张禹爵也感觉到自己刚才说了几句过分的话，俗话说，子不言父之过。必竟是自己的父亲，又是捻军的主帅，他身为沃王，要有尊严与威严，也要有威信与威望，自己做儿子的又是父亲手下一位干将，从哪一方面说也不应当揭父亲的短。父亲虽然有错但他也有自己的道理，他独断专行也有自己的道理，哪个称王的人不独断，哪位掌握重权的人不专行呢？王权兵权岂能容他人蔑视，没有三纲五常哪有为人之道，没有军纪法纪哪有作战领兵的规矩？

张禹爵虽然有些后悔，但已经说了出去也无法收回了，只好任凭父王处罚，他一声不响地退到旁边。

张乐行稍稍喘口粗气，厉声喝斥道：

"如此狂妄之徒，胎毛未退，乳毛未干竟敢在此指手划脚指责本王，扰乱军心，军法不容，削去一切兵权，推出去重打八十大军棍！"

张宗禹与陈大喜，邱运才三人一见张乐行真的发火了，并动了真格的，急忙下跪恳求说：

"沃王息怒，禹爵一时冲动说了几句过分的话，让他今后当心就是，请沃王饶他这一次吧？"

"哼！他这小子没带三天兵就不知天高地厚，敢来教训我了，长期下去那还得了，最终坑害的不仅是他自己，而是三军将士，决不能饶恕！"

张宗禹连连叩头恳求说："叔父不看在侄儿的情份，也要看在捻军众兄弟的情份上，如今我大军刚败不久，正是用人之际，若把禹爵打成残废岂不令敌人痛快？叔父带兵一向纪律严明，并不会因为这点小事扰乱军纪，请叔父饶过禹爵吧？何况他虽然说话不得当，其实心情是好的，也是为了咱这一旗的捻军前途着想，更是为了叔父着想呀！"

"嘿，宗禹，你再敢为他求饶我连你一同惩处，你们两人是串通一气故意气我的，想让我气死不成？好吧，我看是胳膊粗还是大腿粗？"

张乐行又喝喊道："把宗禹也给我拉出去重打四十军棍！"

众人都唰地一下跪倒了，共同哀求说：

"请沃王息怒！"

张乐行扫视一下众人，稍稍等了一会儿，叹口气说：

"都起来吧！"

他瞪了一眼张宗禹，"不是看在众人的情份上，今天一定重惩不饶，下去吧！"

"谢叔父！也请叔父饶过禹爵吧！"

其实张乐行也并没有要打侄儿与儿子的意思，他为了个人的威信不得不这样做，只要有外人出面求情他会立即饶过他们的，但他为了不让儿子再提出西行陕南的主张，于是说道：

"张禹爵不懂领兵之道用兵之法，四处胡言乱语扰乱军纪，看在众人的面子可以暂不受军法责罚，但要革去其兵权罚作一普通士兵随军听令，任何人不得求情！"

张禹爵见父亲听不进别人的劝说，十分不情愿地走上前叩头说道：

"谢父王不罚之恩！"

"哼！不是我不罚你，是看在众将士的情面暂且饶过你，如果再敢胡言乱语，一定加倍惩处！还不滚出去！"

张乐行的伤势终于全愈了，他独自走出帅帐到各营房走一走，看见队伍的伤亡比自己想象得要严重，士气也不振，他有点失望了，不能不考虑眼前的处境。

僧格林沁的大军驻扎在亳州，袁甲三的大队人马从商兵向这一带行进，瑞麟和丁宝桢的部队也从山东集结南下，似乎从西北、东北几个方向包抄过来，向南撤退吧，庐州、滁州一带有李鸿章的淮军。捻军五旗人马，蓝、白两旗人马因为领导权的问题脱离他的指挥在寿州一带活动，情况也不妙。自己率领的两旗人马如今只有十几万人，再加上任化邦的队伍总共也只有三十万人，何况自己的人马受到了重创，战斗力大大削弱了，如何应付眼前的局势呢？也许儿子的建议是正确的，率军西进到汉中一带活动。

可是，让张乐行立即改变自己的主张去接受儿子的建议，他一时还不能转过弯，情面实在过不去。他是父亲，更是主帅，自从加入捻子活动以来他就是龙头老大，当上盟主以后就更不用说了，处处以自我为中心，事事唯我独尊，别人对他的话只能言听计从，很少能够接受他人的建议。不久前的雉河集被围也是他没有听从儿子等人的劝解。他尽管错了，心里知错，表面上也不愿承认，仍然坚持认为自己的正确。

张乐行把儿子的建议认真分析一遍认为可行，但又觉得并不是什么最佳方案。西进陕南可以，这家乡周围的地盘是自己十几年的心血更不能放弃，否则是舍本逐末得不偿失。万一在陕南发展不利，又失去了老家这块根据地，那后果更不堪设想，自己就成了地地道道的流寇，李自成的下场不能不引以为戒。

张乐行把陈大喜、邱远才、张学禹、张禹爵、任化邦等人召集到帐中，共同协商如何应付面前的困境，让捻军度过这一难关。

"今日召集大家到此，是想听一听大家的意见。如今清兵大队人马向这一带汇集，有将我们皖北的捻军一举歼灭的意图，是去是留请大家表个态？"

众人都知道沃王并无离去的意思，这样说不过是照顾一下众人的情绪，谁也没有开口说话。

任化邦看看其他几人，又看看张乐行率先说道：

"以小弟之见，清兵几路人马共同汇集于此也不过四十万人，我们只要和蓝、白两旗的捻军汇合一处，五旗人马不下五十万人，再加上我们人熟地熟，就在这江淮一带同清兵捉迷藏，他们也奈何不了我们。"

张乐行不置可否地说："当初雉河集会盟，推举我为

'大汉盟主'，把十八坛三十六支的捻子兄弟分为五旗，由于五旗总目人士变动，内部闹起分裂，蓝白两旗脱离总坛，如今再想联合起来恐怕不易。仅凭我们这些人马对付清军大队兵马实在难以取胜。"

"以沃王之见应当如何应付当前的形势呢？"任化邦又问道。

张乐行捻着下巴上的几缕胡须说道："以我所见，走也不是最佳方案，留也不是最佳方案，最佳方案是也走也留。"

"沃王的意思是留一部分走一部分，兵分两路分头行动？"

"正是这样。"张乐行频频点头。

任化邦略为有点吃惊地说："沃王这样做岂不是太危险了？本来我们的人马就不多，再兵分两路，西进一路给清兵一个孤军深入的机会，倘若清兵重兵堵截，这西进捻军就危险了。留下来的一支捻军也会由于主力分散兵力更弱给僧格林沁造成悬殊之势，被围困在这里。不可，万万不可，以小弟之愚见，要走都走，要留都留。"

"任兄弟只知其一不知其二，只看到兵力分散变弱的一面，没有看到两支队伍互为犄角，彼此呼应，相互配合的另一面。我们的兵力一分为二，清兵一分的何止是两部分呢？他们要分出更大的兵力追随在两路捻军的屁股后。同时，我们分军两路后，暂时一明一暗，西路捻军为明，东部捻军为暗，先把僧格林沁的大队人马吸引过去，让清兵以为我们的主力全部西进了。待留守本地的捻军休养一段时间，扩充了人马后再由暗而明和清军周旋，这样将清兵拖来拖去，不打也给拖垮了。你们认为分兵两路的策略可行吗？"

众人一听张乐行这么分析，都私下盘算一会儿认为可行。究竟谁愿意留守淮北，谁又愿意西进陕南呢？

张乐行看看张宗禹、张禹爵又回头看看任化邦：

"愿意西进的人分兵西捻军，愿意留守的人分兵东捻军，你们不会有什么意见吧？"

张宗禹明白叔父的意思，主动说道：

"叔父的这一决策比我和禹爵考虑得更加全面，就依叔父的策略行事，侄儿和禹爵率一部分人马组成西捻军，不知叔父还有何指教？"

"你们两还年轻，领兵打仗经验不丰富，让远才也随你们一同西征，不知远才有没有意见？"

"小弟听从大哥的吩咐！"

张乐行点点头，"你们三人所率的西捻军人马不必太多，但一定要是精锐部队，以骑兵为主，作战机动灵活，只有这样才能摆脱几路清军的围追堵截与扶王与遵王的太平军会合。行动路线也要避开僧格林沁主力，从太和、项城一带直插汉中，打打走走，不可恋战。"

"请叔父放心，我们一定想办法拖住僧格林沁主力，让他跟在我们屁股后面进入河南的，给留守的捻军赢得充足时间。"

张乐行很满意地说："只要你们能引走僧格林沁与瑞麟的人马，袁甲三与丁宝桢的部队就敢轻易南下。到那时，我和伍旗主再率军东进，给山东的清军一个迎头痛击，把僧格林沁从河南引入咱安徽，给你们西捻军争得机会。一旦我们东捻军有了压力，你们再东进打击河南一带的清兵，让活动在中原一带的清军首尾不能两顾，没有喘息的机会，到那时我们捻军的势力就会遍布整个中原了。"

张乐行说到兴奋之时禁不住哈哈大笑起来，仿佛现在就已经登上九五之尊称起中原帝王起来。

　　夜幕降临了。

　　西捻军整装待发。

　　张乐行、陈大喜、任化邦等人来到队伍前面给张宗禹、张禹爵和邱远才送行。

　　张乐行走上前，紧紧握住儿子和侄儿的手，似有千言万语要说，却又一时无从说起，认认真真地打量着儿子和侄儿，仿佛在审视两位从来也没有见过面的陌生人一样，从头到脚，从脚到头，足足看了好久。张乐行理一理被寒风吹乱的头发，眼泪模糊地说：

　　"宗禹，你年龄稍长几岁，也有作战的经验，这西捻军就拜托给你了，禹爵也拜托给你了。"

　　"叔父放心，侄儿在西捻军就在，我和禹爵会尽力发展壮大西捻军的。"

　　张乐行又注视一下儿子，"禹爵，你不要太任性，听你宗禹哥的话，事事多和他商量一下，战场上要小心。"

　　张禹爵点点头，"父王，你苍老多了。我们不再这里，没人照顾你，你更要多当心啊！"

　　"你都这么大了，父王能不走吗？"

　　"叔父，万一这里维持不下去，你也带兵西进吧，有我和禹爵在一定会协助叔父成就大业的！"

　　张乐行点点头。

　　粗犷的军号声响起，张乐行松开两人的手。

　　"你们快上马吧。"

　　张宗禹与张禹爵扑通跪倒在地，重重叩个响头：

　　"父王保重！"

"叔父保重！"

两人站起来翻身上马，向马屁股上重重抽了一鞭，两匹马腾地一声跑开了。

张乐行看着两人消失在夜幕中，两行清泪慢慢流下，也许这就是生离死别。

"沃王，外面太冷，回大营吧？"陈大喜催促说。

张乐行无声地迈动着脚步走回去。

张乐行草草吃了点饭就上床休息了，刚躺下，就有亲兵进来报告说，陈大喜求见，他立即传令让陈大喜进来。

陈大喜既是自己的部下又是亲密战友，自从入捻以来就跟随着自己，无论走南闯北，一步也没有离去。与自己一起征战了十多年，经过无数战斗，出生入死，也立下许多战功。几次救了自己的命，没有他自己这条老命不知死了多少次了，他对大喜比亲生儿子还亲。这次捻军分兵，他本来准备留下禹爵或宗禹，让陈大喜到西捻军中去。最后权衡再三还是把他留在自己身边，一是大喜与自己相处多年配合默契，二是大喜有丰富的作战经验。相比之下，分兵后的两路捻军，留守的东捻军处境更加危险，需要陈大喜这样忠诚可靠的人作帮手。

陈大喜进来了，张乐行披衣而坐。

"大喜，这么晚了还没休息，有事吗？"

"睡不着，特来坐坐，想和沃王谈谈心。"

张乐行一边让陈大喜坐下，一边命人献上杯茶。

"大喜，我让你留这里你该不会有什么怨言吧？"

"沃王吩咐我怎会有怨言呢？我随沃王十多年了，视沃王如父兄，就是沃王不让我留下，我也会主动请求留下来的。"

"大喜，你我私下谈话就不要客气了，还是叫我大哥吧，我喜欢你这样称呼我。"

陈大喜点点头，"张大哥，你对咱东捻军的下一步活动有何打算呢？"

"我想在这西阳一带整顿兵马，再扩充一下军队，一方面静侯清兵动向，一方面侍机北上，深入到濉溪、淮北一带山区活动。"

"大哥有在此长住下去的意思吗？"

"怎么？你想立即离开这里？由于我们的主力受挫，人马又分出一部分，势力大大削弱，再四处走动十分不利。这西阳集一带有任化邦的十几万人马，清兵不敢轻举妄动，我们何不借他的势力在此休整一下呢？"

陈大喜顾虑重重地说："大哥现在不同于往日，咱人马少了许多，任化邦能否容我们还很难说呢？我担心大哥长久在这里恐怕遭人欺辱，不如趁早北上，边走边扩招人马，有大哥的声望还愁没人跟着咱们干吗？"

"任化邦还是一位忠诚厚道之人，也非常讲义气，咱住在人家地盘上万万不能胡乱猜疑，传扬出去对咱们不利呀，用人不疑，疑人不用，我与化邦交往非一日，他不会出卖我们的。"张乐行很自信地说。

"大哥说得对，任化邦不是那样的人，但我私下打听出任化邦手下有一名得力干将叫潘贵新，此人出身占山为王的徒匪，一向不服管教，做事手段毒辣，因清兵剿灭无法立足的情况下投奔了任化邦。由于他人多势众，虽在任化邦手下当一名干将，实际上过着一种半独立的日子，很少听从任化邦的调遣，任化邦几次想管教他都因人多兵强没敢下手。有人私下向我报告，说潘贵新几次向任化邦建议吞掉咱们的队伍，但任化邦都没有答应，是任化邦从捻军五旗同兄弟的情份上不愿这样做，还是任化邦自知未必能打过我们没敢轻举妄动就不得而知了。如果是前一种情况没有什么可顾虑的，如果是后一种情况就危险了，如今咱的人马减去将近一半，势力上弱于任化邦，他若有吞并大哥之心这后果——"

陈大喜没有直接说下去。

张乐行经大喜这一提醒也慎重思考起来，但他很快摇摇头：

"大喜不必多疑，咱捻五旗之间虽有些疙疙瘩瘩，但这只是内部小小误会，对外还是同仇敌忾。如今大敌当前的形势逼迫着每一支捻军的安危，内讧的形势决不会发生，这不同于洪秀全定都天京后诸王之间的不和。此种想法万万不可有，若让任化邦知道岂不以为你我兄弟是小人之心度君子之腹？本来能够和睦相处的也会反目成仇。"

陈大喜马上说道："请大哥放心，咱这只是私下说说，小弟怎会胡乱说与他人听呢？就是对于属下也决不会提半个字。小弟只是提醒大哥害人之心不可有，防人之心不可无，怕就怕任化邦经不住潘贵新的挑唆产生贰心。"

张乐行也点点头，"你提醒的也对，今后多提防一些，对任化邦军队的动向多了解了解，能有个暗线更好。不过，也不必太担心，咱们在这里也不会停留太久，如果没有什么特别的情况，准备四五月份就北上濉溪一带。"

"大哥对西捻军此次西行有何估计呢？他们会不会遭到僧格林沁大军的追赶和驻扎在河南的瑞麟人马的阻截？"

张乐行略一思索便说道："这一点我也考虑了。由于西捻军是由此向西南方向进发，从僧格林沁大营以南近几十里的方向西进，一定会惊动僧格林沁追赶，但由于西捻军以骑马为主，行动迅速，僧格林沁决不可能追上。如果宗禹他们有胆略的话再回头杀过来还会给僧格林沁一个措手不及，就是清军不败也要受到震惊，再也不敢妄动。至于瑞麟的人马恐怕来不及折回头，西捻军就过了河南地界进驻汉中，瑞麟是决不会到陕西送死的。总之，西捻军的形势比我们好过得多。"

"大哥为何不同意我们的人马都西进陕南呢？"陈大喜试探着问。

张乐行叹息一声，"并不是我没有考虑到整个军队的人马同时西进陕南与那里的太平军联合，再与回民支队携起手来会把陕西闹得天翻地覆。但这皖北是咱捻军的根据地，都走了谁来守护这里的地盘？留下一支人马在家乡发展也是可行的，有一支人马去陕南就足够了。如果我们能够把这里搞得红火起来，将来两支人马再合并一处声势岂不更大？说真的，我对选择留守这里也是没有底，只能走一步看一步，尽最大努力扩大自己的人马。"

陈大喜明白了张乐行的心思，他是担心自己一走，五旗之中有其他旗主出来联合各旗再推出一位盟主，他的盟主地位就受到威胁，这皖北十八坛三十六支的捻军也将被其他人所控制。

陈大喜心中暗叹一声，沃王想得很好，但如今的形势变了，十八坛三十六支捻子已是一盘散沙，想联合在一起的希望实在渺茫，沃王指望凭借这些力量登上帝位的希望只能是一场美梦。这个美梦还能做多久谁也不知道？因为太平天国已经处在危机存亡之际，清兵已经把大队人马北移指了捻军，捻军成为朝廷进攻的主要对象，这实在是不妙的动向。

今非昔比，几年前，也就是太平军封张乐行为沃王的时候，捻军势力发展到顶峰，五旗捻军在张乐行的统一指挥下所到之处无不披靡。北上山东进军京津地区，全军将士对一举攻破京津充满了信心，山东一役失败的原因对外是僧格林沁与胜保两路大军的联合堵截造成敌我兵力众寡悬殊而遭惨败。其实，失败的真正原因是五旗旗主在交战的关键时刻闹了一场不大不小的风波。

风波的起因就是从张乐行派人寻找堂弟张德顺引起的。

那是张乐行第二次派人去京城寻找张德顺，打听他是否进得宫中。不知是谁泄的密，其他几路旗主听到一些风声，只听说张乐行派人进京和宫中联系，不知道联系什么事。那时，也由于人马统一指挥的方便，有几位旗主都已换了新人，白旗捻军旗主龚得树听信了蓝旗旗主韩奇峰的挑唆，以为张乐行明里反清，暗中与清廷讲和以换取朝廷高官厚禄。对于张德顺出走一事也有部分人知道，经过韩奇峰的一宣扬，许多人都说张乐行让张德顺到清廷作内线，为张乐行降清作准备去了。又有人无中生有大作文章，说张乐行带领五旗人马北上不是攻克京津直捣清廷的，而是明里攻打清兵实际上暗中降清的，说他早已与朝廷联络好，朝廷特派僧格林沁与胜保前来山东接应的，如果哪位捻军旗主或将领不投降，将联合清兵一同把他的人马灭掉。

这本是无中生有的事，但经韩奇峰这么一搅和，误会大了，其他几位旗主虽然明里不说什么，暗中也把军队撤出了战场。由于各位旗主之间不和睦，没有能够及时调兵迎战，给前来堵截的僧格林沁与胜保以喘息机会，错过了有利时机，结果被清兵打得大败。

捻军这一败，损兵折将不说，五旗之间的矛盾进一步恶化，蓝旗与白旗脱离总坛指挥退守颍上、太和、寿州一带。

红黄两旗关系一向密切，由于作战当前锋伤亡最大，两旗只好合为一旗，由张乐行统一指挥。黑旗人马伤亡较少，虽然没有明里提出脱离总坛指挥，但也是各自为政，单独行动，特别是旗主换人后，黑旗与总坛的联系更加稀少。黑旗的一支人马因对旗主苏天福的做法看不顺眼，一气之下，在邱远才的率领下投奔总坛归张乐行统一指挥，更加大了黑旗与黄红旗之间的矛盾。

陈大喜曾反复思考过捻军由盛而衰的问题，归根结底是利益冲突、权力争夺所造成的。

如今，沃王虽然胸怀大志，但他也是权力欲望太大，做事太专断而没有实现心中大志的德才，眼看着捻军一天天衰败下来。这次分兵行动如果再不能重振捻军的雄气，只怕捻军的命运还抵不上太平军那样持久呢？

二、奇病怪论

慈禧一边训斥，一边把同治帝的耳朵拧多长。

擒住捻军首领，将举行一次午门献俘仪式。

载淳骑在李莲英身上，兴奋地吆喝着："驾、驾！"

慈禧忍痛从胳膊上割下一块血肉。

安徽亳州僧格林沁大营。

僧格林沁本是蒙古王室后裔，因在祺祥政变中站在奕䜣与两宫太后一边，后来归还了一度被朝廷掠去的王位，加封科尔沁亲王。

僧格林沁正在对着他的两名副将刘松林和王正起大发雷

霆：

"本帅命你们二人去沤河集堵截捻匪，你们竟然连个人影也没见到，真他奶奶的无用。养兵千日，用兵一时，吃着国家皇粮，拿着朝廷俸禄，却无功于国家社稷，玩忽职守，让捻匪轻意溜了，该当何罪！"

刘松林苦丧着脸，"请王爷明察，并非我等渎职贪杯，实在是捻匪神出鬼没，刁钻投机，难以摸清他们的行踪。我们派人侦探捻匪踪迹，汇报捻匪到了高公庙，可当我们赶到高公庙时听说他们望风西逃了。"

"哼，一派胡言！听说捻匪在高公庙，他们是一堆石头吗？死在那里不动弹？你们赶到时他们当然溜了，只要你们沿着他们逃蹿的方向追赶，怎会追赶不上呢？捻匪在雉河集一役中虽然有幸逃出我大军的包围圈，也是损失惨重，如今大队人马西逃，就是逃得再快又能快到哪里？定是你们贪杯拖延军务，如今又在这里狡辩，每人降职一级，戴罪立功，以功补过！"

"谢王爷！"

两人刚要离去，一名探马匆匆忙忙进帐报告说，捻匪有大队人马围攻我驻扎在项城的几处帐寨，由于匪众攻势凶猛，项城人马遭到惨败。

僧格林沁一听，气得拍案骂道：

"这些亡命之徒，死到临头还敢太岁头上动土，真是活腻了，待本帅发大军将他们斩杀一个不留！"

僧格林沁说着，又指着刘松林与王正起骂道：

"都是你们给本帅造的孽，如果你等在沤河集一带给那帮匪徒一个迎头痛击，只怕他们逃命还来不及呢，怎敢折回来杀我项城的人马？"

僧格林沁冷笑一声，"张乐行，你敢回来就好，本王就在这里送你上西天！起初听捻匪西逃还真有点顾虑，万一他们蹿到陕南，与那里的太平妖匪和回匪纠结在一起势力大增，想剿灭他们实在太难。而如今这帮捻匪折回来了，真是天助我为朝廷立功！"

僧格林沁又把刘松林和王正起训斥几句，这才重新让他们带兵去项城救援：

"你两人只要赶到项城西北周口一带，堵住捻匪西逃，我立即发大军前去剿平那帮匪徒！"

"遵命！"刘松林接过僧格林沁递来的令箭。

王正起眨巴一下眼睛，"我们是否先去救援项城呢？不然，项城的人马就全完了，捻匪多于项城人马十几倍。"

"少废话，让你们去堵截谁让你们去救援了。要想剿灭捻匪不牺牲些人马能行吗？这叫舍不得孩子打不了狼！"

"万一捻匪不向周口一带蹿逃呢？"王正起又顾虑重重地问道。

僧格林沁翻了一下白眼珠，瞪了一下王正起：

"你小子害怕堵不着捻匪本王治你的罪？我只命你们去那里堵截，什么时候告诉你们捻匪一定从那里逃蹿了？万一捻匪从那里经过务必拦住！其他要道本王会另派人把守的，你小子就放心去吧。"

僧格林沁先后派出了六支人马分别前往项城周围地区，把项城一带严密封锁起来，他自以为捻军纵有三头六臂也难逃出他的包围圈。正准备亲率大军前往项城围击，再来一个类似雉河集大捷的项城大集，让两宫太后好赏一个黄马褂穿一穿。

这时，几路派出去的人马均有探马回来报告，说项城一带连一个捻匪的影子也没见到。驻扎在项城的兵马也派来探马，说捻军袭击之后就向西逃蹿了，至今仍不见任何踪影。

僧格林沁气得直蹦，只好停发大军静候消息。

僧格林沁一肚气正无处发泄，忽然听到属下李兆元进来报告说，有一名捻军的信使要见亲王，有要事相告。

僧格林沁将信将疑，见是不见，正在犹豫不决，李兆元悄悄说道：

"王爷，这人我已见过，他是我的一位旧友的亲信，是来向王爷投诚的，据说能够帮助王爷活捉匪首张乐行呢？"

僧格林沁一听李兆元这么说，马上来了精神，立即同意接见这位信使。

来人进了大帐，不待李兆元指点，紧走几步上前就拜，柔声细语说道：

"小的潘贵山拜见王爷！"

僧格林沁挥手让他站起来讲话："你来见本王有何事快快讲来，不得有半句假话，否则定斩不饶！"

"回王爷话，小的奉大哥之命前来拜会王爷，这里有大哥写给王爷的信，请王爷过目。"

潘贵山从怀中掏出信，李兆元接了过来，捏一捏呈了上去。僧格林沁接过信，拆开一看，只看上面写道：

科尔沁亲王殿下：

氓夫潘贵新敬慕亲王神武，早有投诚之心。因错投他人，成为捻匪旗主任化邦帐下一偏将，颇为后悔，每想及此事，痛恨万分。想投归亲王足下效犬马之力，无奈没有合适晋见之礼，恐亲王殿下认为愚夫心无诚心，今有一个表达心迹的机会，但需亲王费心合作。

捻匪红黄旗人马雉河集一役被亲王神所败，侥幸突围也死伤惨重，退居西阳集和任化邦人马合为一处。近日，捻匪部分人马分出，西进陕南与太平妖匪合作，望亲王布下神兵剿灭西进捻匪，擒获匪首张宗禹、张禹爵、邱远才等人。大股捻匪仍在西阳集休整，尚未有离去迹象，只要亲王大军一到，潘某愿作内应，效犬马之劳，内外夹攻，定能擒住贼首张乐行、陈大喜、任化邦等人。如果亲王洞察不才一片赤诚之心，请与送信之人商定举事措施。

潘贵新顿首！

僧格林沁放下手中的信十分惊喜，他扫了一眼潘贵山，将信将疑地问：

"潘贵新是你什么人，他果真有归服朝廷之心？"

潘贵山急忙施礼说道："回亲王，信中所言句句是实，如果亲王相信，就早早发兵与我家大哥里迎外合一举歼灭捻匪主力。如果亲王认为我家大哥无诚心就算了，只当在下白跑一趟，请王爷三思！"

僧格林沁看着潘贵山，又把目光投向李兆元。李兆元会意，上前说道：

"王爷放心好了，小的愿拿全家老少性命担保，绝对没有什么弄虚作假欺骗王爷的份儿。那前来投诚的潘贵新和我是旧相知，我们都曾是江湖上的朋友，潘贵新因为偷盗为官府捉拿在两郎山占山为王当上了头领，后来因官府派兵剿杀才到捻匪任化邦那里暂且安身。他早有投降王爷的心思，暗中找我多次，我便让他寻找投诚的献礼，如今有了这大好机会才先派人同我商量，我让他捉住匪首张乐行献为王爷作晋见之礼，他担心自己人手不够起事不成反被张乐行与任化邦所害，这才写信请求王爷协助他完成晋见之礼。"

僧格林沁听罢，沉思片刻，又问道：

"以你所见，这事成功的可能性有多大？"

李兆元急忙说道："依卑职所见，应该马到成功，一举歼灭这股捻匪的主力，并且能够活捉匪首张乐行。根据潘贵山的报告，张乐行与任化邦的人马合在一起也只有二十万人，又有潘贵新七八万人作内反，这样一算，与我们作对的匪徒也只有十二三万人。我们大军悄悄开往西阳集，双方共同协作，战果将比雉河集大捷还要辉煌。只要捉住张乐行，王爷可为朝廷立下大功，一定会受到两宫太后的嘉奖，望王爷不要错过这机会。"

僧格林沁琢磨琢磨李兆元所说的话，很有道理，心花怒放地说：

"本王见潘将军有一片赤诚之心，愿意投降本王，并为朝廷出力，本王答应他的要求，你速回去同潘将军商量好周密计划，力争一举歼灭捻匪，活捉张乐行，如果潘将军能够捉住张乐行就是头功一件。本王将上报朝廷免以前所有罪过，并加官进爵，具体事和与李兆元联络。"

僧格林沁打发走信使潘贵山，又对李兆元说：

"具体事宜由李将军负责，待事机成熟上报本王，如果真的能够捉住匪首张乐行，你也是大功一件。如果是捻匪派来诱骗我大军的，后果怎样你应该清楚？"

"小的明白，请王爷放心吧！"李兆元恭恭敬敬地说道。

这李兆元如此自信，他当然明白潘贵新是什么样的人，和他自己一样都是捻军叛徒，参加捻军的目的根本不是为贫民百姓做事，只是想找个安身的地方。如今见捻军大势已去，只好出卖朋友，做叛徒换取官府对自己的信任。

三月的西阳集，虽然露出春的笑脸，但依然春寒料峭。

特别是夜晚，料峭的寒风仍然有些刺脸。

张乐行检阅一遍营房正要回营休息，迎面见陈大喜走来，上前问道：

"大喜，你还没有休息？"

"是沃王在检阅营房呀？"陈大喜边走过来边说，"我睡了一会儿却总睡不着，心里烦闷得很，总感觉好像有人要来偷营似的，就出来四下看看，再多加几班岗哨。"

张乐行笑了，"大喜，自从西捻军走后你总是疑神疑鬼的，小心中了邪，得了精神分裂症。这西阳集是任旗主的老营，周围防守严密，只怕一个苍蝇也飞不进来，怎会有人来偷袭呢？快回去好好睡觉吧，明天还要操练呢？"

陈大喜点点头，"沃王你也早一点休息吧。"

陈大喜目送沃王进入营房后自己也回去睡觉了。

不知过了多久，陈大喜突然被一阵吵闹声惊醒，他猛地坐了起来，侧耳一听，果然是杀喊声。不好，真的有人偷袭营房，他心中边这么思考着边匆匆披挂整齐。

这时，两名将校冲进帐篷哭喊道：

"陈将军大事不好，不知何时，我们的营房被清兵包围了，已经杀向这里来了。"

"沃王那里情况怎样？"

"不知道。"

陈大喜急了，接过自己的战马冲出营房。

夜还是黑沉沉的，但四周都是铺天盖地的火把，人头攒动着，叫喊着，几乎分不清敌我。

陈大喜下令士兵向沃王营房那里冲去，他自己则一马当先冲在士兵前面。

哪里还有沃王的营房，到处是一片火海。哪里还有沃王的影子，士兵死伤过半。

陈大喜又急又惊，他不明白清兵是从哪里来的，又为何对他们的宿营地摸得如此准确。他拦住一个士兵问道：

"到底是怎么一回事？沃王呢？"

那士兵哭着说道："任化邦当了叛徒投降了清兵，夜半突然偷袭营房，把沃王抓走了。"

陈大喜破口大骂，一边组织士兵整顿队伍，一边冲进杀来的清兵。突然，围攻的清兵好像背后遭到攻击，纷纷撤退，陈大喜指挥将士随后冲杀。

清兵完全败退了，天也亮了。陈大喜这才发现从清兵背后袭击敌人救援自己的正是任化邦所率的大军。

陈大喜不顾一切地冲上去破口骂道：

"任化邦，你好卑鄙，作了叛徒还在此假装好人，快交出沃王！不然，我陈大喜一刀劈死你。"

任化邦急忙抱拳解释说："陈将军息怒，你误会了，我任化邦就是变成猪狗也不会做出投敌叛变的不仁不义的事来，是我有眼无珠用错了人，收留了潘贵新这个奸贼。万万没有想到，他早已投降了清廷，暗中将我们出卖了，昨晚上引清兵来偷袭我西阳集。不是几位将士救护及时，我的脑袋早已被他割下了。"

"他人现在在哪里？"

"据士兵亲眼所见，他带他的那帮匪徒投靠清兵去了，随僧格林沁的兵马撤走了。"

"沃王呢？"

任化邦欲言又止，叹息一声说道：

"沃王也被清兵掠走了，恐怕凶多吉少。我对不起沃王，对不住各位捻军兄弟，请陈将军把我杀了向各位捻军兄弟谢罪吧?"

任化邦说着,泪流满面。

陈大喜欲哭无泪,仰天大叫一声:

"沃——王——,我对不住你!"

说着,就要拔刀自刎,几个士兵急忙上前抱住了他,一齐劝阻说:

"陈将军冷静些,陈将军冷静些!"

"我们先想想办法救回沃王才行!"

陈大喜摇摇头,痛哭流涕地说:

"一切都晚了!我对不住沃王,也对不住禹爵,我曾答应禹爵,代他保护沃王,可是……"

一声催春的婉啭鸟鸣把慈禧太后从深深春梦中惊醒,她伸了个懒腰向室外轻唤一声:

"小安子,快服侍本宫更衣。"

"来——啦——"

安德海哼喝一声小跑进屋给慈禧穿衣,边穿衣边聊天。

"太后这么早就起床去哪儿? 莫不是去郊野会情人吧?"

慈禧在安德海鼻子上狠狠刮了一下,"你这个千刀杀的龟孙羔子,就会拿老娘开心,会你奶奶的头。"

"那太后起这么早干什么?"

"老娘要去上书房检查一下皇上的学习情况,不知为何,皇上这一段时间学习成绩下降,许多应该会背诵的却不会背,应该做的文章也没有做,我要看看皇上在读书时间内都做些什么。"

"太后对皇上要求有点太严格了,皇上必定才十几岁,少年贪玩贪睡也是人之常情,怎能用一个成人的标准要求皇上呢？奴才有时见皇上读书实在辛苦，想逗皇上玩耍一下，又怕太后怪罪。"

慈禧在铜镜面前转悠一下，叹口气说：

"我又何尝不知道皇上辛苦呢？他还是个孩子，每天要读许多的书，也够难为他的，母子连心，皇上是我的一块心头肉呀。话又说回来，不这样对待皇上能行吗？将来这大清的全部家当都要由他支撑呢，不熟读圣贤书怎么行呢？唉，要做人上人先吃苦中苦呀！"

吃罢早点，在安德海的陪同下，慈禧来到了弘德殿上书房。

慈禧走进上书房，里面静悄悄的，没有丝毫的读书声，气便不打一处来。四处看一看不见皇上的影儿，连几位师傅也一个不在，慈禧更气了。

慈禧进了内室。嗬，皇上正趴在书上呼呼大睡呢？嘴张着，口水流到御案上。

慈禧紧走几步上前一把抓住同治的耳朵狠狠一拧，骂道：

"睡死鬼变出来的，太阳一丈高了，还呼呼大睡。我叫你困，叫你困！"

慈禧边训斥边把同治的耳朵拧多长。

同治疼得直叫喊："额娘饶过皇儿，皇儿今后一定用心读书，再也不敢偷懒了。"

慈禧瞪了一眼同治，又喝斥道：

"站起来，额娘考考你最近的学业如何？"

她拿出同治手中的书本，从中选几篇让同治背诵，同治一篇不会背诵。慈禧气得把手中的书向地上一摔，喝斥道：

"给额娘跪下，老实交待这一段时间做什么来，为何学业毫无进展？如此下去将来怎能够胜皇上之职呢？"

"皇儿心烦，不想学那些枯燥无味的文章，皇儿也不想当上皇儿，干脆让给他人好啦！"

同治顶撞了几句，慈禧气得手颤抖，面色发白，她猛地甩开胳膊向同治的脸上打去。

"啪——"

重重的一巴掌打在同治白净的脸上，那白净的脸马上由白变红，又由红变白，上面留下五个红红的手指头印记。一丝血迹也从同治的嘴角缓缓滴下。

同治哇地一声哭了起来。

"太后息怒！"

一声颤抖的声音从身后传来，慈禧转过身，见李鸿藻正慌慌张张地走进来。李鸿藻紧走几步，上前扑通跪倒，略带恐慌的语气说道：

"臣李鸿藻问圣母皇太后圣安！"

慈禧也不让他站起来，冷哼一声问道：

"现在什么时辰了，李大人该不会不知道吧？是否需要本宫每天派人抬轿去李大人府中请？"

李鸿藻连叩几个响头，"卑职不敢，卑职不敢。卑职今日来迟实在是贱内昨晚得了急病，折腾一夜，天明十分才得以合眼，不想竟多睡了一会儿，求太后发落！"

"哼，本宫不管你是什么原因误了时辰，宫中的规矩是任何人也破不得的。来人——"

"喳——"安德海急忙从旁边蹿了出来。

"摘去李尚书三眼花翎，罚半年薪俸。"

安德海走到跪在地上的李鸿藻跟前，三下五除二摘去帽上顶戴。

李鸿藻心中的委屈只能憋在心中，眼泪在眼眶中打转也不敢让它流出来。这处罚也有点太重了，俗话说打了不罚，罚了不打，慈禧这是既打又罚，按现在的话说就是罚款与降职处分同时并用。

其实，李鸿藻也并没有来晚，只是比平时稍稍来迟半个时辰，他平时总是提前来半个时辰。也是该着有事，他夫人昨晚又偏偏得了急病，搅得他一夜几乎没睡着，只在天明时分小睡一会儿。而慈禧今天偏偏起得较往日早一些。如果同治起来后在那里大声读书也不会发生这件事，恰恰同治默读一会儿，又不知不觉睡着了，正好被慈禧撞个正着。

这时，惠亲王绵愉和他的两个伴读的儿子奕洋、奕洵也来了。其他几位先生祁寯藻、倭仁、翁同龢也都陆续来了，一看眼前的架式，虽然没有听说缘由也都明白几分，一个个乖乖地跪在地上。

慈禧翻眼瞧瞧绵愉，不冷不热地说道：

"惠亲王督责皇上读书可不能有丝毫偏心，谁主谁次要分个清清楚楚。"

按辈份，绵愉是慈禧的叔辈，让侄媳妇这么一抢白心中老大不快，但这是太后训斥，他也不敢说半句怨言。

实在太巧，奕䜣来宫中奏报军情，顺便从弘德殿走一趟，正赶上慈禧训斥惠亲王绵愉。心中道：你虽然贵为皇太后，但惠亲王毕竟是叔辈，也不能像训斥一般廷臣那样没有轻重。

奕䜣心中老大不快，话一出口自然带有一丝不满：

"请圣母皇太后息怒，一个人的错也不能累及众人受罚吧？就是皇上偶有一次两次没有完成学业也是正常的，何必发这么大的火呢？"

慈禧一听奕䜣当着众人的面向自己说这几句不软不硬不疼不痒的话，心中很不是滋味，刚刚消下去的火苗又从心底蹿了上来，她也毫不留情地说道：

"六爷身为弘德殿行走，负责督察皇上课程，皇上学业荒废到这种地步为何从来也没有听过六爷的奉报呢？是六爷知而不报，还是六爷身兼多职事务繁忙，来不及督察皇上的课程？倘若是这后一种，六爷还是少兼一些职吧。不然，六爷忙里忙外会累坏了身子骨的。"

慈禧这几句话看似轻巧，实在是话中有话，责怪奕䜣犯了几大罪状。一是对皇上督察课程不尽力是严重失职；二是责怪他知而不报是欺瞒太后。暗含其中的意思还有：如果你觉得自己大权在握，对太后不恭不敬，我可以革你的职。

奕䜣当然明白慈禧话中的意思，他更了解慈禧是怎样一种人，只好把满腹委屈咽下肚中，恭恭敬敬地说道：

"卑职知罪，请圣母皇太后发落？"

慈禧刚要讲话，门外响起一阵轻微的环佩声，慈安太后走了进来。慈禧急忙上前施礼说道：

"姐姐安好！姐姐不来我正要去找呢？督学不督促，伴学不伴读，师傅不用心教，皇上学业下降，请姐姐惩处？"

慈安看看众人，微微一笑说道：

"妹妹何必发这么大的脾气呢？皇上不认真读书，我们姐妹多多督促就是，学习非一日之功，岂是一巴掌就能打会的？妹妹望子成龙心切，姐姐何偿不是？但这种严打重罚的教子之方实在不足取。"

慈安说着，走到同治跟前，给他擦一把泪水，又轻轻抹去嘴角的血迹，揉一揉同治红肿的脸说：

"瞧你把皇上打成这个样子，长这么大我还没打个皇上一次呢？是你的孩儿就不是我的皇儿啦，今后再也不须这样对待皇上，皇上如今渐已长大，再已不是几岁的孩子，早已有了自尊心，应该尊重他，讲一些道理给他听。”

慈安说着，又眼泪吧嗒地把同治搂在怀里。同治也仿佛一个外面受了委屈的孩子见到了亲人，委屈得呜呜哭了起来。

慈安一边给同治擦眼泪，一边向众人招招手：
“都快起来吧。”

众人这才一一站了起来。

李鸿藻跪得时间最长，两个膝盖早已跪麻木了，起了几次也没有站起来，最后还是奕䜣上前把他拉起来。

慈安怎么这时突然起到呢？

正当慈禧训斥李鸿藻的时候，同治皇上的贴身太监李莲英恰好赶到，但他没敢进入书房就转身跑了，去钟粹宫通报慈安太后，他知道慈安太后对皇上宽容一些，也只有慈安太后才能制止住慈禧太后。

慈禧见亲生儿子和自己一天天疏远，和慈安却一天天亲密起来，心中很不是滋味。她的主张是严师出高徒，棍棒出孝子，铁不打不成器，石不雕不成玉。可是，这几年来，她的训斥不但没把儿子训服，却一天天训崩了，投入了别人的怀抱。

此时此刻，看着皇上白净的脸上留下的那几个红红的手指印，慈禧也十分后悔自己刚才太冲动，不该去打儿子。他必定是大清国的第十代皇帝，一国之主，应该有皇上的尊严。自己不是时常教训属下人皇权不可蔑视，祖宗留下的规矩不得废除，而自己却蔑视了皇帝的尊严。慈禧暗暗告戒自己，打儿子这是第一次也是最后一次，今后也要向慈安那样多给儿子一点关怀和慈爱，少一点威严与训斥。

奕䜣待两宫皇太后的面色都稍稍缓和下来，才上前恭敬地呈上折子：

"卑职给两宫太后报喜来了。"

慈安接过折子问道："喜从何来，六爷先说说吧，也让大家高兴高兴。"

"回两宫太后话，僧格林沁亲王在安徽亳州活捉了捻匪的匪首张乐行，奏请皇上皇太后如何发落呢?"

"嘿，果然是大喜，这么说捻匪已经剿灭了?"慈禧问道。

"目前尚没有完全剿灭，据报，捻匪主力已被消灭，只有少数几股匪众逃出了僧格林沁的包围，一路逃往河南进入陕南，一路北逃在山东南部。"

听完奕䜣解释，慈禧又说道：

"应该谕告僧格林沁尽快将几股残匪剿平，待平定叛乱后一同嘉奖。对于那匪首留着也无用，就地正法吧。"

慈安补充说："这些前线的爷儿们都是不见兔子不撒鹰的，喜欢听好话，也都讲实惠，还是先赏他一套黄马褂和几百两金子鼓鼓士气吧，以免伤了前线将士的心，不为朝廷卖命。"

"这倒也是，就按姐姐所吩咐的执行吧，也不知江浙战场上怎样，何时才能收复金陵，剿灭太平长毛?"

奕䜣又急忙奏道："请两宫太后放心，江浙战场也是捷报频传，曾国藩、李鸿章、左宗棠等汉人都十分卖力，金陵周围的大小城池全部克复，我大军已经包围了金陵，估计不久就会攻破金陵擒住伪皇帝洪秀全。到那时也举行一个午门献俘仪式，请皇上和皇太后在午门上，接受满朝王公大臣和各路人马朝拜，然后再用匪首祭天告慰列祖列宗。"

奕䜣说到这里，显得十分激动，略带感伤地说：

"自从皇考宣宗成皇帝平定张格尔叛乱在午门举行一次受俘仪式，那以后再也没有经历过那样令人骄傲的事了。在康熙爷与乾隆爷年代这样受俘的仪式是时常举行的，自鸦片战争以来，我朝是每况愈下，签订了一个又一个丧权辱国条约，实在令我们这样不孝子孙汗颜。如今，在两位皇太后主持朝政当而，能够剿平中原叛乱的匪众，这是上天赐预我朝的鸿福，更是两宫太后治国有方，用人有术。等到廓清中原叛乱，擒住匪首时，两宫太后举行午门献俘仪式，将文治武功告慰祖宗，保佑我朝早日中兴，祝佑大清江山社稷万代昌盛。"

慈安听罢，微笑着连连点头说：

"外敌和好，内匪剿平，中兴之势指日可待，这也是六爷的功劳呀，是议政王辅国尽心尽职的结果，说起功劳当推六爷第一，若只靠我们姐妹俩两个女人家怎能将一个支离破碎的国家治理得如此井井有条。"

慈禧一听这句心中就不高兴，心里道：你不懂治国用人术略就不要胡乱吹捧他人，大权让我掌握，巾帼不让须眉，昔有武则天，今朝也要出个那拉氏。她心里这么想嘴上却不敢这么说，只好说道：

"叛乱的匪徒还没有最终扫清就说起论功行赏的事为时还早，至于午门献俘的事到时再定吧。现在当务之急是把皇上教导成才，不能荒废了学业。"

"妹妹放心，教育皇上的责任不能全部由你一人担当，做姐姐的也有责任，等李师傅受完课我把皇上带回宫仔细询问一下，最近一段时间学业有所荒废到底是什么原因，问清后再考虑如何给皇上改进授课内容的事。

慈禧也觉得这事不可操之过急，只好同意慈安太后的建议。

慈安太后把同治带到钟粹宫，先拿出可口的点心给他吃，边吃边聊。

"皇上，你懂得读书的重要吗？"

同治点点头，"古人说：半部《论语》打天下，半部《论语》治天下。圣贤典籍中有许多经世致用的策略，只有苦读书，学会古人治国方略，把前人治世的经验熟诵于心，才能有助于儿臣将来处理国家大事，振兴咱大清基业。"

慈安不住地称赞。

"皇上如此年幼就懂得读书的重大用途，实在难为你了，那么皇上为何不用心读书呢？据说皇上这一段时间功课特别不好，师傅布置的任务不能完成，这是什么原因呢？"

同治看看慈安太后，刚一块糕点放进嘴里又拿了出来，很为难地说：

"儿臣也想用心读书，不知为何，这一段日子，只要一拿起书本心里就发闷发憷，一点也不想读书。儿臣也明白将来要成为大清国的皇上没有知识怎么行，就强迫自己多学一会。唉，只要一强迫自己读书头就疼，有时还疼得厉害，今天早晨就是这样。儿臣起来后，按往常惯例早点后就在上书房读书，儿臣读了一会儿就感觉头有点疼，就默看昨天李师傅所教授的课，头还是疼，儿臣就在御案上趴了一会儿，谁知竟睡着了，恰巧被额娘抓住了。额娘知道儿臣近日功课不长进，故意找几篇难一些的课文提问儿臣，儿臣一句也回答不上来，额娘一气之下打了儿臣。"

同治说着，又委屈得泪水直在眼眶里打转。

慈安太后安慰说："皇上不必难过，额娘打你也是为你好呀，她是望子成龙心切，做法有点过急，伤了皇上的心，皇上也不必放在心上。俗话说，母打子不休，也不算什么过分，你额娘也颇有点后悔，只是当着众人的面不愿承认罢了。你额娘是个敢做敢为也十分争强好胜的女人，如果她是个男人，也一定是位出色的皇帝，她这么心高气傲的人当然不希望自己的儿子是个窝囊废，让你多读书将来做一代明君，像康熙爷那样世代受人敬仰。"

"儿臣也明白额娘的一片苦心，儿臣也想好好读书，将来能够振兴咱大清朝的基业。先父皇在位十几年政绩平平，儿臣将来独掌大权不能再无所作为吧，只是，只是儿臣近日来头疼得厉害，一点也学不下去。"

慈安见同治显出十分苦恼的样子，知道他不是在撒谎，关心地问道：

"皇上既然头痛，龙体不适，为何不早早告诉皇额娘或者额娘，我与你额娘也让御医给你治一治。皇上如此年轻，正是长身体的时候，有什么病应该早早救治，怎能拖呢？这就是皇上的不对了，你不说我和你额娘怎会知道呢？否则，你额娘决不会责怪你，更不至于动手打你。皇上如今一天天长大了，也要学会关心自己才行，御体有哪些不适早早请御医探视。'病在肌肤不治将益深'啊！你皇阿玛的病就是发现太晚……"

慈安说到伤心处，不住地擦眼泪。

慈安忽然脸一本，指着站在旁边的李莲英喝问道：

"李莲英，你这个狗奴才，身为皇上贴身太监，为何知道皇上龙体不适，犯有头疼病，却知情不报，该当何罪！"

　　李莲英吓得扑通跪倒在地，苦丧着脸哀求说：

　　"请太后明察，奴才确实不知，奴才若知道皇上龙体不适哪有不报之理？皇上也从来没有说过呀，太后可不能冤枉了奴才。"

　　"大胆，你敢说本宫冤枉了你！我且问你，你身为皇上贴身太监，皇上的一言一行你都应该知道。皇上头痛多日，就是皇上不说你也应该知道，先询问一下皇上龙体状况，可见你不关心皇上生活，是严重的失职。崔总管，给我掌嘴！"

　　崔长礼走到李莲英跟前，挽起衣袖，伸开胳膊，呼啪几下，在李莲英脸上左右狠狠煽了四下。崔长礼这几巴掌着实不轻，李莲英的脸马上肿了起来，嘴角也打出了血，但他一句怨言也不敢说，被打之后，仍恭恭敬敬地叩个响头，说声谢太后。

　　李莲英心中却根透了慈安与崔长礼。

　　打嘴巴是对宫中犯规宫女太监最轻的处罚。同样是打嘴巴，学问也大了，有人打得很响却一点也不疼，有人打得不响，却特别重特别疼。刚才崔长礼给李莲英打嘴巴就是这不响却又疼又重的一种。

　　崔长礼为何对李莲英这么狠心呢？这是由同治皇上的爱好引起的。

　　若大的一个紫禁城只有同治皇上一个孩，可谓真正的独生子女，是大清国的独生子女，更是皇宫大内里面的宝贝儿子。人们常说独生子女因缺少同伴容易形成孤僻怪异的性格，那么同治皇上的处境可以想象出他的性格了。现在的独生子女还可以送进幼儿园中同众多的小朋友一同做游戏，而同治呢？只能跟在一群女人或不男不女的人一起玩耍。就是在上书房，虽然有惠亲王绵愉的两位王子奕详与奕询作伴读，用今天的话就是同学，严格的等级秩序在那里，他们当然不会像今天学校中的小朋友，平等地坐在一张桌子前听老师讲课。同治有专门的老师，两位王子有自己的老师，他们也不在同一间房子里面，说是伴读，其实只是个名，偶尔说上一句话也必须征得师傅与督查人员允许。

可见，同治在宫中的生活是单调乏味的，除了拜见两位皇太后，随皇太后上朝听政之外就是读书、睡觉、吃饭。同治有时无聊之极，就想让李莲英带他到宫外玩耍一下，李莲英哪有这个胆量，整日想办法拴住皇上的心，尽量陪着皇上做一些能使同治开心的游戏。

一次偶然的机会，李莲英不小心绊倒了，小皇上高兴得直拍手。恰好那时候正在教同治学骑马，他便骑在李莲英身上，两手抓住李莲英的耳朵，嘴里吆喝着：

"驾，驾，得得驾。"

李莲英为了取悦皇上，便真的装起马来，驮着皇上在地上爬来爬去。

自那以后，同治没有事的时候就让李莲英当马供他骑，同治也觉得这样做十分开心。

一天，李莲英又被同治当马骑，恰好被总管太监崔长礼看见，崔长礼故意戏虐说：

"皇上，马一般都是喜好奔跑的，皇上骑的这匹马却不会跑，这不叫骑马，只能叫骑牛，皇上应该叫李莲英跑一跑才过瘾呢？"

崔长礼这么一提醒，同治果真来了劲，一定要求骑着李莲英跑一跑。李莲英无奈，真的在地爬得很快，同治仍不满意，一边吆喝着，一边用一根小鞭子抽李莲英的屁股，让他快跑。

　　李莲英爬在地上，四肢着地，身上驮着一个八九十斤重的人，屁股还挨着揍，这个味已够惨的，皇上还让他爬着跑，崔长礼在旁边辛灾乐祸地说着风凉话。

　　几圈下来，李莲英浑身汗流夹背不说，手也扎破了，膝盖也磨烂了。心中的气就不用说，他恨透了崔长礼，暗暗下决心要报负一下崔大总管。

　　机会终于来了。

　　一天，崔长礼去乾清宫，恰逢李莲英陪同治在玩耍，李莲英悄悄对同治说：

　　"皇上不是喜欢骑马吗？今天骑不骑？"

　　同治一听李莲英主动要求自己骑马当然高兴，满口答应了。李莲英便说道：

　　"皇上骑马总是骑奴才一人多没有劲，皇帝的妃嫔都有许多，跨下的战马就更多了，什么逍遥马、赤兔马、的卢马、麒麟马，样样都有，皇上今天何不换一个人骑？"

　　同治来了劲，急忙问道：

　　"骑谁呀？"

　　李莲英向正在走来的崔长礼指了指：

　　"骑崔总管，先皇在世上最喜欢做的游戏就是把崔总管当马骑。"

　　李莲英说完就躲了起来。

　　同治就上前拦住崔长礼，要求骑马，崔长礼不同意，想溜走，同治就是不让他走。崔长礼见四下没人，心想也没有看见，就让皇上骑一回吧，皇上毕竟还是个孩子。

　　同治刚骑在崔长礼的背上，李莲英就溜了出来，也学着他的口气说：

"皇上的这匹马跑得快不快，皇上何不试一试？"

李莲英说着递上一条鞭子。

同治接过鞭子，一边吆喝着崔长礼快跑，一边搂他的屁股。崔长礼今年已经五十挂零了，爬都爬不动还跑呢？被皇上强迫着爬了几圈早已气喘吁吁，那沾有灰尘的手擦脸上的汗，把脸上胡子上弄得一道一道的，活像京剧中的大花脸。

李莲英在旁边哼着小曲，不时地为皇上加油。

崔长礼累得实在爬不动，哀求说：

"皇上，饶过奴才吧，奴才老了跑不动了，皇上还是骑李莲英吧，他年轻能跑动，一定比奴才好玩得多。"

"皇上，别上崔总管的当，越老跑得越快，皇上不是读过曹操的一首诗吗？'老骥伏枥，志在千里'，崔总管就是志在千里的老骥，皇上应让他再跑快一些。"

同治真的又要崔长礼驮他再跑一会儿。恰在这时，慈安太后经过这里，一见这个场面，马上训斥说：

"皇上快下来，以后不许这样，皇上身为一国之主，应有天子之德，帝王之尊，这样做成何体统，倘若传扬出去岂不辱没皇室声誉，也毁坏了皇上的名誉和尊严，谁还会把你当成万乘之尊的皇上呢？皇上是否记住了皇额娘的话？"

同治一向十分敬重慈安太后，尽管慈安从来也没打骂过他，但慈安的话对他是说一不二的，慈安对待同治是严中有慈，慈中生严，不同于慈禧的威严并用方针。

同治知道自己做错了，但他把所有的责任一古脑儿推给了李莲英。

"皇额娘的话儿臣一定牢记在心，今后决不再玩这样的骑马游戏了。儿臣也不喜欢这种把人当马骑的游戏，是小李子教儿臣这样做的，并怂恿儿臣骑崔总管。"

李莲英心中连连叫苦却也不敢与皇上辩驳，任凭皇上信口开河把所有的过错都推在自己头上。

崔长礼也从旁边加油添醋地说："皇上如此纯真幼稚，怎会想出这种有失皇室尊严的游戏来，一定是李莲英怂恿皇上做的。昨天，奴才还听几名宫女说，李莲英指使皇上把宫女当马骑呢？"

慈安对待李莲英就不那么客气了，她厉声喝斥道：

"李莲英，你身为皇上侍从太监，不帮助皇上克服缺点修德养性，竟敢怂恿皇上玩这种有伤宫廷声誉的游戏，该当何罪？给我拉出去重责四十大板！"

这四十板若真是打下去，李莲英不死也要残废，他哭喊着哀求道：

"太后饶命，太后饶命！"

李莲英边叫喊着边四下里张望，看看有没有可以说情的人，也是这小子有福，他一眼看见慈禧走来，便大声喊道：

"圣母皇太后救救奴才，圣母皇太后救救奴才！"

慈禧走过来，问明缘由，也不好直接说情不让慈安责罚李莲英，先训斥说：

"李莲英，你这个狗奴才怎么能够怂恿皇上做这样的事，打你四十大板都少了，依我之见应该重打八十大板，只因今日是戊寅日，按照风俗规定不适宜动刑，否则一定重重责罚，还不快向太后磕头求饶？"

李莲英知道这是慈禧救他，急忙扑通跪下，向慈安太后连磕三个响头，边磕边说：

"太后大恩大德饶过奴才这一次吧，奴才今后再也不敢了，一定好好侍奉皇上，让皇上早日成为贤明君主。"

　　慈安也曾听说过同治经常让李莲英当马骑，但她一次也没有碰见，今天碰见了，却是骑在崔长礼身上。对于同治刚才说这是游戏是李莲英怂恿的，慈安也似信非信，李莲英还不至于这么傻，自己甘愿当马供皇上骑。如果说今天皇上骑崔长礼是李莲英怂恿的还可信。慈禧又先把今日不能动刑的话说了出来，刻意为李莲英讲情，慈安也就顺水推舟地说：

　　"不是圣母皇太后提醒今日不能动刑，决不轻饶你！既然如此，就暂且饶过你，今后一定要小心侍侯皇上，不允许再让皇上玩这样的游戏。"

　　"谢太后不打之恩，谢两宫皇太后，奴才一定用心服侍皇上！"李莲英又连连叩头致谢。

　　慈禧也瞪了一眼同治，"皇上也要当心不许把任何一人当马骑，若再发现皇上做这样的游戏也要责罚皇上。"

　　御医沈宝田来到钟粹宫，问过皇上头疼的症状，便开始为皇上把脉。许久，他才抬起头对慈安太后说道：

　　"太后，皇上这病是由于读书太多，积劳成疾所得，只要减轻一些学习负担，多玩耍一会儿，好好休息一段时间就会好的。奴才先开几付药让皇上吃着，保养一下身体，也看看效果再作进一步诊断，不知太后意下如何？"

　　"就按你说的做吧，诊断要准，药要好药，若是误诊定当严惩！"

　　"是，太后！"

　　沈宝田回去后不久就差人送来所要煎服的药以及服饮方法，慈安太后便差派宫女悉心煎熬，服侍皇上饮用。中午，又留皇上在宫中吃饭。

午饭后，慈安正陪着皇上闲谈，宫女来报，慈禧太后来见，慈安与同治走出去，把慈禧迎进来。慈禧一见慈安与皇上出门相迎，急忙告罪说：

"真是折杀妹妹了，怎敢有劳姐姐的大驾出门相迎呢？妹妹是常来常往的人，姐姐就不用客气了，今后妹妹来这里，姐姐万万不能相迎。"

三人坐定，慈安就问道：

"妹妹一定是为了皇上的事放心不下吧，也是你我姐妹整日事务太多对皇上关心不够，我们只知道埋怨皇上功课退步读书不专，却不去了解皇上读书荒疏的原因。今日一问才知道，皇上这些日子身体不适，得了一种厌学症，只要读书就心烦头疼。刚才请御医诊断一下，并开了几付药，刚刚让皇上服下。"

慈禧一听，心中吃惊不小，急忙问道：

"是哪位御医给皇上诊断的？诊断皇上患的什么病症？"

"是沈宝田诊断的，也没说皇上患什么病，只说皇上是读书太累，积劳成疾引起的头疼心闷，开了几付药，刚刚命人煎熬后给皇上服下。"

慈禧一听是沈宝田给皇上诊断的，着实吃惊不小，一听沈宝田并没说什么，心里踏实了许多，她看看坐在旁边一声不响的皇上，对慈安说道：

"姐姐，皇上虽然龙体有所不适，也不是什么大病，书还是要读的，可以一边读书一边吃药吗？不能荒废了学业。皇上渐渐长大，所学的知识实在太少，只怕将来不能胜任一国之君的所需呀，趁年轻多学一点还是应该的，无论干什么事不吃点苦怎么行呢?"

"妹妹说得也是,皇上的书还是要读下去的,但要通知奕䜣,在皇上服药这一段时间内功课减半,待到皇上病愈后再恢复正常。不然,功课仍像原来一样重不利于皇上治病,皇上这病就是由读书引起的。"

慈禧想了想也认为有道理,她也担心皇上的病加重起来。因为几年前沈宝田就已经告诉她皇上身体内潜伏着病症,当时将信将疑,以为沈宝田是故弄玄虚取悦自己,现在看来倒是真的。

"皇上功课的安排就按姐姐所说的这样执行。功课放松,其他方面的约束是万万放松不得的,否则,娇惯成性,养成懒堕的品德后才想管教都不可能了。"

慈禧讲到这里,话锋一转,"姐姐是否觉得恭亲王作为弘德殿行走对皇上功课的督察不严,有时甚重失职?"

慈安解释说:"奕䜣身兼多职每天有好多的国家大事处理,忙前忙后,忙里忙外,怎能事事俱到呢? 偶尔有个别地方做得不够令人满意也是可以理解的吗?"

慈禧频频点头,"姐姐言之有理,恭亲王身兼多职实在太忙,一个人的精力必定有限,这已经够难为他啦。"

"妹妹能够理解恭亲王的难处就好,他为咱姐妹能够得以垂帘听政立下汗马功劳,咱姐妹可不能鸟尽弓藏,兔死狗烹,对恭亲王也客气一些,不能像训斥其他朝臣一样没有轻重,何况他又是皇上的叔叔呀?"

"姐姐说得极是,恭王为朝廷立过大功,咱姐妹也没有亏待他呀,让他当议政王,食双王俸禄。既是宗人府宗令,又是总管内务府大臣,还管理总理各国事务衙门,身为首辅军机大事，世袭亲王罔替，政权、财权、族权、军权与外交大权于一身，这个地位也够显赫的。这还不说，就是对于奕诉的公主与王子我们姐妹也是厚爱倍加。那年，我破例认荣荣为女儿，加封她为荣寿固伦公主还不是让恭诉地位显贵，能够理解咱姐妹的心多为朝廷办点事。"

慈安点点头，"妹妹厚爱恭王，姐姐也是对他厚爱有加，三位王子授予国公衔，赏三眼花翎顶戴，对奕诉本人还破例准许在紫禁城内乘做四人肩舆。咱姐妹这样做都为一个目的，就是笼住恭王的心。"

"做到这种地步只怕都不能笼住奕诉的心呢？"

"妹妹何出此言？恭王做事一向谨慎认真，对我们姐妹也十分敬重，事无大小一律奏报上来，从不敢独断专行，这几年来也帮助咱姐妹做了许多于国于民的大事。特别是提出了任用汉臣自办团练对付长毛的主张，更是加快了对太平妖匪与捻匪的剿抄。没有充分的证据，妹妹万万不可说出这令奕诉失望的话，不然，传出宫外满朝文武会说咱姐妹是鸡蛋里挑骨头。"

慈禧叹口气，"男人的心可是海底的石头，看不见，更摸不透啊！也许妹妹不该说，树大风也大，多尔衮当年的例子不能不引以为戒，姐姐是否觉得奕诉的职务多了一些？能不能给他削减几职，这样做于国家于恭王自己都有利呀？恭王兼职太多，不可能把每一件事都做得十分圆满，自己也十分劳累。减去几职，恭王专司几样，就会有更充分的精力做好应该做的事了，也不致于整日操劳太多太辛苦。如果恭王积劳成疾，对国家社稷是一大损伤啊，待到恭王累成病了可能就晚了。据荣荣讲，恭王每晚到深夜才能入睡，最近一段时间身体也时常有病。"

慈安听后，一时摸不清慈禧讲这话的意思，是真的关心奕䜣的身体健康，还是想削减奕䜣的兵权呢？她也很感慨地说：

"妹妹言之有理，只是现在就立马削减奕䜣的职务，朝中大臣还以为奕䜣犯了什么过错呢？奕䜣本人也会有情绪的，何况现在正面临着消灭长毛的最后关头，待平定叛乱后再说吧。也许到了那时，我们不提出，奕䜣感到劳累会主动提出辞去几职呢？"

慈禧迟疑片刻又说道："当然，恭王能够知难而退，见好就收那实在太好。可是男人的权力欲望总是很大，只怕让恭王主动提出辞去几职不可能？"

慈禧刚说到这里，就听到门外太监高声叫道：

"恭亲王求见太后，见是不见？"

慈安看看慈禧，慈禧点点头，慈安便令太监传奕䜣进殿讲话。

奕䜣进殿后，看见慈禧和皇上都坐在旁边，急忙施礼说：

"微臣奕䜣问皇上、皇太后安！"

"六爷快起吧，六爷匆匆来此一定有什么要事吧？"慈安一面令人给奕䜣看坐，一面问道。

回皇上皇太后，从陕西来的快马奏报，近日又有一支捻匪蹿入陕南，和活动在汉中的太平妖匪汇合一处，联系陕甘一带的回民作乱，气势凶猛，几次大规模围攻西安，临潼一役官兵死伤惨重，主帅多隆阿已身负重伤。河南巡抚李鹤年与陕西巡抚刘蓉连连告急，请求朝廷再发大军入陕剿匪。臣特来奏报皇上和两宫皇太后。"

奕訢说完，呈上奏折。

慈安接过奏折看后又递给慈禧，慈禧看后问道：

"六爷以为可调哪一路大军前往陕西助剿？"

"京师已无大军可调，只有从各省调兵了。京师虽有几十万大军，还有神机营、火器营，但京津地区也是多事之地，特别是皖北的捻军还没有最后廓清，他们对京津虎视眈眈，几次北上均为我大军所败，但也不能吊以轻心，以防突发变故发生。山东巡抚丁宝桢的兵力本来薄弱，如果捻军突出山东地界，就会威胁到京师，因此，不能动用京师大军。"

"六爷认为调哪省的兵马呢？"慈安问道，"黑龙江与吉林兵马充足，目前也正清闲可否调往陕西？"

奕訢摇摇头，"这两省兵马虽闲，但距离陕西太远，长途跋涉入陕劳民伤财。何况沙俄一直在窥视我东北边疆地带，一旦抽调大批人马必然给沙俄有机可乘。如果东北边境遭侵，大军再往返折腾实在是得不偿失。以卑职所见不如调湖北左宗棠兵马入陕，令左宗棠为钦差大臣接替多隆阿的职务全盘负责督办陕甘军务，两位太后以为如何？"

"左宗棠为汉人，授予如此重任，是否有什么不妥？"慈禧略有顾虑地说。

"请太后放心，左宗棠虽为汉臣，对朝廷像曾国藩、胡林翼等人一样忠心耿耿。此人在剿灭太平长毛的几次重大战场都表现出卓越的军事天才，在任浙江巡抚时几次以少数兵马打败洪秀全的几位反王，歼灭了黄文金、杨辅清的大军。何况左宗棠正在湖北督师，距陕西较近，调兵迅速，能够给陕西匪众背后一击，打匪众一个措手不及。"

慈安连连点头，"就以六爷所奏，着左宗棠为钦差大臣入陕代替多隆阿督办陕甘军务。"

接下来几人又谈及了皇上的学业，奕䜣也十分明智，主动向两宫太后认个错，肯请太后惩处。慈安对奕䜣勉励几句，把她与慈禧议定的削减皇上读书内容的事告诉奕䜣，两宫太后作出的决定他还能再说什么，答应后便叩拜告辞了。

慈禧回到储秀宫，立即命安德海把御医沈宝田叫来。

沈宝田拜见慈禧后，不待询问率先说道：

"奴才从钟粹宫出来就想来告诉太后有关皇上的病情，因慈安太后急着给皇上拿药，奴才没来及奏报太后，请太后恕罪？"

"事出有因本宫不怪，沈御医对本宫的一片忠心可嘉，本宫定有重赏，沈御医还是先说说皇上的病情吧？"

沈宝田又一鞠躬，说道：

"皇上如今所患的厌学症也是由皇上龙体内所潜伏的那两种药力所致。几年前奴才曾告诉太后，皇上可能误食过什么迷性的药物，后来虽然中和了这种药力，但由于两种药力相生相克时剂量配置差异，两种药力没有完全中和，体内仍留存一定剂量，随血液浸入心脾，并在血液内运行。两种药力顺行则无碍，若逆行则引起身体不适如头疼、发热等症状。奴才诊断皇上的病状正是那两种潜伏药力逆行所致。"

"事隔多年，如今病发，对皇上龙体有无大碍？请沈御医直言不讳。"

"回太后话，对皇上龙体并无大碍，这也是皇上潜心读书积劳日久而诱发的，太后若不想让这病发作，就要限制皇

上的学习，最好是不读书或少读书。如果用心太专，这两种
药力发作的速度必将加快，病情也将加重。不过，请太后放
心，奴才受太后之命对皇上龙体内这两种药力细心钻研多
年，也查阅大量典籍，《伤寒杂病论》、《千金方》、《本草纲
目》中均无记载，但奴才在一本西域药志《药物宝典》中找
到有关这方面的记载，若按书中所说方法配制药方也许能够
治愈皇上龙体内的病，彻底消除那两种药力。"

慈禧点点头，又问道：

"沈御医能否按药方配制出药来？"

"奴才已配制出一付药来，今天给皇上煎服的就是，至
于效果如何只能待饮服后观察一段时间再作定论，然后进行
适当调整，也许会根除皇上的病，请太后放心好了。"

"皇上龙体岂是你试验药方的所在，倘若皇上服后万一
有什么不测，小心你全家老少性命！"安德海从旁边说道。

"请安总管放心，为皇上治病这等大事我怎会不小心慎
重呢？就是安总管不提醒，我也决不会拿全家老小的性命开
玩笑。我所配治药方使用的草药都是对人体有益而无害的，
决不会让皇上服下有什么不适，否则，我这多年岂不白白辜
负了太后对奴才的关怀照顾之情。"

"沈御医明白本宫对你的信任就好，皇上的这病就完全
拜托给你了，务必尽快治好，要什么给什么，需要什么银两
都不在乎？明白吗？"

"奴才明白！"

"好，你下去吧，有什么事要常来报告，不必再烦本宫
着人去请了。"

"是，太后，奴才谨记太后的训导。"

沈宝田叩个响头躬身退下，刚到门口又听慈禧喊道：

"沈宝田，你回来。"

沈宝田又走上来叩头问道："请问太后还有什么吩咐？"

"关于本宫私下让你给皇上治病的事你不许对外透露一个字，更不能让慈安太后知道，这还需要我再提醒一遍吗？"

"不必了，不必啦，奴才请太后放心，这事仅太后和安总管还有奴才知道，决不会第四个人知道的。"

"嗯。"慈禧点点头，又问道，"沈御医能否配制一种药物，让人服下整日身体不适却又没有生命危险，并且还要有解药，一旦想把那服药人的病症治愈，三两付药下去便能够药到病除。沈御医能做到这些吗？"

沈宝田迟疑片刻，一时想不出慈禧问这些干什么，他想了想，问道：

"奴才敢问太后要这药——"

不待他问下去，慈禧就脸一本，十分不高兴地训斥说：

"沈御医问得不免多了一些吧，要知道宫中的规矩是该说的才说，不该说的打死也不能说；该问的才问，不该问的万万不能问。有时，看见的也只能看不见，看不见的有时必须说看见；知道的也说不知道，不知道的有时也要说知道。沈御医在宫中做事多年该不会不懂宫中的这些规矩吧？"

沈宝田见慈禧脸上露出不悦的神色，马上谢罪说：

"请太后恕罪，奴才决无他意，奴才只是一时好奇才多问一问。回太后话，太后所说的这种药奴才能够配制，但不知太后何时使用？"

"越快越好，不过，这药最好是无色无味，量小而劲大，沈御医能做到吗？"

"请太后放心，奴才一定做到。"

慈禧的脸色这才变过来，和颜悦色地说：

"沈御医，本宫从来也没有把你当成外人，刚才不告诉你配制这药的用处是觉得现在告诉你为时尚早，待你把药配好拿来你自然知道，这事也要秘密进行，不可让其他人知道。沈御医可以回去了，所需费用本宫明日派小安子送去。"

沈宝田这才悬着一颗心告退，因为他知道慈禧是一位什么样的女人，如果稍有不慎说错一句话得罪她你就死定了。

第二天，安德海来到沈宝田家中，奉上五百两黄金和一对白玉雕制的狮子。沈宝田受宠若惊地说：

"安总管给在下带来这么贵重的礼物，沈某怎敢收下，请安总管收回吧，转告圣母皇太后，她吩咐的事奴才照办，这礼物就不必了，这几年来，太后对小的关心已经够多的，小的就是变牛变马也偿还不了太后的大恩大德。"

安德海环视一下沈宝田的家室，嘿嘿奸笑一声说道：

"瞧你这摆设，马上就能赶上京城五品知府的府邸了，不过，请沈御医放心，只要死心踏地给慈禧太后做事，太后决不会白用的，定会让沈御医的府舍赛过三品大员府邸。这只是小意思，太后的赏钱足够你几代人花不完的，如果沈御医的子孙后代想做官，也只是太后的一句话，至少也是五品。今天给你带来的这点小意思算什么，只是太后的九牛一毛，你若嫌少下次让太后多赐一些就是。"

"安总管万万不要这么说，奴才实在不想让太后破费，太后赏赐在下的钱财已经足够小的享用几代啦。"

安德海话锋一转，"沈御医明白就好，太后是赏罚分明的。咱明白人不说暗话，太后只想让沈御医把这两件事做得滴水不漏，皇上的病一定要治好，至于太后让你配制的另一味药用在何处，沈御医到时自然明白，那时还要请你亲自去治疗呢？不知沈御医是否将那药制成？”

沈宝田捧出一个小匣，轻轻打开放在安德海面前：

“安总管，这就是太后所要的那种药。”

安德海一看，嗬，就那么两粒小丸药，最多只有黄豆粒大小，他不相信地问：

“沈御医，就是这药，你不是在同太后开玩笑吧？”

“这等大事奴才怎敢同太后开玩笑，安总管不要小瞧这药剂少，劲可大啦，安总管不相信就服下一粒试一试？太后不是说了吗，量要小，劲要大，只有这样才便于——”

沈御医没有直说下去。安德海会意地点点头，合起小匣揣在怀里，一拱手说道：

“我告辞了，请沈御医在府上潜心钻究医术早日为皇上治好病，如果宫中有什么事随时来宣。”

“小的遵命！安总管走好。”沈宝田把安德海送出府外。

只要少让皇上读书，同治的头就不疼了。

皇上的病愈啦，太后却又生病了。

不知从哪一天开始，慈安太后就感觉到身体不适，也许是操劳过度吧，她并没有在意，觉得稍稍休息一下就会完全恢复的。谁知这一躺下不但没有恢复过来，整个身心更加难受。

慈安太后病倒了。

慈安太后这一生病，可把整个皇宫大内忙坏了。几名御医轮换诊视却查不出名因，几付药用后，太后的病不但好无转机，反而一天天加重，慈安太后躺下还不到一个月，整个人就瘦干了。

皇上自从病愈仍不愿意恢复往目的课程，只同意按照病中减半的要求上课。现在慈安太后生病，同治便以服侍皇额娘为由，天天呆在钟粹宫不进上书房。慈安太后劝说他回去读书，他总是要求等到皇额娘身体恢复后再读书。

别的人不说，就是慈禧太后也忙坏了，几乎每天去一次钟粹宫。

外臣也急得如热锅上的蚂蚁，纷纷献计献策为太后治病，恭亲王最忙，三天两天便入宫问安。

这天一大早，慈安太后还没有醒来，慈禧就来到榻前，她看着慈安面色发黄，眼睛凹陷、嘴唇干裂的样子，心里有一种快意，更有一种内疚感和负罪心。

慈禧轻轻给慈安掖好被，静静地坐在旁边。

许久，慈安太后终于睁开眼，她看见慈禧坐在旁边，努力争扎着要坐起来，慈禧急忙扶住她：

"姐姐，你还是躺着吧，妹妹觉得这几个御医都不是太高明，想再给姐姐另换一名御医，让上次给皇上治病的沈御医沈宝田来给姐姐重新诊视一下如何？"

慈安喃喃说道："沈宝田的医术也许好一些吧，皇上的头已经不疼了。唉，活马当死马医吧，一切听妹妹安排吧。"

"姐姐万万不要恢心，姐姐如此年轻，身体也十分强健，由于疲劳过度偶感疾病也没有什么大不的，人吃五谷杂粮哪有不生病的理。只要姐姐丢弃精神负担安心养病，姐姐这病也一定能够治好。"

"大行皇帝在世时，一次同我开玩笑说："咱们俩人没有同时生，但要同时死，一旦朕宾天也要皇后陪葬，如果皇后不同意死，朕化成神鬼也会回来把皇后找走的。也许真的是大行皇帝来找我同赴黄泉了。"

"姐姐不必相信这些，大行皇帝只是开了一句玩笑就应验了，这个世上的恶人也许就不存在了。"

"皇上是真龙天子，金口玉言呀！"

"乾隆爷在世时就反对大臣吹捧皇上是真龙天子，曾和大臣和珅、刘墉等人闲谈时承认自己是娘胎生的，也和一般老百姓一样死老病生，他说吹捧皇上是真龙天子、金口玉言是古代帝王将相的愚民之术。乾隆爷都敢于承认这一点，我们姐妹也不必相信那些欺骗人的言论。"

这时，宫女秀珍捧着一碗汤药上来，慈禧接过来说道："让我服侍慈安太后吃药吧。"

秀珍迟疑一下说道："还是让奴婢给慈安太后喂药吧？"

慈禧挥挥手，"你下去吧。"

"妹妹，这点小事怎能劳累你的大驾呢？还是让秀珍姑娘喂药吧？"

"姐姐不必客气，妹妹服侍姐姐吃药也是应该的。"

慈禧边说边把药碗端上来，一匙一匙地喂到慈安嘴里。

慈安拉住慈禧的手，十分动情地说：

"妹妹对我真好，这多日来妹妹事务如此繁忙仍抽出时间来看我，让姐姐怎么感激呢？"

"姐姐若说感激就见外了，一家人不说两家话，自大行皇帝宾天后，咱姐妹俩人共同扶持皇上，可谓孤儿寡母。无论外界怎么对待咱姐妹，咱姐妹之间一定要抱成一股劲儿。当然，偶尔之间有些磕磕绊绊也是正常的，共同目的都是为皇上早日长大，为了咱大清的江山长治久安。"

慈禧说着，眼圈一红，几乎掉下泪来，她用巾帕拭了拭眼角又继续说道：

"这几年来，姐姐为了皇上，为了朝中宫中大小事务几乎操碎了心，才积劳成疾。妹妹虽然不说，但心中还是有数的，对姐姐感激不尽。唉，也是妹妹太懒或者是对内外事务处理不够好，许多事没能帮上姐姐的忙，让姐姐一个人操劳太多，待姐姐病愈就少过问一些鸡毛蒜皮的事，把大事抓住问好就行，也多抽些时间把身子养好。"

"妹妹，姐姐有了这一场病把什么都看透了，如果真的能够治好病，对于朝中大权再也不看得那么重了，什么功名利禄得失荣辱，都是一场空，身体最最重要，命都没有了，其他还要什么。唉，只怕姐姐闯不了这一关，要随大行皇帝而去。"

"姐姐怎么又说这丧气话呢？姐姐应该鼓起劲来，相信自己能够战胜病魔，坚持活下去，宫内宫外的许多大事等着姐姐去做呢？像皇上的大婚典礼需要姐姐主持，皇上的亲政典礼需要姐姐操办，还有午门献俘仪式也需要姐姐登场。如今南方长毛未灭，北方捻匪未除，陕甘回子又闹得凶，姐姐如果撒手人寰把这一切扔给妹妹，我才不同意呢？不去找阎王爷的后帐才怪呢？"

慈禧的几句话把慈安给说笑了。

"好，就冲着妹妹的这几句话姐姐也挣扎着活下去，与阎王爷手中牛头马面争个高低。"

正在姐妹两人说笑之间，传事太监来报，御医沈宝田来了。慈禧立即命他进来。

　　沈宝田进到内房，叩拜完毕，慈禧便说道：

　　"沈御医，慈安太后的病经宫中几名御医诊视过了，吃了一阵子乱七八糟的药也不见好转，我认为是他们医术不高明看不透症。上回你为皇上开的药方很有效，皇上吃了几付就好转了，如今头已不疼了，能够正常上课读书了。我曾派人去请你再为慈安太后看病，可一打听说你外出了？"

　　"回太后话，奴才去东北长白山采药草去了，刚刚回来，刚听到家人说太后曾几次派人去找奴才，奴才就匆忙赶来啦。奴才耽搁了给太后治病实在是奴才不知，请太后恕罪！"

　　"宫中什么草药没有，还需要亲自外出采药？倘若再迟来一些日子，慈安太后有个三长两短，这个责任你担当得起吗？"

　　"回太后，宫中的草药尽管十分丰富，但有些药时间太久，因保管不好蛀了虫，也有些药因采集的人不懂医术，对采集的时令掌握不准，有的偏早药力达不到，有的太晚药力太旺。还有一些草药需要用当年的，陈年的药力就风化了。因此，奴才每年都要外出采草药一段时间。"

　　"快给太后看病吧，看得认真仔细一些，争取药到病除。如果你能够给慈安太后治好病就是我朝最大功臣，朝廷定会加倍赏赐你的。"

　　"奴才只想把太后的病医好，怎敢有什么非份之想。何况，给太后看病也是奴才的份内之事。"

　　沈宝田来到榻前，先躬身施一个礼，然后开始诊视慈安太后的病症。首先是望，看看慈安的脸色，眼睑，检视一下舌苔，又看看手掌与手心。其次是闻，闻一闻慈安喘气的气味，和周围身边环境的气味有没有异样。接下来是问，询问

发病的时间天数，发病的感觉症状，吃过哪些药，何时吃，
用什么样的方式煎服等等。最后是切，就是把脉。

　　沈宝田将慈安左右手上的脉搏细细的把了一遍，足足有
半个时辰，这才轻轻放下略带为难地说：

　　"回两宫太后，慈安太后的病若是早治几天只需三付药
便药到病除。时间耽搁久了，病进一步恶化不说，由于用错
了药，不但不能治病，而且加速病的恶化。"

　　"请问沈御医，慈安太后到底得的什么病？是否能够治
愈？"慈禧问道。

　　"回太后话，慈安太后所患的病是阴虚，由于长期缺乏
男女房事，阴阳失调，再加上长年累月操劳过度，累积日久
所造成的。奴才刚才看了几位御医所开的药方，他们也都判
断出太后的病是阴虚所造成的，但治疗的方法却不对症。他
们认为阴虚是由阴阳失调造成的，就应该滋阴补阳，所开的
药中含烈性阳性药为多。孰不知，阴虚在初期补阳能够治
病，而到了中晚期，越是补阳越会使病情恶化。"

　　"这是什么道理呢？"慈禧又问道。

　　"阴阳失调造成的阴虚是因为阴多阳少，阴多到一定程
度时，每增加一种阳性的药物或至刚至烈至阳的药都会与阴
产生一种强烈的对抗的药力反作用，重重伤害整个肌体，越
补阳对肌体的伤害越大，病情也就越重。慈安太后的玉体病
到这种程度就是补阳太多所造成的。"

　　慈禧点点头，又问道："依沈御医所见，应该如何治疗
呢？"

　　"阴虚病到这种程度只能以阴补阴，用阴来补阳。"沈宝
田解释说。

"请沈御医解释明白一些，本宫只知道阴能补阳，却不明白阴如何补阳？"慈安太后也禁不住问道。

"对于阴补阴这是常人都能理解的，而对于阴补阳可能就是一般人所不能够理解的，不是潜心钻研过中医的人是不可能领悟其中的奥妙的。《内经》云，阴中有阳，阳中含阴，阴到极至则生阳，阳到极至化为阴。当阴虚到一定程度时只有用阴来调和阳，也就是让阴中自己产生阳，随着内阳的增加，最终达到阴阳互补，从而治好病。"

"听沈御医这么说，慈安太后的病就可以药到病除了，那就请沈御医快开药方吧？"

"话也不能这么说，奴才只有尽平生之所学给慈安太后治病了，有一线希望奴才都尽力把太后的病治好。"

沈宝田说到这里，稍稍犹豫一下又说道：

"奴才盘算着，在所开的药方中可能需要一味至关重要的药，而目前这一味药却不容易找到。"

"什么药？你说出来我可以令全国各省的巡抚共同协助寻找。只要能治好慈安太后的病，无论花多大的代价都值得。什么药，你尽管说来！"

"奴才回来把开出的药方交给太后，太后就明白是什么药了。"

"那你什么时候开药方呀，慈安太后的病可耽误不得，一定要尽快开出来，如果宫中药库也没有还要四处寻找更拖延时间。"

"奴才明白，奴才回去后再细细斟酌一番再开出药方，药方一旦开好立即送给太后过目。"

"那你立即回去开药方吧。"

慈禧打发走沈宝田，又安慰说：

"请姐姐放心好啦，听沈宝田这么说，姐姐的病他一定能够治好，至于缺少什么药草妹妹一定想办法给姐姐找到。就是所需要的药在域外，我也派人立即取来。"

"人的命上天安排的，如果真的缺少什么难以寻觅的奇药怪草，妹妹也不必太费苦心，生死有命，富贵在天，劳民伤财也不值得。"

"姐姐这是说哪里话，姐姐的命都不值得，这大清国内谁的命还值得？姐姐只管养病，这抓药的事就交给妹妹了。"

慈安点点头，"多谢妹妹了。"

正在这时，同治走了进来，扑通跪下说道：

"儿臣问皇额娘圣安！"

"皇上快请起来吧，难得你一切孝心，每天前来探视皇额娘的病。"慈安说道。

同治站了起来，一见额娘坐在旁边，愣了一下又急忙跪下说道：

"儿臣拜见额娘！"

慈禧是满心不高兴，却又不能表现在脸上，心里道：真是儿大不由娘，连亲生母亲都不知道拜了，心中还有没有我这个额娘。但她却不能这么说，只招了招手：

"快起来吧。"

同治坐下，先看了一眼慈禧，这才小心翼翼地转过身对慈安太后说道：

"皇额娘今日是否按时服药了？儿臣本想早一点来服侍皇额娘服药，不想昨晚上读书久了一些，今早起晚了，请皇额娘见谅！"

"皇上每天都来陪伴皇额娘，令皇额娘十分感动，以后不必每天都来这里陪伴我，皇上还是把心思都用在功课上吧，千万不能因为皇额娘的病而耽误了功课，如果是那样，列祖列宗地下有灵也会责怪皇额娘的，请皇上以学业为上！"

"皇额娘正在病中，儿臣就是进了上书房又怎么能够读得下去书呢？以儿臣之见还是等皇额娘的病全愈了再去读书也不迟，何况儿臣一读书头就疼。"

同治说着，偷偷看一看一脸严肃的额娘。

"皇上的病不是好了吗？怎么又头疼了？"慈安十分关心地问道。

"儿臣的病是好，头也不疼了，只是一读书就头疼，不读书头就不痛。以儿臣之见，儿臣还是不读那乏味无聊而又没有多大用途的书，古代的许多帝王将相不是没有读过书也照样成为一代名君一代名相吗？三黄五帝那读过什么书，汉高祖也没有什么学问，明太祖也不识什么字——"

同治还要说下去，猛听慈禧铁青着脸喝斥一声：

"住嘴！你每天能来这里向皇额娘问安叩拜服侍喂药我支持你，这体现你的孝心，你要以来陪伴皇额娘为借口偷懒不读书我是决不允许的。你如今功课已经减半，仍然不想读书，说什么一读书就头痛，分明借口托辞。从明天起正式恢复功课，仍按前一段时间的规定功课减半，每天先上两个时辰的课，其余时间再到这里陪伴皇额娘。"

同治低下头，一声也不敢吭。

慈安也说道："皇上，听从你额娘的安排，你额娘的安排是正确的。皇上如此年幼，不多读些书将来如何执掌朝政批阅奏折公文呢？何况皇额娘的病也不是一天两天就能痊愈的，如果皇额娘命中注定要死，就是皇上整日陪在左右也一定会死的，皇上的孝心皇额娘领了，皇上明天还是回上书房读书吧？"

同治这才点点头。

三、怒打安德海

慈安太后从小匣中取出那份遗诏，撕得粉碎。

"要我放弃国仇家恨，向洋人学习，拜洋人为师，只怕臣子们不支持。"

"六爷和洋人要好，有人骂六爷是'鬼子六'。"

奕䜣抓住安德海的衣领，抡起胳膊就是一拳。

慈安太后服下沈宝田所配制的药后，病情一天天减轻，身子一天天恢复了，服侍她的太监宫女们都十分高兴，皇上、慈安更是高兴。人逢喜事精神爽，慈安一高兴，病好得更快了。特别是皇上功课结束后来陪她说说笑笑，偶尔讲一个小故事逗她开开心，不到一个月，慈安的病几乎好透了，能够独自下床走一会儿，坐一会儿了。

但令她奇怪地是，自从开始服用沈宝田配制的药以来慈禧却一次也没到她榻前，而那以前，慈禧是天天来宫中看望她一次的。这些日子都是安德海每天来探望她的病情，每次来都是捎来慈禧太后的问候话，安德海只说慈禧太后公务缠身，太忙不能脱身专派他来问候，需要什么让安德海传个话就可以啦。甚至连沈宝田也没来过，只是准时送来所服用的药。

慈安有些不高兴，但又不好直接询问。心里道：就是公务再忙也应该亲自来探望她一次，派个小太监来了就算完事了，把我当成一般宫中下层服侍人员不成，待我病好一定问一问她西太宫到底忙些什么！

正在胡思乱想之际，太监来报说，御医沈宝田来探视太后的病情，嗯，我正要感谢他呢？立即传见。

沈宝田走进殿堂，叩拜说：

"奴才沈宝田问太后圣安，恭喜太后玉体恢复！"

"免礼请起吧，本宫能够恢复身体全是沈御医的功劳，本宫感激不尽。请问沈御医要什么奖赏，尽管开口？"

"为太后治病是奴才的福份，也是祖上有德，何况治愈太后的病也不是奴才一个人的功劳，仅靠奴才一人只怕太后病不会这么快就恢复的，这是上天给大清朝的恩赐，也是太后吉人自有天相命中注定有此一劫，今后会更加显贵。当然，也是慈禧太后的舍己相助分不开的。"

什么？慈禧太后舍己相助。慈安一愣，急忙问道：

"慈禧太后去了哪里？我这段时间一直也没有见到她，连你也没有见到，我正要请教一下沈御医呢？你给本宫诊视病症时曾说有一味重要的草药难以觅到，可是后来不久就把煎制的汤药送来，想必那一味草药已经觅得，但不知是何草药？又是从哪里寻找到的？"

"实不相瞒太后，那一味药就是慈禧太后舍身相助才找到的。"

沈宝田见慈安太后一脸迷茫之色，又急忙补充说：

"这味药就是健康女人的血与肉，慈禧太后为了能够尽快治好太后的病，忍着巨大的痛苦从胳膊上割下自己的血肉为太后做药引子。"

慈安一听，大吃一惊，十分不安地问道：

"慈禧太后现今怎样？她的身体是否受到严重伤害？"

"请太后放心，慈禧太后的身体已经恢复得差不多了，也是很瘦，很虚弱。不过，尚无大碍。"

"为何一定要女人的血和肉做药引呢？"

"回太后话，奴才曾经告诉太后，太后的病是阴虚，需要以阴补阴，以阴补阳。而这女人身的血肉则是极阴的一种药物，这种药性中阴中含阳，还必须用鲜活的血肉，最好是在每次煮药的中间开始割肉放血于药剂中，这样效果最好。"

"宫中这么多的宫女不能令她们割肉放血吗？一定让慈禧太后遭受如此痛苦，本宫内心十分不安。这事你应该早早与我商量，我会另安排她人的。"

沈宝田扑通跪下求饶说："请太后恕罪，奴才本来要告诉太后这件事的，只是慈禧太后坚决不同意，她怕这事让太后您知道就会让其他宫女去做，可其他宫女的血肉对治愈太后的病作用实在太小，都不如慈禧太后的血肉珍贵有效果。奴才正是考虑到这一点才决定不告诉太后，而让慈禧太后甘愿献出珍贵的血肉。"

"为什么慈禧太后的血肉要比一般宫女的血肉珍贵有利于治疗本宫的病呢？"

"既使奴才不说太后也会明白，两宫太后都是金枝玉叶，虽是肉体也决非一般平常人所能企及。人们常说皇帝是真龙天子是上天的龙幻化的，而皇后都是凤，龙凤呈祥就是这个道理。龙是水中之王，凤是鸟中之王，龙凤血肉自然是人间奇珍，可治百病。如今太后有病，需血肉滋补，一般人的血肉怎能与太后相比呢？所起的作用微乎其微，而慈禧太后就不同了，她和太后一样都是千金贵体，彼此相当，用慈禧太后的血肉做药引子自然见效快，所以太后的病会恢复得如此之快。"

慈安太后将信将疑，十分内疚地说：

"让慈禧太后为了我的身体受了这样的苦痛我实在与心不忍，如今身体转好了，我要去储秀宫看望看望她。"

"太后千万别去，不然慈禧太后一定会责怪奴才的。慈禧太后曾再三告戒奴才决不能告诉太后这事，以上一段时不让奴才来见太后，就是担心太后问起奴才说漏了嘴而影响太后治病。不想事过多日，奴才仍然说了出来，实在该打；慈禧太后知道奴才把真相告诉了太后，还不知怎么责罚奴才呢？还是请太后安心养病吧，待太后的病痊愈了再去看探慈禧太后也不迟。"

慈安太后点点头，"无论如何，沈御医给本宫治病有功一定要受赏，先赏二百两银子，待本宫病好后另加补赏吧。"

"谢太后！"

沈宝田拜谢之后便退了出去。

慈安太后独自一人坐在厅内思前想后总觉得心中有愧，慈禧对她如此衷心诚挚，甚至忍受着肉体的疼痛毫无怨言，并默默为她奉献。而她呢？竟猜度怀疑慈禧，两种心境相比，她自惭形秽，认为自己太小人见识了。尽管姐妹俩有时政见不同，而共同的目的都是为了皇上的成才和大清国的兴旺，两人虽然也偶尔有过几次口角，但每一次都是慈禧主动让步，主动向自己赔礼求情。慈禧虽然做事狠了一点，如处死何桂清与胜保，但也有她的道理，外患可虑，而真正害怕

的是内部廷臣不服，处死何桂清是为了严明军纪，处死胜保
是为了惩处骄狂贪赃之徒。当然自己想不通，认为慈禧太
狠，而现在想来，她的做法还是对的，没有她扎扎实实做了
几件满朝文武都震惊的事，也许众大臣还不会如此卖力为朝
廷拼命效劳呢？今天各地平叛的节节胜利就与慈禧的敢做敢
为分不开。

　　至于有人传说慈禧与安德海和荣禄关系暧昧，这毕竟是
个人私生活，安德海是一名阉割后的太监，他不过是慈禧的
心腹，暧昧又能做什么过分的事。对于荣禄，据说他是慈禧
昔日的旧情人，唉，哪个男人不多情，哪个女人不怀春，偶
尔做些过分的事也是难免的。自己姐妹两人今年才刚刚三十
岁吗？人们常说三十如狼四十如虎，对那事的渴求就不用说
了。一个有血有肉的女人，每天晚上独守空房，抱着一个冰
凉凉的枕头入睡，这个味不好受呀！特别是心血来潮之急，
那种渴求、寂寞、难奈的心就不用说了。自己每当这个时候
不也常常产生一些邪恶的念头吗？想入非非，想象着那个时
刻哪怕一个再不中用的男人能够拥抱一下，或者吻一下也是
好的。当然，能够干那种事是再好不过的啦，即使这一切都
不能够，闻一闻男人的气味也是一种安慰吧。自己都常常这
样想，慈禧也和自己一样是位对性极为渴望的女人，同时她
又是一位生过孩子的妇人，当然更希望得到男人的润泽了。
唉，做大事的人，往往都不注重生活小节，也许慈禧就是这
样的人吧！

　　慈安在心里上原谅了慈禧在个人生活上的不足。

　　只要一想到一个人的好处，往往对那些缺点和不足就忽
落不计了，这就是心理学家所说的晕轮效应，慈安此时此刻

就有这种心理效应。他觉得相形之下自己太斤斤计较，不是一个做大事的女人，她要改变自己向慈禧靠拢，首先就是要放弃自己的私心杂念，坦诚地向慈禧公开自己的心里，姐妹俩真正做到无话不谈，对任何事都统一认识。俗话说，三个臭皮匠合成一个诸葛亮。她姐妹俩人再加上皇上，只有三人多商量一下，一定会把朝中大事做得有声有色，振兴大清江山指日可待。人心齐，泰山移就是这个道理嘛！

　　慈安终于想通了，她站了起来，准备到储秀宫看望慈禧，把心里话全部告诉她。

　　这时，宫女来报，说慈禧太后来见。慈安心里想道：这也许就叫心心相通，不谋而合吧，我正要去找她不想她却主动来了。立即出门迎接。

　　慈安走出正来迎慈禧，慈禧急忙紧走几步，上前抓住慈安的手，娇怪道：

　　"姐姐怎么又出来迎接妹妹了，妹妹不是说过多次吗？咱姐妹之间又不是外人，这个礼节就不必啦，何况姐姐大病刚好，身子骨还没有完全恢复，怎敢有劳姐姐大驾出门相迎呢？"

　　慈安苍白的脸上惭笑一下，"妹妹若这么说真是折杀姐姐了，妹妹为了姐姐都能割肉放血舍身救我，姐姐出门相迎有何不可呢？"

　　慈禧拉着慈安的手并肩走进正堂。

　　慈禧打量着慈安，"姐姐的脸色好看多啦，再吃上几付药，注意补补身子，再过一段时间就能恢复如初了，这真是我朝的洪福。只要姐姐的病痊愈，比什么都值得高兴，我的一颗悬着的心也放下了，待姐姐身体完全康复后，妹妹破费一些，在宫内设宴宴请王大臣与亲王贝勒，大家在一起乐一乐！"

"妹妹，这哪能让你破费呀，如果要宴请诸位王大臣，干脆让福晋王子王孙也来吧，人多热闹些，这费就由姐姐出吧？"

慈禧笑了，"这点小事还争个啥，你出我出又能远到哪里去？到时再说吧。"

慈安又打量一下慈禧的脸，"妹妹说得也是，你我姐姐之间还争个啥，只是姐姐心中不安呀。瞧妹妹的脸又黄又瘦，眼也凹陷了，原先水灵灵的美人儿为了姐姐变得这么憔悴，真让做姐姐的惭愧。"

慈禧急忙阻止说："姐姐万万不要这么说，妹妹人是憔悴一些，但看着姐姐的身子一天天好起来，心里高兴啊。如今瘦了一点，补养一段时间就会康复的，不这样做，姐姐的命如何换回呢？妹妹觉得这样做太值得了，这完全出自妹妹的真心，你我虽不是同胞姐妹，若要论及远近，妹妹觉得与醇王福晋相比，亲生姐妹也不比与姐姐亲。妹妹本来多次警告沈宝田万万不可把这事告诉姐姐，谁知这个狗奴才又留不住嘴说了出来，让姐姐挂念妹妹，等回来我把他叫去掌嘴。"

慈安连连说道："不可，万万不可！沈宝田也是为了姐姐能够恢复快一些才告诉我的，当然，也是我再三相问他才肯说的。妹妹为姐姐吃这么大的苦头，如果姐姐都不知道，传扬出去姐姐的面子往哪里放呢？不是沈宝田告诉姐姐事情的真相，姐姐还一直怪罪妹妹不来看我呢？你瞧瞧姐姐是多么小心眼，与妹妹的大仁大义相比，姐姐实在是心胸狭窄之人！"

"如果姐姐再这样自责自己，妹妹就无地自容了，为了姐姐做出的牺牲这是做妹妹应该的，也是为了报答姐姐的救命之恩。当初在热河行在时，大行皇帝受肃顺、载垣、端华等人蒙蔽，欲置妹妹于死地，不是姐姐舍命为妹妹求情，只怕妹妹早就命归黄泉了，怎么会有今天呢？现在为姐姐做一事怎么值得一提呢？"

慈禧一提起在热河的事，慈安忽然想起了什么，说一声妹妹稍等片刻便走进内室取出一个精致的小匣，边打开边说道：

"姐姐有一件心事一直放心不下，如今终于可以了却啦。话说来也长，还是在热河行在时，大行皇帝受肃顺等人怂恿要处死妹妹，后来，在我与醇王还有皇上的求情下终于饶恕了妹妹。但大行皇帝仍然放心不下，认为妹妹有谋权篡位之心，为防止万一，当时留下一份遗旨，让我秘密保存，一旦妹妹有谋夺皇位之心，就让我取出遗旨联合军机大臣诛杀妹妹。有一段时间，特别是在妹妹处死胜保之后，我也认为妹妹有此心呢？几次想把遗诏拿给恭亲王看，约束一下妹妹，最终还是忍住了，想看看妹妹是否再做什么过分的事。如今想来倒是姐姐我错了，妹妹诛杀何桂清、赐死胜保都是为了朝廷大局着想，妹妹的心地如此善良侠义，一心只想教育皇上读书长大早日亲政，丝毫也没有篡位之心，是大行皇帝多虑了，也是做姐姐的太自私了。"

慈安说着，从小匣中取出那份遗诏撕得粉碎。

"姐姐，这是大行皇帝遗诏，姐姐不可撕得！"

等到慈安太后已经把遗诏撕得粉碎时慈禧急忙阻拦说。

"既然妹妹不是那种人，这份遗诏还留有何用，请妹妹不必阻拦，这也是姐姐向妹妹表明自己的心迹，对妹妹的救命之恩一种报答吧。”

慈禧扑通跪在慈安面前。

“姐姐能够如此坦诚对待妹妹，妹妹就是为姐姐去死也是值得的，请姐姐作证，妹妹指天发誓，如果妹妹胆敢有丝毫谋权篡位举动，天打雷劈，死有余辜！”

慈禧说着泪流满面，“姐姐请想，皇上是妹妹的亲生儿子，妹妹怎会与儿子争夺权位呢？妹妹望子成龙的心姐姐也是知道的，妹妹做梦都希望皇上能够长大成材，早日亲政呢？”

慈安上前扶起慈禧，“妹妹不要说了，你的心姐姐完全明白，让姐姐看看你的伤吧。”

慈安轻轻挽起慈禧的衣袖，胳膊上面正扎着纱布，不用说里面是被割裂的伤口。慈安也禁不住流下泪来，抚摸着伤口一时不知再说些什么，千言万语化为无声的泪水簌簌落下。

体和殿内热闹纷呈。

整个皇宫大内人来人往，宫女太监们一律是新衣新帽，那些太后妃嫔们就更不用说了，个个打扮得焕然一新。

一向戒备森严的宫门今天也松动了许多，始终敞开着，一顶又一顶轿子抬了进来，整齐地放了一大片，能够被两宫太后邀请进宫赴宴的都是三品以上大员，以及皇室成员亲王贝勒福晋侧福晋和王子王孙们。

众人都按照事先要求的等第次序坐到自己的位子上，各种山珍海味也一一摆上了宴桌，只等皇上皇太后到来众人便可以开怀畅饮了。

午时许，传事太监扯着破锣似的嗓子喊道：

"皇上皇太后驾到！"

正在扯南捞北的人们立即停止了讲话，齐刷刷地跪倒在地。

皇上皇太后在宫女太监们簇拥下缓步走进大殿，慈禧扫视一下跪在地上的众人，冲着慈安点点头，平声静气地说道：

"免礼平身请坐吧。"

"谢皇上皇太后！"

众人这才从地上爬起来，坐到各自的位子上。慈禧又说道：

"今天宴请众王公大臣亲王贝勒和福晋夫人们，一是庆祝慈安皇太后玉体康复，二是庆祝金陵克复消灭长毛，虽然没有抓到匪首举行午门献俘仪式，但也值得庆贺，第三，就是向各位王大臣几年来尽心尽力效命我朝表示答谢！请大家举杯共干三杯！"

"谢皇上皇太后赐宴，祝皇上皇太后圣安！祝我朝吉星高照国泰民安！"

众人高喊这几句祝福的话语之后才将杯中的酒一饮而尽。

慈安太后待众人饮完三杯酒，含笑着看看众人，也满面春风地说道：

"众家爱卿不必拘泥礼节，尽可开怀畅饮，一醉方休。"

皇上和皇太后坐定，众人也重新坐了下来，执事太监便高声喊道：

"皇上和两宫太后不胜酒力，请恭亲王代劳陪宴！"

"臣遵旨！"恭亲王站了起来。

由于皇上和皇太后坐在旁边，众人总觉得别扭，等到皇上皇太后走后，众人才真正开怀畅饮起来，边吃边谈，从朝中大事到家庭小事，从剿匪的事谈到与洋人经商的事，天南海北无所不谈。

奕䜣本是海量，但由于是他奉旨陪酒，要比其他人偏喝，更何况他是议政王、身兼多职，又是首席军机大臣负责军机处，总是有人想和他套近乎，又主动敬他几杯，说几句好话。这样，众人酒至半酣之际奕䜣不免多喝几杯，说起话来自然掌握不住分寸。

金无足赤，人无完人。奕䜣自幼天资聪慧，思维敏捷，办事果断，这是他的优点。但他也有明显的缺点就是锋芒外露，举止高傲，喜欢听好话，这也是没有能够成为王位继承人的真正原因。

户部侍郎吴廷栋端着一杯酒来到奕䜣面前说道：

"恭亲王，你身为议政王，当朝首辅，是皇上太后之下万人之上，平定太平天国长毛过程中，若论起功劳你应该首推第一，正是六爷提出重用汉臣的重大措施才得以扭转局面反败为胜，来，我先敬六爷一杯。"

奕䜣一听吴廷栋这话，心里美滋滋的，接过酒杯一饮而尽。他也满斟一杯递过去说：

"吴侍郎，我也敬你一杯。"

吴廷栋急忙接过酒杯，"我怎敢劳恭亲王大驾给在下端酒，来，我陪大爷再饮一杯吧？"

"好，好，来，干，干！"

　　奕䜣刚要喝，奕譞走过来劝住了他：

　　"六哥，不能喝了，等会儿皇上和皇太后还要来谢宴，酒喝多会误事的！"

　　奕䜣把奕譞推到一边，对他说道：

　　"七弟，你是不是觉得众人都向我敬酒而没有人给你敬酒你嫉妒啦？告诉你这是六哥的本领，我是议政王，食双王俸禄，两宫太后都要对我奕䜣高看一眼。太后为什么让我奕䜣陪宴而让你奕譞陪宴？"

　　奕譞虽然也知道他喝多了，但当着众人的面说这几句话确实让他下不了台。奕譞气得一跺脚到走了，到旁边生闷气去了。

　　吴廷栋也觉得奕䜣喝多了，急忙阻止说：

　　"六爷，这酒就别喝了，我们改日再喝吧，我单独请六爷喝酒，咱们一醉方休。"

　　"不，现在就喝，怕个鸟，不就是太后来谢宴吗？我奕䜣不在乎这些，她们不会把我怎么样，没有我奕䜣，太后何来今天？"

　　奕䜣说完一饮而尽，吴廷栋也只好陪着喝干。

　　正在这时，又有执事太监高喊：

　　"皇上皇太后谢宴——请众王公大臣亲王贝勒、福晋侧福晋到体和殿外听赏——"

　　众人急忙走出体和殿，奕䜣已经醉了，歪歪扭扭夹在众人中间走出大殿。

　　众人排着整齐的队垂首站在那里等着领赏，两宫太后和皇上坐在高高的台阶上目视着众人，看着这些为她们卖命臣子们一个个毕恭毕敬的样子，有一种说不出的快意感。

这时，执事太监捧着一个花名册念道：

"赏恭亲王奕䜣黄马褂一件。"

太监念后不见有人上来领取，以为没有听到，又放大嗓门念道：

"赏恭亲王奕䜣黄马褂一件。"

可是仍没有上来领，众人都四处寻找奕䜣，嗬，他站在人群中正打着呼噜呢？有人立即推推奕䜣说道：

"恭王，太后让你领赏呢？"

"哦，领赏？"奕䜣一愣，半醉半醒地说，"我不要赏。"

声音虽然不大，但身边的人都听到了，立即有好事的人趁机说道：

"恭王爷不要赏——"

奕䜣的岳父桂良知道女婿喝多了，他不能让女婿当众出丑丢人得罪两宫太后。桂良悄悄来到奕䜣身边，推了他一把，低声说道：

"太后赏你黄马褂，快去谢恩！"

奕䜣又被桂良推了一把，这才晃晃悠悠地来到台阶前接过黄马褂。按理奕䜣应该先拜谢皇上皇太后之后再领走黄马褂，可他今天醉酒失礼了。上前接过就走了。

众人都知奕䜣失礼，但谁也不敢提，慈安太后也没有说什么，慈禧却不愿意了，她冷冷地说道：

"恭王爷就是到街上买东西也要说一声吧，怎么连一声谢字也不说？"

奕䜣这才醉意朦胧地转身一鞠躬，醉醺醺地说道：

"谢太后，谢太后。"

慈禧更不高兴了，刚要发火，慈安急忙劝阻说：

"奕䜣今日贪杯醉酒，妹妹不必与他计较，改日令他亲自来宫向妹妹谢罪。"

"姐姐，我不是为了一点小事与奕䜣计较，这是皇家尊严，奕䜣竟敢当众蔑视，这不是明显瞧不起咱孤儿寡母吗？姐姐不要说让奕䜣向我谢罪，如果姐姐都不在乎，我又何必多此一举呢？只怕如此长期下去皇家威严就扫地了。"

慈安见慈禧真的生气了，又耐心说道：

"妹妹，奕䜣不是奉旨陪宴多喝几杯，醉了吗？怎能与一个醉人计较呢？酒醒之后他会后悔的，也会入宫谢罪的。"

"哼，也不知是真醉还是假醉，我时常听人们说喝醉酒的人头脑清醒着呢，也许奕䜣是故意借酒装醉蔑视皇权。看如今是大权在握可仍不满足，我时常听外臣议论奕䜣说咱们姐妹欠他的情份太多，话语之间流露不满。"

"妹妹，传闻不可信，那是一些人在挑拨我们叔嫂关系，恭王做事一向还是十分谨慎的，今天是例外，先把封赏进行到底，改日再议论这事吧。"

慈禧不再说什么，但心里对奕䜣更加反感。

奕䜣回到恭王府，待酒醒之后听说了醉酒后的经过，十分后悔。他知道慈禧早就在寻找他的过错呢？由于自己做事谨慎才没有留下什么大的把柄让他抓住。想不到今日多喝了几杯，竟酿成了大错，如今后悔也来不及了，只好明日赴宫请罪。

第二天，奕䜣先来到钟粹宫拜见慈安太后，他知道慈安太后为人宽和，心地善良，人也随和，好讲话，先了解一下她的态度然后再去拜见慈禧太后。

奕䜣一见到慈安就跪拜说："罪臣奕䜣向太后谢罪，请求太后发落。"

"六爷起来吧，昨日不该贪杯当众出丑给众大臣留下不好的印象，慈禧太后也极为生气。"

"臣后悔也来不及了，只求太后给臣治罪，决无怨言，不然朝臣恐怕不服，罪臣内心也有愧呀。"

"昨日本是喜事，不想被六爷一搅和，众人不欢而散，六爷今后可一定要当心。至于治罪也谈不上，又不是犯什么大错，不过是醉酒失礼罢了，下不为例就是。"

"谢太后宽洪大量，微臣一定谨记太后圣言，决不再贪杯误事。说心里话，微臣昨日只所以多喝几杯，也是心情太过高兴的缘故。太后大病痊瘉并且玉体康复，这是举国上下可喜可贺的事，再加上南方长毛已经平定，更是上苍对我朝的垂青。自先皇继位之初，到如今已有十几个年头，我朝曾多次派遣大军平叛，结果都是惨败。如今，在两宫太后执政当尔，能够严明法纪、整治军威，任用贤能，才得以取得平叛大捷。虽然北方捻匪仍然四处活得，但已是孤掌难鸣，不成气候，等到曾国藩、李鸿章、胡林翼、左宗棠、僧格林沁等人把兵重新布署一下，一定能够扫荡中原几股残匪，到那时国泰民安，我大清中兴可待了。"

慈安微笑着说，"这也是六爷的功劳呀，六爷提出任用汉人办团练组织地方武装的办法实在是英明之举，不是这个策略，怎会如此快就剿平长毛呢？当然，六爷所主张的对外政策也有利于扫平各路匪贼振兴我大清江山。对西洋列国由打而和，借师助剿实在是英明之举，难得六爷有此雄才大略。"

奕䜣本来怀着忐忑不安的心前来谢罪的，想不到竟受到太后的一番夸奖，又有点沾沾自喜了，又建议说：

"太后，如今国势将要太平，要想真正振兴我大清江山，必须学习西洋、像洋人一样开矿山、办工厂，修铁路、造轮船、造枪炮。洋人有什么咱有什么，不然，再打起仗来吃亏不说，与洋人通商做生意也是咱大清朝吃亏。从宣宗道光二十年与西洋英人所进行的那场鸦片战争开始，到先皇咸丰十一年与洋人所进行的几次重大战争，我朝均未取胜，最终总是以割地赔款签约而告终，究其失败的原因是因为咱们的兵器落后，装备低劣。自从总理衙门成立以来，微臣与洋人交往甚多，对西洋技术的了解也多了起来，悟出一个道理就是：落后就要挨打，要想振国兴邦必须办洋务。"

慈安太后见奕訢越说越起劲，似懂非懂地问道：

"六爷说办洋务可以兴国兴邦，可这办洋务不就是要向洋人学习，以洋人为师吗？宣宗成皇帝由于在鸦片战争中被洋人打败，签定了丧权辱国的《南京条约》，因此宣宗成皇帝最痛恨洋人。就是大行皇帝在位时每次提起洋人也是恨之入骨，如今要我等放弃国仇家恨向洋人学习，拜洋人为师，只怕众王公大臣不会同意。无怪乎我时常听到一些大臣私下议论，说六爷和洋人要好，骂六爷为'鬼子六'，六爷你可以当心，万万不可受洋人蛊惑。你这话同我讲起来并没有什么，若同慈禧谈起，她一定会说六爷忘记祖训向洋人屈膝求荣，说不定要抓住这个错治你的罪呢？昨天，慈禧太后就十分生气呢？不是我从中讲情，只怕昨天就要治你的罪。"

"太后提醒得极是，慈禧太后对臣早就不开胃了，她想治微臣的罪也是事实，但慈禧太后对办洋务却十分感兴趣。有一次谈话，微臣谈及兴办洋务可以振兴我大清江山的事，慈禧太后连连点头，让微臣收集这方面的材料呢？她想亲自过目一下。”

慈安太后有点疑惑地问道：“我却从来也没有听她提及这事。”

“也许慈禧太后认为这事还没有个眉目，就没有事先同太后商量。”

奕䜣又忽然想起了什么，急忙补充说道：

“微臣同慈禧太后谈及此事的时候，太后您正在病中，也许她怕这事让太后分心，不利于太后身体恢复，就没有告诉太后吧？”

尽管奕䜣这样解释一下，慈安太后仍略带不悦地说：

“要兴办洋务这等大事，当时不告诉我，事后也应同我商量一下，征得我的许可，她私自擅作主张，若惹出什么不良后果来谁负责任？”

“请太后放心，这仅仅是个提议，办不办洋务还两可之间呢？慈禧太后怎敢自作主张呢？不过，这事微臣给太后透个底，太后私下也可琢磨一下，办洋务于我朝是利大弊少。据文祥等人从东洋倭人得到的消息，日本天皇也正在着手办洋务呢？听说办得十分红火。”

慈安太后对于办洋务仍然不十分理解，奕䜣知道这事不是几句话能够解释清楚的，就告辞了，他要到慈禧太后那里再认个错。因为真正要抓他过错的人正是慈禧，为了皇上读书的事慈禧太后已经令他难堪一次，也不知这一次又会怎样训斥他呢？

唉，究竟是自己笨呢，还是榆木脑袋固执不开窍？

慈禧太后本来是十分欣赏他的，可以说备爱有加，如果不是慈禧太后对他如此看重，他奕䜣是绝对不会有如此显赫的地位和权倾于国的大权的。与七弟奕譞相比，他们两人处于同样的皇室亲王地位，在辛酉政变中所起到的作用也是伯仲之间。更进一步说，奕譞与奕䜣还多一层亲属关系，他是慈禧太后的妹夫，皇叔加姨丈的双层关系，然而，慈禧更看重他奕䜣而不是奕譞，这其中的原因也只有奕䜣自己明白。

可是，自从那件事发生后，奕䜣的政治辉煌达到了顶峰，从此虽然没有一落千丈，但在慈禧太后心目中的形象却大大打了一个折扣，甚至说，西太后一天天讨厌起他来了。奕䜣也知道慈禧太后再讨厌他也决不会把他赶出政治舞台，他的朝中大权地位西太后也动摇不得。一是慈安太后主持大政，西太后不敢恣意妄为；二是皇上还如此年幼，举国上下仍然一片浑乱，仍然需要他奕䜣这根台柱子；三是奕䜣与洋人交上了友好关系，有洋人作后台，两宫太后明白其中的厉害关系。

奕䜣一想起那件事心里就不舒服，多少也有几分后怕，以致后来再拜见西太后都不敢正视她那双眼睛。

那是一个闷热的午后，奕䜣去储秀宫送折子，慈禧午睡刚刚醒来，一听恭亲王求见，便略施粉黛接见了他。

奕䜣叩拜完毕，便一板一眼地奏起事来，他讲了半天仍不听慈禧有什么反应，抬眼一看，慈禧正用火辣辣的目光盯着自己呢？他说了什么慈禧却一句也没有听见。

慈禧见奕䜣也怔怔望着自己，更加放肆了，淡淡一笑，轻启朱唇说道：

"六爷看什么？"

"我——"

奕䜣脸微微一红，却说不出话来，急忙垂下头。慈禧却十分大方地问道：

"六爷我与恭王福晋相比谁美呀？"

奕䜣更加不安了，支支吾吾说不出话来。

"男人爱漂亮，女人爱潇洒，爱美之心人皆有之，六爷不妨直说？"

奕䜣低头说道："微臣福晋乃是一名普通女人，怎敢于太后金枝玉叶相比，太后是万人挑一，经过层层筛选才得以选进宫的，无论是才华还是容貌都是群芳之冠。"

慈禧笑道："六爷太过自谦了，恭王福晋是大学士桂良之女，官宦之家的千金，也是千金之体，怎是一般民女可比。"

慈禧忽然话锋一转，试探着问道：

"六爷身为议政王食双王俸禄，位尊职显可与当年的多尔衮相比，难道六爷就没有多尔衮当年的想法？"

奕䜣一听慈禧把他和多尔衮相比，吓得几乎变了色，扑通跪倒哀求说：

"请太后明鉴，微臣只想尽微薄之力协助皇上和两宫皇太后扫平内乱振兴我朝，决无其他想法，请太后不要妄加猜疑。"

"哼，男人都是有贼心而没有贼胆，我就不相信六爷对我从来没有产生过那种想法，如果六爷愿意的话——"

慈禧瞟了奕䜣一眼，又压低声音说道：

"在我们满洲风俗中这也是常有的事，不说一般民间家庭，就是皇室之内不也时有发生吗？倘若恭王担心外界的舆论，你我可以暗中——"

"请太后自尊自重!"

·不待慈禧说下去,奕䜣一恼火说了一句不软不硬的话。

慈禧一听这话,又气又恼,白净的脸由红而青,半晌才喝斥一句:

"奕䜣,你是敬酒不吃吃罚酒,你觉你是正人君子,背后还不知做出什么见不得人的勾当呢?"

慈禧说过这话以后,忽而又转怒为笑,十分坦然地说道:

"许多廷臣私下议论,都说六爷正直无私、光明磊落,有君子之风,本宫不太相信,今日故意说几句挑逗的话试探六爷,六爷果然如众人所说,有六爷这样的人做议政王,多尔衮当年的事再也不会发生了,这是我与慈安太后最放心不下的,今天看来这种担心没有必要了。请六爷继续奏事吧!"

奕䜣一颗悬着的心放了下来,急忙说道:

"微臣所奏之事折子上写得十分清楚,请太后仔细观看吧?"

说完,放下折子告退了。

奕䜣何尝不知道那几句话是慈禧临时编凑出来让自己下台的,对于慈禧是什么样的人奕䜣更加清楚。有几次他单独向慈禧奏对时,慈禧都是用这种火辣辣的目光看着自己,偶尔闲谈之间话语中也有几分挑逗的语气,但他万万没有想到慈禧今天会说得这样露骨。

也就是这件事发生后不久,宫中就有人谣传慈禧与荣禄如何如何亲密,奕䜣在十分震怒之余多少也有一丝的酸楚。

奕䜣来到储秀宫。安德海正和几名太监在打弹子,他们一见恭亲王来了,都急忙向奕䜣点头致敬,唯有安德海装作什么也没看见，只顾打自己的弹子。

奕䜣一见安德海在那里怡然自乐，根本没把他放在眼里，心中很不高兴。他知道安德海这个狗奴才是看着慈禧眼色行事的，自从慈禧对他不开胃以来，安德海每次见到他总是爱理不理的，让奕䜣十分恼火。一个下等的奴才胆敢如此嚣张，不惩治一番这还得了。

奕䜣心里窝着气问道："安德海，太后在宫中吗？"

安德海装作没听见，理也不理，仍然继续打自己的弹子。

"安德海！你是个聋子还是哑巴？本王问你话你听见没有？"

奕䜣提高了嗓门，十分生气地问道。

安德海这才装作刚刚听到奕䜣说话的样子，转过身来："哦，是恭王爷，奴才只顾打弹子，没有听见恭王讲话，请问工爷有何吩咐？"

奕䜣压着性子问道："太后在宫中吗？你去回报一声，就是奕䜣叩见。"

安德海转动着手中的弹子，一边摇头晃脑地说："太后在是在，只是恭王爷今天来的实在不凑巧，太后早晨传下话来，说今天身体不适，谁也不见，恭王爷还是请回吧！"

若是平时奕䜣转身就会离去的，可他今天是来向慈禧太后赔礼的，怎能不相见呢？他估计这是慈禧估计他会来，故意这样吩咐给下人的。倘若真是这样，他更要见一见慈禧。

奕䜣又对安德海说道："安德海，你去通报太后，就说恭亲王有要事求见太后，看她见不见？"

安德海有点不耐烦地说道："通报也没有用，太后已经说了今天任何人不见。"

奕䜣发火了，大声喝斥道：

"安德海，你立即给本王去通报，见与不见你先去通报，太后说不见，本王立即就走！"

安德海见奕䜣发火了，很不乐意地哼了一声：

"太后已经发过话，谁敢去惹她不高兴？如果恭王爷不在乎就自己亲自去问一问太后见是不见，恭王爷请吧！"

奕䜣哪里受过这种窝囊气，在外臣中间，奕䜣是众臣的核心人物，众人如群星捧月一般围着他转，想不到在宫中竟受这么一个奴才的气。他紧走两步，大喝一声，抓住安德海的衣领，抡起胳膊就是一拳，随口骂道：

"大胆的奴才，我看你能嚣张到何种地步，你胆敢狗仗人势，我且打死你，看你的主人能怎么样？"

啪地一拳砸在安德海的脸上，安德海的脸马上变了形，鼻子流血，嘴也淌血，白净的脸变成一个大花脸。

安德海没有想到奕䜣发这么大的火，否则他也不会如此放肆，如今见奕䜣动起真格的，害怕起来，苦喊着哀求说："王爷饶命，王爷饶命，大人不见小人怪，王爷饶过奴才吧！奴才这就去给王爷通报。"

奕䜣仍抓住安德海的衣领不放，又喝斥道：

"今后再狗仗人势，不识抬举，本王要了你的命！"

"小的不敢，小的今后再也不敢了！求王爷高抬贵手饶过奴才这一回吧？"

奕䜣哼了一声，松开抓住安德海衣领的手。

安德海爬了起来，跌跌爬爬地向宫内跑，边跑边喊：

"太后救命，太后救命！"

刚喊两句，迎面碰上慈禧走了出来，她一见安德海那个狼狈样，气得浑身哆嗦，大声喝斥道：

"瞧你那个熊样，平时会威风着呢？关键场合成了熊包，随我出去理会他！"

奕䜣刚开始打安德海的时候就有人跑进去报信了，慈禧听说安德海被打，这才急匆匆走出来。

慈禧来到宫门口，见奕䜣余怒未消，正气呼呼地站在那里，冷笑道：

"我以为谁这么厉害，有这个胆子在宫内大吵大闹还动手打人呢？原来是六爷，嘀，满朝文武也只有六爷能有这么大的权力，敢耍这么大的威风。六爷是昨天威风耍的不够，今日第二次进宫耍威风呀。安德海，你是狗眼不识泰山，挨打不亏，你也不看看是谁来了，不早一点磕头迎接，挨打不亏，应该再打。安德海，你走到六爷面前，让六爷再打几下消消气，打死你不要紧，若是让六爷气着也就了不得啦！"

慈禧几句尖酸的话说得奕䜣面红耳赤，急忙下跪说道："罪臣奕䜣叩见太后，问圣母皇太后圣安！"

"哼，恭亲王，你快起来吧，本宫不敢当，你更不必问一声'圣安'了，我'安'不了，你能不打上门就好啦。"

奕䜣再一次躬身说道："罪臣为昨天酒后失态后悔莫及，深感不安，特来肯请太后治罪，请太后发落！"

"如今六爷的权力大啦，翅膀也硬了，想打谁就是谁，这皇宫大内也似乎成了恭王府，想出就出，想进就进，至于治罪，六爷去请示东太后吧，本宫没有这个胆量，只求六爷不要到我储秀宫打这个骂那个，本宫就感激不尽了。"

　　随着一阵银铃般地爽朗笑声，慈安太后拉着皇上走了过来。

　　"不要去找了，我来啦。妹妹为何发这样大的火，谁惹妹妹生气了？"

　　慈禧一看见慈安和皇上走来，立刻小嘴一撇哭了起来，边哭边说道：

　　"姐姐来得正好，请姐姐作主给评评理吧，恭王明着说是来给我赔礼的，实际上是来耍威风的，他觉得昨日的威风没有耍到家，今日又专门找上门来耍威风了。姐姐，你瞧瞧安德海的脸被打成什么样子，打狗还要看主人呢？奕䜣是瞧不起咱孤儿寡母，至少是瞧不起妹妹，请姐姐给妹妹讨个公道！"

　　慈禧说完，又急忙抹眼泪。

　　慈安看看奕䜣，又看看安德海，心中说道：奕䜣你也太鲁莽了，你昨天已经闹了一场，难道今日还要再闹一场吗？看你怎么收场？我只怕也帮不上你的忙。

　　慈安怎么这样巧赶来了呢？

　　昨天下午慈安就看出慈禧十分不高兴，有惩处奕䜣的心。今日奕䜣来宫中请罪就是给两宫太后一个面子，至于治罪也不过是客气一下。她那里好说，而慈禧这里就很难说了，弄不好两人还能急吵起来呢？倘若慈禧真的要给奕䜣治罪自己也没有办法阻拦，为防止万一，她匆匆赶来看一看，以便及时从中说说情，谁知没有踏进宫外就看到这个场面。

　　慈安问明事情发生的缘由，便笑着安慰慈禧说：

　　"妹妹也不必太生气，都是自家人，让六爷给妹妹赔罪吧，至于如何处罚，请妹妹自便吧。不过，妹妹还是先消消气，等过了几天再和奕䜣理会。"

慈安先对安德海说道："安德海，你快去包扎一下吧，所需一切费由六爷支付。"

"嘿，那倒不必，我还出得起这个费用。"慈禧倔强地说。

慈安又训斥奕䜣说："恭王昨日闯的祸够大了，今日怎么又对安总管大打出手呢？传扬出去恭王在内外臣工中的形象就受到了损失，引起众人非议对我们姐妹有害无益，恭王难道不知道这些吗？"

奕䜣又重新跪下，十分虔诚地说道：

"罪臣后悔莫及，一时动怒打了安德海，请求两宫太后降旨治罪，臣毫无怨言。"

慈安急忙对慈禧说道："恭王起来吧，妹妹也不是小心眼的人，会把鸡毛蒜皮的事记在心里。不过，你可要当心，有今天这个教训下不为例！如果不是怕传扬出去影响皇室声誉，今日务必将你治罪。"

慈安话音刚落，慈禧和奕䜣都没来及开口，站在旁边的同治皇上先说话了：

"六叔无罪，小安子该打！"

众人都是一愣，只听皇上又说道：

"别人就不用说了，朕每次进宫拜见额娘，小安子都不愿通报，一定让朕给赏钱，少则十两八两，多则几十两，其他人更是被他敲诈得头疼，这样胆大妄为的狗奴才打一顿太便宜他了，依朕之见应该杀头。"

慈禧没想到在这节骨眼上儿子突然说出这番话来，这不是明显着在拆她的台，让她面子上无光吗？

慈禧喝斥一声："小小年纪就这么说话不分轻重，要打这个杀那个，一旦亲政后岂不是个暴君？俗话说近朱者赤，近墨者黑，再不好好管教管教你，你就学好啦！"

嘿，慈安一听慈禧这么说不愿意了，这明明在拐弯抹角骂她吗？慈禧哪里训斥皇上，是指桑骂槐。

"我说妹妹，你这话是什么意思？皇上怎么近朱者赤近墨者黑了？又怎么不学好？请你把话说明白些，谁朱谁墨？我看你才是黑心人呢，想杀谁就杀谁，想提拔谁就是谁，好像这大清的江山是你们那拉氏的，未免太专断一些吧。"

慈禧见慈安话中带刺，也不示弱，反咬一口道：

"怎么？我说怎会这么巧呢？一个先找上门来打，我还没说上两句，你们又正好赶到了，一个说一个和，莫非事先串通好来我储秀宫找茬闹事的，我那拉氏毫不在乎，如果你们觉得我碍了你们的事，不顺眼就干脆把我废了吧，杀了更好，这个窝囊气我是受够啦。"

慈禧说着哭了起来，边哭边说：

"真是儿大不由娘，我十月怀胎生下你，又一把屎一把尿把你抚养大，不知吃了多少苦，受了多少罪，你几次得病，不是额娘彻夜不合眼地看护着你，只怕你早已命归黄泉，哪里还有今天。如今长大了，却如此忘恩负义，要把额娘逼死不成？还有你钮祜禄氏，在病中我为了咱姐妹的情份吃尽了苦头，如今大病才刚好就……

慈禧不再说下去，呜呜哭了起来。

同治见额娘哭得很伤心，一声不响地站在那里，他看看奕訢又看看慈安皇太后，想让他们能说几句宽慰额娘的话，可自己又不便开口。

　　慈安一听慈禧提到她生病中的情景，也觉得十分内疚，这种场合她又不想马上认输，一转身说道：

　　"走，我们走！"

　　拉着同治离开了储秀宫。

　　奕訢知道这个祸是自己闯下来的，更不好说什么，默默地跟在慈安太后和皇上背后也走了。

　　静悄悄的夏夜。

　　慈禧端坐在宽大的藤椅上闭目养神，想着自己的心事。安德海站在藤椅背后给她按摩着，从双臂到肩膀，又从肩膀到脊背。

　　安德海知道太后在想心事，自从那天他被恭亲王痛打一顿后，这多日来太后一直沉默少语，饮食也似乎较往日少多啦。他想安慰几句，又怕话不得体惹太后生气，太后那天的难堪多少是因为他安德海引起的呀。

　　慈禧忽然问道："小安子，你说我能不能斗过奕訢？"

　　安德海停住了按摩，愣了愣神说道：

　　"奕訢哪里是太后的对手，俗话说得好，馒头再大也是笼蒸的，他奕訢的议政王是太后封的呀。如果太后认为奕訢对您老人家不恭不敬，找个借口把他拿掉不就行啦。"

　　安德海才真正恨透了奕訢，他一听慈禧有心想治奕訢的罪当然十分高兴，又进一步说道：

　　"太后不能不防啊！害人之心不可有，但防人之心不可无。如果太后不提前防备奕訢一手，只怕将来对太后不利，奕訢大权在握，此人一向桀骜不训，目中无人，如今又大肆拉拢朝中大臣，形成自己的势力，有朝一日定会架空两宫太后和皇上的，从此人的野心看，是想成为多尔衮第二，也许阴谋更大呢？他一直认为自己本应继承皇位，由于没竞争过先皇，心中一直耿耿于怀，先皇在世时从来也没重用他。倘若他野心不死，有掘取皇权之心，那后果不堪设想，太后应早下决心，防患未然。"

慈禧一听安德海这么说，知道他是在怂恿自己治奕䜣的罪，为他报一拳之仇。慈禧也不点破，她也确实想给奕䜣一点颜色看看，让他知道那拉氏不是好欺负的，便问道：

"治奕䜣的罪要把柄，才能让群臣服气，必须先有人出面上奏折弹劾奕䜣的过错，就像杀胜保一样，先捏出他十大罪状出来，也好摆在桌面上讨论定罪呀。"

"秦桧杀岳飞于风波亭都可用莫须有的罪名，先杀后定罪，太后为何不先将奕䜣撤职后说理由呢？"

"万万不可，本宫不是秦桧，奕䜣更不是岳飞。奕䜣是双王头衔，总揽几大要职，在王公大臣中享有较高的威望，在洋人那里也十分得势。倘若不慎会搬起石头砸自己的脚，偷鸡不成反蚀一把米，要精心谋划才行。"

安德海急忙点头，"太后说得也是。不过——人无完人，一个人的职务越高，做的事越多，他的漏洞也就越大，给人指责的地方也就更多。人们不是常说：多干不如少干，少干不如不干。既然奕䜣身兼那么多的职务，一定有做得不尽人意的地方，细心搜寻一下，暗中指派一名大臣弹劾奕䜣不就成啦。"

慈禧一想也有道理，只是谁来给自己做这得罪人的事呢？

"太后不用担心，奴才保举一人定会为太后做这开路先锋的。"

"你是说荣禄？"

"不，是蔡寿祺，他如今是太后的日讲起居注官，善于察言观色，对太后也十分忠心，只要太后向他暗示一下，他会按太后的意旨去做。"

慈禧颇有顾虑地说："蔡寿祺官职太小，只怕他的折子没有份量呀？"

"太后放心好了，蔡寿祺官虽不大，但他是内臣说话可信，也正是这样他才会为太后卖命，太后只要许他上过奏折立即给他提升就可以了。如果太后不便开口，就让奴才去同他说好了。"

慈禧点头说道："这样也好。只是上了一份参劾的折子和能否将奕䜣撤职是两码事，特别是东边处处维护着奕䜣，这是罢免奕䜣最大的障碍。"

"太后在慈安手中的那个把柄不是被毁了吗？既然太后对东边没有什么顾忌，就大胆地做自己想做的事，该争取的要争取，软的不行来硬的，必要时逼慈安让位。"

慈禧淡淡地笑一笑，"你小子是不知天高地厚，慈安可不是你认为的那样窝囊。真的斗起来，我未必是她的对手，她有奕䜣这个同盟，皇上也可整日围着她屁股转，和她一溜神气。"

"太后不可长她人志气灭自家威风，太后是女中豪杰，智才高于慈安与奕䜣两人，只要太后略施小计，还怕慈安与奕䜣不败在太后手中吗？就像上次令慈安自己毁去先皇遗诏一样，嘿嘿！"安德海奸笑两声。

"你也不必高兴太早，虽然骗得了慈安撕毁了遗诏，但这事也必须小心才是，不能再像那西藏喇嘛一样留有后患，我始终担心御医沈宝田，以防止他有朝一日把我们给出卖了，还有那名叫秀珍的宫女也要堵住她的嘴。"

"太后放心，秀珍姑娘早已被奴才收买了，决不会出卖我们的。至于沈宝田么，他接受太后的钱财也够多的，我想不会把那事泄密出去的，要不让他的嘴巴永远闭上？"

慈禧太后摇头，"沈宝田医术高明，留下他还有作用，还有皇上的病，唉，还不知是真的痊愈了还是暂时好啦，现在还不能让沈宝田死，防备他一点就是。"

"太后的意思小的明白，那就让沈宝田多活几年，待皇上的病完全好透了再送他上西天。"

"唉——"慈禧长叹一声，"整日杀杀打打，明争暗夺，活得太累了，我真想把什么都放弃了，不再过问任何事，安安稳稳地找一片安静的地方度春秋，只是到了这个位置骑虎难下啊！"

"太后千万别说这种丧气话，太后能有今天不容易啊，不是杀杀打打怎会有今天的太后之位。如果太后把这一切拱手让给他人岂不前功尽弃？那才不值得呢？别人只会私下议论太后无用，是打败的鹌鹑斗败的鸡，没有人同情你，更没有感激你，如今的世道就是弱肉强食，尔虞我诈。你不犯人，他却偏要犯你，人与人之间这样，国与国之间不也这样吗？我大清国关闭国门老老实实过日子，也从来没有派一兵一卒去西洋各国侵略，但西洋列强却欺负到咱家门上，把刀架在咱脖子上，逼迫着道光爷签订了《江宁条约》与逼迫着先皇签订了好多个条约，哪个条约不是让咱大清国割地赔款。唉，这个世道真是老实不得呀！"

啊哈，慈禧想不到安德海也呱呱讲了一大堆道理，听起来也很有见地，她想了想说道：

"小安子，你以后做事也小心一些，不可太过放肆。更不许打着我的名义四处招摇撞骗，以免树敌太多，成了众矢之敌，到那时只怕我也保不住你。皇上如此年幼都对你这样反感，一旦皇上亲政还有你的好日子吗？"

安德海一听这话真的有点害怕了，他苦丧着脸说：

"太后，奴才并没有做出什么过分的事呀，不就是帮他们通报太后要点银子吗？这年头哪有白吃的饭？我给他们跑腿，收点费用也是理所当然的，公平交易吗？如果太后也反对，小的不收就是了。奴才觉得这些人对我安德海不满意的真正原因不是几两银子的事，是他们嫉妒我？"

慈禧懵了，愣愣地看着安德海：

"嫉妒你？嫉妒你什么？"

"嘿，他们嫉妒太后对我好，嫉妒太后信任我，更嫉妒我会讨太后欢心。皇上是见我和太后太亲密了，心里不舒服，才恨奴才的。"

慈禧被安德海逗笑了，"小安子，我只是提醒你，并没让你缩起龟头做人，放心吧，有我慈禧太后在，没有一个人敢动你一根毫毛！"

安德海的心踏实了，诡密一笑：

"有太后这句话奴才就放心了，奴才就知道太后舍不得让我去死，不然，这漫漫黑夜谁陪太后打情骂诮，太后是不是？"

安德海说笑着，放肆地伸出双臂勾住慈禧丰腴的腰肢，在那隆起的部位轻轻抚摸着。慈禧也乐意安德海这样做，在慈禧眼里，安德海比一般太监聪明就聪明在他能恰到好处地讨人欢心，并且做得恰到好处，似乎这小子生来就懂得女人的人似的，能在女人最需要的时候给你安慰。尽管他只是半个男人，但必定还要冠上"男人"两个字，对于女人，给出的话语也是带有男人气味的，给出的抚慰也是带有阳性的，有总比没有强，多少有那么一点感觉，让女人的想入非非之后得到宽慰的感觉。

慈禧常想：如果安德海是男人，真正的男人该多好啊，他一定比荣禄还让自己心醉。当然，如果他不是太监，也不知有多少女人要投入他的怀抱呢？自己能否让这样的男人拜倒在脚下也就难说了。不过，慈禧相信自己能够征服一切男人，只是对于奕䜣似乎有点例外。但慈禧不认为自己征服不了奕䜣，而且觉得奕䜣太虚假，处处摆出一副假道学的面孔。她相信奕䜣一定对她动过心，只是他害怕自己的名声和权位不敢接近她罢了，因为她是一朵带刺的玫瑰花，摸不好会扎破手的。

第八章　叔嫂失和

一、罢黜议政王

　　　　奕䜣说:"蔡寿祺是什么东西,他也配参劾我,
　　皇室的恩怨,岂容外人说三道四。"
　　　　慈安举起巴掌朝慈禧脸上打去。
　　　　同治脸上挨了一巴掌,虽然不太重,却也火辣
　　辣的。
　　　　奕䜣觉得自己和这笼中的鸟儿没有什么两样。

　　又一轮晨曦从东方升起。

　　恭亲王穿戴整齐地带到养心殿外等候着上早朝,每次早
朝都是他来得最早。身为议政王又是皇室至亲,身居要职,
不做个榜样怎么行?

　　奕䜣坐下来边喝杯热茶暖暖身子边休息,这时,其他朝
臣便陆续来到,都一一向先来的恭亲王打声招呼,或点点
头,微笑一下。这也许是奕䜣喜欢早来到朝房的另一个原
因,享受一下众人的恭维也是心里的一个补偿。

　　随着御前太监一声吆喝,准备齐全的大臣们按次序走进
西暖阁,毕恭毕敬地站在各自的位置上,静静地等候着皇上

和皇太后的到来。又随着太监的一声唱喊，皇上、皇太后这才姗姗走来，坐到龙椅上。奕䜣带领大臣们三叩九拜之后，又重新站好。这时，听到慈禧太后一声不紧不慢地询问：

"谁有本奏，无本退朝？"

御前太监又高声重复一遍："谁有本奏，无本退朝——"

众人你看看我，我看看你，都没有本奏。慈禧正要说退朝，猛听最外边有人高声说道：

"臣有本奏！"

众人侧过头一看，嗬，是一位小得可怜的官员蔡寿祺要奏本，他这么一个日讲起居注小官能有什么大事相奏，众人正在疑虑之际，御前太监已把他的折子递到慈禧手中。慈禧看后又递给慈安，慈安看了一遍，莫名其妙地问道：

"妹妹以为这事怎么办？"

慈禧冲慈安点点头，"姐姐放心好了，我来处理。"

慈禧看看文武大臣，大声说道：

"恭亲王和内阁大臣留下来，其余人退朝。"

这话一出，内阁大臣一愣，更让几位军机大臣搞糊涂了，今天太后怎么搞的，不留下军机大臣议事而让内阁大臣留下来，既然留下内阁大臣，为何又让军机处的首揆奕䜣留下呢？但是，既然是太后这样安排，一定有她的理由。

几位军机大臣磨蹭一下，偷眼看看奕䜣，见奕䜣没有反应，都默默地走了。

殿内只剩下皇上和两宫皇太后，以及奕䜣和几位内阁大臣，他们是大学士周祖培、瑞常，吏部尚书朱凤标，户部侍郎吴廷栋、刑部侍郎王发桂，内阁学士桑春荣。

慈禧这才把蔡寿祺的折子递给奕䜣。

奕䜣接过一看，气得面色铁青，只见上面写道：

承启皇上皇太后：恭亲王奕䜣身为议政王，又是军机首辅，兼管总理衙门与内务府和宗人府，权倾朝野，皇恩浩荡。但奕䜣举止高傲，行为不检，骄奢跋扈、专横独断，甚至凌驾皇上与皇太后之上，究其罪责犯四大罪状：纳贿、骄盈、揽权、徇私，理应严惩，以警廷臣……

奕䜣看到这里再也看不下去，他把折子又递给其他人。

奕䜣十分恼火，蔡寿祺一个小小的日起居注官也敢上疏参劾他。吃了熊心豹子胆还是活得不耐烦了？他敢与我作对应有他好看的。

奕䜣转念一想不对，蔡寿祺哪有这个胆量参劾自己，一定是受了慈禧太后的支持，他不过是充当一个马前卒罢了。因为慈禧早就有惩治自己的心，只不过没有找到合适的借口，如今是借蔡寿祺向自己发动攻击，不能不小心啊。胜保之死不就是蔡寿祺首先上一个折子吗？慈禧然后抓住不放，才一步一步将胜保逼入死地。

奕䜣相信慈禧还没有将自己置于死地的能耐，但也要小心，少不得会罢官降职。事到如今只好随机应变，先摸摸两宫太后到底是何心思再说。

等到众人传看一遍，几位内阁大臣才明白太后为什么让他们留下而不让军机大臣留下的原因。这是参劾奕䜣的折子，奕䜣为军机处之首脑，众人谁不听从他的呢，对于这参劾的折子讨论起来自然也就拘束多了，是偏向奕䜣呢？还是偏向太后呢？众人对折子背后的矛盾十分清楚，稍一不慎自己罢官是小事，小命都有可能搭进去，因为太后和恭亲王都不好惹。

慈禧放走军机大臣留下内阁大臣，这可给内阁大臣带来了烦恼。

在大清王朝，内阁大臣与军机大臣都是一品大员。自雍正帝改设军机处以后，国家的机要奏章、颁发诏旨等事都由军机大臣拟定，相对而言，内阁大臣的权限有所减弱，但必定是国家的"宰辅"。清朝的内阁大臣一般都是大学士加殿、阁头衔，有三殿三阁，即保和殿大学士、文华殿大学士、武英殿大学士和文渊阁大学士、东阁大学士、体仁阁大学士。协办大学士为大学士的副职，官居从一品，今天留下的官员是内阁大臣，有大学士也有不是大学士。

众人把折子看完，又重新递到慈禧太后手中，她拍拍折子，这才问道：

"恭亲王，你对这参劾的折子有什么看法？"

奕䜣在心中哼了一声，蔡寿祺是什么东西，他也配参劾我，但他却没有这么说，只淡淡地说道：

"蔡寿祺并不是什么好人，他原为翰林院编修，见风使舵，投机钻营，到胜保帐下做个小官，胜保所犯的几大罪状后经查出也与他有牵涉，本应将他与胜保一同治罪，念他主动参劾胜保有功才免于治罪。他这种做法实质上是出卖他人保全自己，并不是站在朝廷大局立场上弹劾胜保，这种卑鄙小人的话太后怎么也会相信呢？以臣之意应将蔡寿祺这样的无耻之徒治罪罢免出朝廷。"

奕䜣的意思是这等小人的话不可听，他自己一身缺点怎么有资格参劾别人呢？你慈禧竟任用这等小人，想借助无耻之人的手攻击我奕䜣，也不是什么光明磊落之举。他是采用釜底抽薪的办法为个人寻求解脱的。

慈禧一听这话，拍案怒斥说：

"奕䜣，你未免太狂妄了吧，直到现在你仍然如此嚣张，本宫是问你蔡寿祺弹劾你纳贿、骄盈、揽权、徇私你服不服？并不是问你蔡寿祺这人怎么样？"

奕䜣一见慈禧发火，想起和慈禧发生过的几件不愉快事，不软不硬地说道：

"我奕䜣自认为一向为人坦诚，做事光明磊落，为国家社稷鞠躬尽瘁、尽心尽责，并没有做出什么辜负朝廷的事来，这是蔡寿祺受人指使对本王的诬蔑！"

慈禧冷冷一笑，"对你的诬蔑？就凭你刚才讲话的态度不是骄盈吗？体和殿醉酒蔑视王权就不说了，那是因为你醉了，但你在紫禁城内不顾亲王身份大打出手也是醉酒吗？这是不是骄盈？本宫再问你，你身为朝廷重臣，食双王俸禄，却不思节制，私下卖官鬻爵，随便将午门提督一职允给李振安，收取他的钱财，这是不是纳贿？"

慈禧说到这里，稍稍停一下，又淡淡地说道：

"我与慈安太后对你厚爱有加，可你太令我们姐妹失望，如果不早早给你敲个警钟，只怕你越发专横难以任用了。"

奕䜣知道慈禧在向自己发动进攻之前已经早早准备好材料，对自己的一言一行都有所了解，如果真的要治自己的罪，辩解是没有用的。但他从内心里不服气，依然十分强硬地说：

"如果太后认为臣值得治罪，就照章办事治臣的罪吧？撤职降级查办都行。"

奕䜣看看一直沉默不语的慈安太后，心里道：你身为东宫太后主持内外大政，为何不能钳制她的为所欲为，事到如今，你应该主持公道为我奕䜣说句话。奕䜣见慈安太后依然没有反应，十分伤心，估计这是两宫太后事先串通好要将他革职的，也许自己权太重，位太高，已令两宫太后心存顾虑了。

想至此，奕䜣凄惨地狂笑一声说道：

"两宫太后若觉得臣不堪任用，可以革我的议政王之职，削去我的各项职权，但我是宣宗成皇帝六子，你们能革我职却不能革我皇子，我亲王头衔是成皇帝所赐！"

说完，也不辞谢，转身走了。

慈安急忙喊道："六爷慢走，本宫有话问你——"

但奕䜣头也没回就走开了。

慈安微微叹口气，"尽管有人参劾，但奕䜣毕竟为我朝立下大功，我们也不能过分，否则，众臣不骂咱姐妹鸟尽弓藏、兔死狗烹吗？"

慈禧点点头，"妹妹明白，但奕䜣行为太过高傲，做事也越来越武断，不对他敲个警钟，恐怕将来更难驾驭啊！"

慈禧便对几位内阁大臣说道："蔡寿祺参劾奕䜣的折子你们已经看了，奕䜣刚才对我们姐妹的态度你们也看得一清二楚，当着众大臣的面他尚且如此，在私下奏对之时那骄横的态度可想而知了。你等计议一下，给奕䜣定个罪，重重教训教训他！"

周祖培、瑞常、朱凤标、吴廷栋等人你看看我，我看看你，谁也没有先开口讲话。几位大臣没有想到今天让他们留下来是议定这个事的，有点突如其来，他们更觉得进退两难。

这事实在棘手。就个人关系说，太后与恭亲王是叔嫂关系，皇家一姓。俗话说清官难断家务事，这皇室内部的恩恩怨怨是是非非岂是外人说得清断得明的。也许他们今天吵明日就好，谁若是说了一句不适宜的话，这官还做不做？

从政治地位上说，奕䜣是议政王又是亲王，身居要职，位在皇上皇太后之下，而在群臣百姓之上，是满朝文武大臣的首脑，在大清国中有举足轻重的作用。太后要治奕䜣的罪，究竟是要怎么处置，是训导几句，还降级降职，或者其他什么处分。在不明真相的情况怎么能先开口亮出自己的立场呢？

此时此刻沉默是金。政治上就是这样，搞政治权术的人，许多时候沈默是成熟的标志。

慈禧一见这几人面面相觑，谁也不开口拿个主张，有点恼火了，十分不满地斥道：

"怎么？养兵千日用兵一时，你等吃着国家皇粮，拿着国家俸禄，在需要你们为朝廷出力办事的时候，你们一个个都成了哑巴？要你们这些大臣是干什么用的？嗬，你们怕了，怕奕䜣以权大治你们的罪，你们怕奕䜣难道就不怕太后也能治你们的罪吗？如此看来更要将奕䜣治罪！"

大学士周祖培知道再不开口就不行啦，急忙说道：

"请太后息怒，并不是我等害怕奕䜣，故意推脱责任不愿担当责任，老臣是想——要想将奕䜣治罪仅凭蔡寿祺折子上的那几句话不行，必须有确凿的实据，待臣等退下详细查实后再报与太后给奕䜣定罪，不知太后意下如何？"

周祖培是嘉庆二十四年进士，河南商城人，道光朝时就官至刑部侍郎，咸丰朝时任刑部尚书、兵部尚书、吏部尚书、协办大学士，如今是体仁阁大学士掌管户部。

周祖培不愧为三朝老臣，老于世故，深黯官场的利害关系，于是来个金蝉脱壳之计，暂且逃过太后的追问，了解两宫太后的真实态度后再作打算。

慈禧一听周祖培讲得也有道理，不好再说什么，便问慈安太后：

"姐姐以为这事应该如何处理呢？"

"让倭仁会同周祖培等人与蔡寿祺当面对质，如果蔡寿祺能够举出真凭实证再讨论给奕䜣定罪之事。"慈安说道。

慈安的意思是你暗中指使，蔡寿祺参劾奕䜣，如果蔡寿祺能够说出证据来，说明奕䜣确实犯了这几大罪状，理应治罪。慈安觉得奕䜣的权势的确太大，能够分出部分权力出来也好，但她并没有想到要治奕䜣的罪，她希望奕䜣能够有自知之明，主动让出部分大权来。

慈禧回到储秀宫，立即命安德海把蔡寿祺找来，她要当面训导几句。

蔡寿祺来了，一见面，慈禧就夸赞说：

"蔡大人深明大义，能够不畏权势给朝廷着想，上奏参劾奕䜣，这是忠臣之举，本宫与慈安太后对蔡大人的这一做法都十分赞赏，本想立即提升你为御史，又怕在这个节骨眼引起朝臣猜度，因此决定，在这件事结束后再提拔蔡大人为御史。"

蔡寿祺一听太后已经答应给他提升，十分高兴，急忙跪谢说：

"多谢太后提契，卑职一定不辜负太后的厚望，愿为太后效犬马之劳。"

慈禧这才说道："蔡大人，折子虽然上了，但有一件事要提醒你，早早做好思想准备，不能被人打个措手不及。"

"何事？请太后明示！"

"周祖培说你虽然在折子说奕訢有四大罪状：纳贿、骄盈、揽权、徇私，但缺少真凭实据，无法给奕訢定罪，周祖培和倭仁将和你对质，你能够拿出那几大罪状的凭证吗？"

"这——"蔡寿祺挠挠头，"请太后指点？"

"你先回去仔细想，整理一下材料，做到心中有数，今晚我再派安德海给你送去具体的实例，只要你熟记于心，临场不忙，对答如流就足够了。"

"谢太后指点，卑职决不会让太后失望，无论他们问什么，卑职都会给他们从容的答复。"

慈禧点点头，赞赏地说：

"好，本宫就欣赏蔡大人这样的人，干大事就要有胆有识，有魄力有心计才行。只要蔡大人听话，今后会让蔡大人到达满意的位置。"

蔡寿祺会心一笑，又谄媚说：

"卑职能有今天全靠太后栽培，卑职所到达的位置越高，给太后出的力也会越大，这点请太后放心好了。"

慈禧见蔡寿祺官不大，对官场的套数却十分精通，又叮喔几句便放心地让蔡寿祺回府了。

体仁阁。

周祖培和倭仁等内阁大臣正在和蔡寿祺对质。

周祖培先说道："蔡大人的胆子不小啊，身为七品小官参劾当朝三人之下万人之上的议政王，勇气可敬，可敬！"

蔡寿祺有了慈禧给他撑腰，他私毫也不畏惧地说：

"蔡某官不大，但是朝廷所封，职位不高，拿的却是国家俸禄。有句格言：当官不为民作主，不如回家卖红薯，那七品知县也是小小芝麻官却敢搬动一品诰命夫人，这是公理所在。王子犯法与庶民同罪，无论他是多大的官，只要违背江山社稷利益任何一个有大义之人都有权弹劾，也应该弹劾，我们不能置国家社稷的利益不顾，做一名趋炎附势的小人呀！"

嘿，这话可把周祖培与倭仁气坏了，他们心里道，这话用在你蔡寿祺身上倒十分贴切，却想不到是你指责别人的话语，实在是天大的笑话。

倭仁气哼哼地说道："蔡大人做了几年翰林院编修，又到过下面军营中锻炼几年，如今当上了日讲起居注官，口才练得不错。蔡大人如此博学多才，如今才当上这么一个小官，实在委屈蔡大人啦。"

蔡寿祺面不改色心不跳地笑笑说道：

"倭大人也不容易啊，如今虽然当上了文渊阁学士，可也是脱了几层皮，有几次显些丢了脑袋，就是到了今天这个高位也未必就坐得那么坦然吧？昨天两宫太后还同蔡某提及二位大学士呢？让蔡某向二位大学士多讨教一些，说二位大人都年事已高，新旧交替也是自然规律，自古云"铁打的衙门纸做的官，谁又知道自己能为官多久呢？""

蔡寿祺这几句话令周祖培与倭仁暗暗心惊。昨天他们对蔡寿祺上这道参劾折子是否受太后指使尚存疑虑，如今一听这话便什么都明白了。

倭仁看看周祖培，周祖培会意，他心里道：你倭仁刚刚当上大学士几年，年纪还稍轻一些，又深得东太后的信任，还想多干几年，怕得罪两宫太后，我周祖培虽然害怕得罪两宫太后，但和奕訢交往多年又是好朋友，总不能对之听之任之吧，多少也要为他开脱一些罪责。奕訢要是倒台了，我们这些他的同党也不会有好日过呀。

周祖培于是问道："蔡大人，你上奏参劾恭亲王四大罪状：纳贿、骄盈、揽权、徇私，对每一罪状是否有真凭实据？倘若没有凭证，有人指责蔡大人是在诬陷恭亲王可对蔡大人十分不利啊？"

蔡寿祺不慌不忙地说："卑职如此小官每日只能在宫廷内同皇上和皇太后随便聊聊天，哪有资格和恭亲王一起共事，对于恭亲王的所做所为只是听到种种传说，若让下官对每一罪状都拿出确凿的证据来这实在是为难下官。二位大人请想，恭亲王所做的那些事又怎会随便让外人知道呢？只有他的近臣与家人才一清二楚，二位大人不妨寻问一下他们？"

嗬！这话可把周祖培与倭仁气坏了，你蔡寿祺听风就是雨，凭空上折子，自己又无凭无据却让我们去找证据，哪有这个道理？但周祖培与倭仁又不敢说蔡寿祺是诬陷奕訢，因为蔡寿祺的折子符合太后打击奕訢的用意，他们敢说蔡寿祺是诬陷，太后就敢说他们是奕訢的死党，企图打击忠诚正直的大臣最终倒霉的是他们。

周祖培只好问道："你风闻到恭亲王做了哪些事够得上四大罪状？"

蔡寿祺这才将那些背得滚瓜烂熟的材料重复一遍：

"卑职听说恭亲王接受李振安的贿银才提升他为华门提督的，其他恭亲王接受贿银的事宫中也传得很多。至于说恭亲王骄盈下官就是不说二位大人也明白，体和殿封赏宴席上恭亲王醉酒失态引起两宫太后不满，储秀宫门前殴打太监安德海，这都是人人共知的事。

"那么揽权和徇私呢？"倭仁问道。

"恭亲王食双王俸禄，为军机处首揆，又身兼内务府总管，宗人府宗令，弘德殿行走和总理衙门大臣，集军权、政权、财权、族权和外交大权于一身，这怎不叫揽权吗？"

"嘿，蔡寿祺，你也不是不知道，恭亲王的这些大权都是两宫太后加封的，怎能说他是揽权呢？"

"太后加封给他，他应该有自知之明，知难而退，见好就收，难道我朝就没有一人能够担当恭亲王这五大权的其中一职吗？他为何死死抓住不放，让更有才能人掌管一职呢？"

周祖培和倭仁也觉得蔡寿祺言之有礼，至于徇私就不再寻问下去，他们明白，在大清朝的官场上，想找到一个不徇私的官员恐怕都找不到。人们常说：三年清知府，十万雪花银，这话一点也不假。乾隆朝的刘镛一向被认为是青天，都说他一生为官几十年，到头来两袖清风，也只是一个比喻说法。而其实，刘镛的清廉是相对于贪得无厌的和珅讲的，与和珅比起来刘镛算是两袖清风，但他的家产又何止十万雪花银呢？

恭亲王身居要职，虽食双王俸禄，但那点微薄的收入如何够恭王府开支的，接受的贿赂，利用手中大权捞取点个人小利也是可以理解的。他身居高位、亲朋好友偶尔找他行个方便开开后门也是常有的事。

周祖培和倭仁知道想在蔡寿祺身上做文章为奕訢开脱罪责是不可能的，太后的意志谁敢违抗呢？可是，让他们拿出处罚奕訢的方案来他们也决不会干的，明哲保身是聪明之举。

等到蔡寿祺走后，周祖培同倭仁商量说：

"倭大人，蔡寿祺是受太后所指使上这一折子是显而易见的，咱们得罪不起太后也得罪不起恭亲王。太后把难题交给我们，要借咱们的手处罚恭亲王，这是拿咱当刀耍咱不能同蔡寿祺一样卑鄙无耻！太后把球踢给咱，咱重新踢回去，至于太后如何惩处恭亲王就与我们不相干了。"

倭仁也认为最好的办法就是这样，两人又慎重商量一番才上了一个折子：

皇上皇太后启：蔡寿祺参劾恭亲王奕訢四大罪状：纳贿、骄盈、揽权、徇私，对答中蔡寿祺均系风闻，无确凿证据。蔡虽不能指出实证，恐未必尽出无因，纳贿非外人所能见到，至骄盈、揽权、循私必于内廷召对时所流露，难逃圣明洞鉴，黜陟大权操之于上，裁减事权以示保全懿亲之处，恭候实断。

慈禧太后接到周祖培与倭仁的折子，气得拍案骂道："两个浑蛋真是老奸巨滑！"

慈禧无奈，骂归骂，既然责任又被推了回来，自己不得不主动去做，要么不做，要做就干到底，不把奕訢推下台决不罢休！

慈禧拿着周祖培与倭仁的折子来到钟粹宫，慈安接过折子一看，这是他早就料到的，慈安说道：

"妹妹，既然蔡寿祺均系风闻，又拿不出真实证据来也就算了，只当作给奕訢敲个警钟吧，我等几天再召见他一次，训斥他几句，让他有则改之无则加勉，妹妹以为如何？"

　　慈禧一听可不乐意，自己费了九牛二虎之力，挖空心思就是要惩治一下奕䜣，而慈安仅仅要求训斥几句就算了事哪行？

　　慈禧建议说："姐姐请三思，蔡寿祺虽是风闻也是事出有因，纳贿徇私是私下暗中所为如何拿出证据呢？奕䜣还没有傻到接受别人的贿赂四周宣扬的程度吧？这事当然查无实证了。至于骄盈、揽权这就不必说了吧？姐姐不能不当心，奕䜣身居五职，总揽五大权在我朝自开国以来也是罕见。与其将来出现大权旁落的局面，不如防患于未然，先将奕䜣的几大特割减一二，姐姐以为如何呢？"

　　"这——"慈安仍觉得为难，"妹妹，奕䜣的五大权也是咱姐妹加封的，并不是他自己夺取的，奕䜣虽拥有这几大权，但行为尚且端正，并没有做出什么过份的事来。如今南方长毛刚刚被剿灭，北方捻匪仍然猖獗，立即将有功之人裁撤，会不会令朝臣心寒，认为只能同咱姐妹同苦而不能同乐，将来谁还甘愿为咱姐妹卖命呢？以姐姐之见，暂且把这事压下，等过了一段时间，天下太平后再同奕䜣商量一下，让他主动让出几项大权，总比咱们姐妹刀枪相逼要好吧。"

　　慈禧有点火了，不耐烦地说道：

　　"姐姐，你是太仁慈了还是一心只想袒护着奕䜣？事情到了这种地步，你仍然不愿着实将奕䜣治罪，你居心何在？是不是对奕䜣产生了爱慕之情？或者你们两人背后——"

　　"住嘴！"

　　慈安气得面色铁青，嘴唇发抖，大喝一声。

　　慈禧更加得意了，冷冷一笑，放肆地说道：

　　"心里无事不怕鬼敲门，为什么我一提起这事你就发火，莫非心里有鬼，背后真干了什么见不得人的勾当？现在我才明白，你口口声声为大清国着想，而实际上不过是袒护自己的心上人。”

慈安霍地站了起来，走上前两步，举起巴掌就朝慈禧脸上打去，巴掌举到半空又停了下来，气急败坏地喝道：

“那拉氏，你给我滚，滚！”

慈禧没想到慈安会发这么大的火，也站了起来，连声说道：

“好，我走，我走，无论你怎么袒护奕訢我都要治他的罪。”

“随你的便，你想怎么将他治罪就怎么治，后果由你负责，倘若大清朝的江山出现什么乱子，我——”

此时此刻，慈安想起了咸丰帝留下的遗诏，十分后悔自己一时感情冲动把遗诏给撕啦。

慈禧气呼呼地回到储秀宫，也不管青红皂白，随手写下一份诏书：

谕在廷众王大臣等同看：本月初五日，据蔡寿祺奏：恭亲王犯下四大罪状：纳贿、骄盈、揽权、徇私，多招物议，种种情形等弊，似此劣情何能办公事？查办虽无实据，但事出有因，究属暧昧，知事难以悬揣。恭亲王从议政以来。妄自尊大，诸多狂傲，倚仗爵高权重，目无君上，视朕冲龄，诸多挟制，往往暗使离间，破坏两宫太后和睦。每日召见，趾高气扬，言语之间，许多取巧，满口胡谈乱道，凡此诸种行为，以后何以能办国事？若不及早宣示，朕亲政之时，何以能用人行政？凡此种种重大情形，姑免深究，以示朕宽大之恩。著毋庸在军机处议政，革去一切差使，不准干预公事，以示朕保全之至意，特谕。"

慈禧写完谕旨，从上到下又细细读了一遍，觉得很满意，这才钤上放在自己这里的"御赏"印，又让安德海把皇上找来。

同治来到储秀宫，慈禧待他坐好便直接说道：

"蔡寿祺参劾恭亲王的事皇上也已经知道，恭亲王犯下四大罪状，不能不惩治，额娘为皇上写好了谕旨，也已经加盖了印章，请皇上在上面盖印吧。"

同治接过谕旨一看，战战兢兢地问道：

"额娘，这对六叔的处罚重了一些吧？额娘是否同皇额娘商量过？"

慈禧一听儿子这样问，十分生气，刚刚平静下来的心火又冒了出来，大声斥道：

"不同她东宫太后商量额娘就没有下旨的权力吗？哼，额娘这样做都觉得对奕䜣的处罚太轻了，你还替他讲情？额娘这样做是为你着想啊，奕䜣如今是大权在握，如不及早将他除去，待你亲政后如何能够将他治服！只怕到那时会把皇上给架空的，额娘不想眼睁睁地看着皇上成为别人的傀儡？"

同治看看额娘，又不服气地说道：

"额娘，恭亲王是儿臣的六叔，他待儿臣一向挺好，也没有发现什么不妥的行为，不至于像额娘所说的那样吧？依儿臣之见，对六叔还是从轻发落吧？先割去议政王一职，其余大权暂且保留，额娘以为如何？"

慈禧一听，又气又恼，伤心地哭了起来，边哭边说道：

"皇上如今长大了，也快要亲政了，要额娘没有用了，再过上几年也许要把额娘赶出宫呢？额娘一把鼻涕一把泪把皇上养大，受的罪不说，命差点搭了进去，这倒好，受他人唆使处处与额娘作对起来。皇上是额娘的亲骨肉，额娘也就你这一个儿子，额娘的后半生全指望皇上呢？母子骨肉连心，额娘，不疼你疼谁呀？额娘平日里对皇上的确严了一些，但严是为皇上早日学得满腹经纶好独自执掌朝廷大权。额娘是直肠子人，做事直来直往，说话也是有一说一，有二说二，不会花言巧语骗人，谁知皇上却一点也不理解额娘的心情，整日里把额娘当成外人，竟和慈安太后打得火热，处处听从她的言论，把额娘的话当成耳旁风。实话告诉你，慈安太后那样做是在坑害你，她和奕䜣联起手来欺骗你。皇上如此年幼，怎能识破他们的阴谋？皇上是否听说慈安太后和奕䜣有苟且关系？如果他们将来生下皇子，这大清国的皇位还怎么会让皇上你来坐呢？"

慈禧哭着说着，见自己的眼泪并没有打动儿子的心，更加生气了，厉声问道：

"额娘同你说了这许多话，你是否听见了？"

同治木然地点点头，"额娘的话儿臣全部听到了，只是额娘说皇额娘与六叔有什么苟且之事儿臣却从来也没有听说，不知额娘从哪里听到的？只怕是谣传，皇宫这么大，宫女太监如此之多，什么谣传没有？儿臣也曾听到有人谣传——"

同治的话到嘴头下又咽了下去，他不知当说不当说。

慈禧一怔，想知道又怕知道，紧逼一声喝问道：

"有人谣传什么？"

同治讷讷地说："有人谣传额娘与安德海还有荣禄有暧昧之事。"

慈禧也料到了，但她没有想到皇上竟不分青红皂白说了出来，气得脸色惨白，上前给他一巴掌，骂道：

"混帐的东西，有人背后造额娘的谣你不制止，也相信额娘干出那见不得人的事，额娘是那种不识廉耻的人吗？皇上如今大了，也该长个心眼多思考一下，安德海是个太监，这是人人皆知的，荣禄虽为御前大臣，但也很少来到后宫，这是有人别有用心诬蔑额娘，实际上是侮辱皇上！"

同治脸上挨了一巴掌，虽然打得不重，但也是火辣辣的，十分恼火却也说不出口，心里道：额娘是害怕他人背后说自己，才故意这样说皇额娘与六叔有苟且之事的，我却从来也没听宫人说过这事，皇额娘不是这样的人！哼，宫中传说额娘与安德海的事已经好几年了，都说安德海是假太监呢？假不假我不曾知道，但他与额娘关系暧昧的事自己却是亲眼所见过的。

那是好几年前了，也是一个夏夜，他睡不着，偷出寝宫玩一会儿，便来到额娘的内室，刚要进去，猛着看见安德海正用双手揉搓着额娘的乳房呢？他当然羞得脸通红，又气又恼地溜回了寝宫。从那天起他证实了宫中的谣传，也恨起了安德海，发誓有朝一日亲政第一个杀的人，就是安德海。

至于额娘与荣禄的事，他也听到一些宫女太监们私下议论过，还听说荣禄是额娘的旧恋人。至于额娘与荣禄是否有过那种苟且之事他却从来也没见过，他也曾问过额娘，荣禄是否是她的旧情人，不想被额娘狠狠地骂了一顿。从那以后，他再也没有在额娘面前提起过荣禄。

同治捂住脸低头在那里胡思乱想一阵子，委屈的泪水也在眼眶里打转，他已经长大了，又是皇上，一国之主，额娘怎么该打他呢?

　　慈禧也是听到儿子说了自己那些不该说的话,在气极的时候才打了儿子,这是第二次打儿子。打过之后慈禧也后悔了,站起来走到儿子跟前用巾帕给同治擦一把泪水,哄骗说:

　　"皇上如今也已渐渐长大了,对他人的话应该能分辨出是非,对那些诬蔑额娘的话,皇上听到应该制止,将他们痛打一顿,甚至杀掉,怎么能够也像那些别有用心之人一样人云亦云呢?哼!若让额娘听到有人敢乱嚼舌头,说出这不三不四的话,额娘杀他全家,灭他九族!皇上不要伤心了,今日就在这里用餐,额娘着人给皇上做几道可口的饭菜,额娘好久没有同皇上在一起吃饭了。"

　　慈禧一边吩咐宫女去御膳房备饭,一边又把那份写好的谕旨递过去:

　　"皇上快着人把你的'同道堂'印章取来盖上,明日还要诏告文武大臣呢?"

　　同治无奈,派张德顺去取印章。

　　谕旨一发,满朝文武大臣和亲王贝勒都十分震惊,一时都猜不透恭亲王和两宫太后之间发生了什么重大矛盾。同时,一些见风使舵的大臣为了不致于惹火烧身,也都纷纷躲开奕䜣,拒绝同他往来。当然,也有一些奕䜣的得力助手纷纷为他的复职奔波。

　　军机大臣文祥、宝鋆、曹毓瑛把惇亲王奕誴、钟郡王奕詥、孚郡王奕谵等人找来聚集在恭亲王府,共同商量对策。

　　文祥先说道:"两宫大后不顾事实,暗中指使奸佞小人参劾恭亲王，这是兔死狗烹之作为，我等必须竭力抗争，为恭亲王鸣冤。”

曹毓瑛问道：“以文大人之见，如何鸣冤？”

“两宫太后不同军机处商量，私下谕旨解除恭亲王一切职权，我等停止一切军机处事务，让军机处瘫痪，就说军机事务一向由恭亲王负责，失去他，军机处无首脑，枢廷无法工作，请求太后给恭亲王复职。”

“倘若太后不买咱们的账，认为我等是恭亲王死党，一并撤职怎么办？”宝鋆提议说。

“你们放心好啦，两宫太后决不会这样做的。因为撤除恭亲王的职位谕旨是慈禧太后所为，慈安太后根本没有同意，慈安太后也正为这事和慈禧太后生闷气呢？准备规劝慈禧太后让恭王复职。”

曹毓瑛一听惇亲王奕誴这么说，更来了精神，因为奕誴和咸丰帝奕詝是同母亲亲兄弟，在所有的亲王中和两宫太后的关系最重，他的话对两宫太后来说是有份量的，有他开口两宫太后不会不给面子。

钟郡王奕诒问道：“两宫太后早已料到军机处会偏向恭亲王，因此在召对时反留下内阁大臣，而赶走军机大臣，从这一点看，两宫太后处罚恭亲王的决心很大。我等要想让太后同意给恭亲王复职，必须先拢住内阁大臣，让周祖培、倭仁、瑞常等人也站在恭亲王的立场上向太后施加压力，这样效果可能好一些。

几个人一边商议，一边派人去请周祖培、倭仁、瑞常、吴廷栋等人。

时间不长，这几人也来到恭亲王府，他们明白文祥请他们到此的真相后，周祖培说道：

"既使文大人不请我等到此，我们也会为恭亲王的复职奔走的，但从太后与我等几次召对的语气态度看，慈禧太后惩处恭亲王的态度十分坚决，要想让恭亲王完全复职的可能性不大。

奕谅叹口气，"能恢复几职就恢复几职，我等尽力争取就是，即使不为恭亲王也决不能眼睁睁地看着西太后如此横行吧，只怕如此长期下去她要做武则天第二呢？先皇当年就有除去那拉氏之意，只因慈安太后等人竭力求情才免她一死，谁知西太后竟然一天天把大权揽到手中，如今慈安太后也让她几分呢？"

倭仁却不这样认为，他说道：

"两宫太后如今突然下谕旨开去恭亲王的一切职务也在情理之中，我们不能仅仅站在恭亲王的立场上看待这件事，也应该站在太后的立场上考虑这件事。太后是觉得恭亲王的权势越来越大，担心皇上亲政后无法驾驭恭亲王才这样早早铲除后患的，多尔衮为前车之鉴，不能不令两宫太后担忧，如果恭亲王能够时刻牢记'功高震主'的古训也许不会发生今天的事。"

正在这时，醇亲王奕谟也走了进来，一听倭仁如此说话，略带不满地说：

"倭大人是两宫太后提拔上来的，自然对太后感激不尽，功高震主?！难道让每一个大臣都无功于国家社稷就不震主了？"

倭仁见奕谟说话生硬，语气对自己不满也冷冷地说：

"醇王若为恭亲王抱亏，就亲自去两宫太后那里为恭亲王鸣冤，你既是亲王又是当今皇上姨父，说话比别人有力度，也许太后会看在醇王爷这小叔与妹夫双层亲戚的立场上饶过恭亲王的。但醇王也应该明白，恭亲王在两宫太后面前的言行也确实有骄盈失礼的方面，你不是也多次提醒过恭亲王吗？"

醇亲王奕譞的气消了下来，倭仁说得也有道理，太后如今借蔡寿祺参劾之际将他革去一切职务，也不是一天两天才有这种想法的，或许是积多成怨吧。奕䜣没有听从别人劝说，做事骄狂一些，偶尔在太后面前不慎失礼的事也是发生过的，比如殴打安德海一事吧，做得就不明智。还有，奕䜣也忽视了为官清廉的原则，利用职权徇私纳贿的事也不是毫无根据，仅内务府的亏空就令两宫太后怀疑。当然，如今世道，满朝文武谁人不贪，但奕䜣树大招风，有个小小举动便会被仇敌抓住把柄上报给太后。唉，事到如今也不能放手不问。

奕譞与奕誴带领众人刚要去面奏两宫太后，为奕䜣求情说理，奕䜣进来了，阻止众人说：

"各位的心意我奕䜣领了，但你们不必去向太后求情，去也没有用，会更加激起两宫太后铲除我的心念呢？也许认为你们都是我的私党，是故意联合在一起向太后示威的。倘若这样就更坏了，你等前去求情只能起反作用。何况西太后对我不满也不是三天五天了，她早有除去我的心思？"

奕譞看看奕誴，"五哥，你以为这事如何处理呢？"

惇亲王奕誴想了想，说道："如此说来大弟复职一事希望不大？不过，我等可以尽力争取一下，看看太后是否有让步的态度，然后再相机行事。"

　　曹毓瑛急忙说道："如果想让恭亲王全部官复原职也不太可能，太后既然下达了谕旨，这个面子也不能不给呀，不如我们联合上奏皇上皇太后，让太后革去恭亲王的议政王头衔、内务府总管大臣一职，其他几职保留。这样，既满足太后打击恭亲王的心思，又保住恭亲王的位子，你们以为如何？"

　　奕譞点点头，"这样也好，不作出一点让步，西太后也不会让步的，六哥不如亲自上一份《请安折》，算是对太后认错悔过，也是给太后一点面子吧，六哥以为怎样？"

　　奕䜣摇摇头，"坚决不写！官我是做够了，出力不讨好，用你的时候提你一把，不用的时候又一脚踢开，这是用人朝前不用人朝后，不如无官一身轻，在家享清闲呢？"

　　奕譞又劝道："六哥不为自己着想也应该为大清江山着想，皇上如此年幼尚不能亲政，西宫权力欲望太大，为人也心胸狭窄，东宫为人太心地善良，只怕长期下去西宫专权，把朝政搞得乌七八糟，大清江山就会丧送在这个女人手里，你我兄弟几人都堂堂七尺男子汉抗不住一个女人，若坏了我大清江山，你我兄弟几人如何面见九泉之下的父皇？"

　　奕䜣低下了头，满眼含泪说道：

　　"既然七弟这么说，千金重的担子我一人担着，再大的屈辱我也忍着，这折子我写！"

　　奕誴说道："这几天你先在府上歇着，静养一下，让心情也平静下来，那份《请安折》也不用你写，由曹大人代劳吧？"

　　曹毓瑛点头同意。

　　奕譞又补充说："去面见两宫太后也不必去这么多人，

有我和五哥两人就够啦，请曹大人尽快将《请安折》写好就可以了。"

看着众人离去的背影，奕䜣心里很不是滋味，自己可谓几上几下了。当初，大行皇帝在位时，对自己也是既用又罚，处处钳制自己，让自己为他卖命却又不放给大权，以致在大行皇帝病死热河时，八名赞襄顾命大臣都没有自己，甚至不准许自己去热河叩拜，兄弟之见的猜疑到了水火不相容的地步。肃顺等人弄权朝政，皇权眼看要旁落易主，在这关键时刻，是自己冒着生死危险多方联络，才制服奸凶力挽狂澜。

不错，两宫太后给他优越的地位，也让他大权重握，但自己掌权而不是弄权专权，事事请奏，从来也没越雷池一步。说心里话，自己何偿不明白，太后给自己权是为了让自己为她们卖命。如今倒好，眼看天下要太平了，太后用不着自己了，又一脚将自己踢开。

几声清脆的鸟鸣惊动了奕䜣的沉思，他缓步踱到廊檐下，见鸟笼中早已没有食物，几只鸟雀正饿得喳喳叫呢？

奕䜣十分生气，正要发火训斥宫人，见女儿荣荣走了过来，把一些食物放进鸟笼。他叹息一声，忍住了心中的火，对于自己，这鸟不就是奕䜣吗？恰恰相反，每次想起这几只鸟都是在失意无聊时，而自己大权在握，整日宾客满庭，自己也是奔走各大部门，哪有心思顾及这几只鸟雀，更不会留心这鸟儿乞食的叫声。

"荣儿，让阿玛给鸟雀添食吧？"

奕䜣走了过去。

"阿玛，你心情不愉快就好好散散心吧，让我来做。"

　　奕䜣站在那里一动也不动，昂起头来瞭望庭院上空的一方蓝天。

　　"阿玛，听说你又和皇额娘闹不和，女儿想入宫见见皇额娘，为阿玛解释一下？"

　　"不去！"奕䜣生硬地说道，"没有什么要向她解释的，阿玛没有错！"

　　"阿——玛——"荣寿固伦公主撒娇说，"皇额娘的脾气阿玛也不是不知道，你硬她也硬，你软她也软，胳膊是拧不过大腿的。皇额娘革去阿玛的职权也许是对阿玛有所猜疑，树大招风，木秀于林风必摧焉，阿玛也应该见好就收，依女儿之见，如果阿玛提前向两宫太后提出辞请，主动辞去儿职，也许就不会发生今天的事了。功高震主，这是古训了。"

　　奕䜣一想想女儿的话也有道理，可事到如今已经是亡羊补牢，后悔也晚了。自己在许多事的考虑就不如女儿那么周到，比如同慈禧太后相处，他总觉得自己在太后面前讲话总是那么生硬，也都是直来直往，有时候也想讨好几句，可总是讨好得不是地方，也就是人们常说的拍马拍到蹄子上了。而女儿就十分乖巧，同慈禧的每一次谈话都让太后哄得哈哈直笑，她的每一句话都让太后听了顺心入耳。

　　不知何时，福晋也走了过来，轻声安慰说：

　　"王爷，就让荣荣去宫中一趟吧？去了总比不去好，人在矮檐下不能不低头啊！"

　　奕䜣点点头算是答应了。

　　奕䜣待女儿给鸟儿加满食物，自己站到笼前，撩拨起笼中的鸟儿来，看着蹦蹦跳跳的鸟儿，听着它们的鸣叫，虽然不懂鸟语，但也可以体味到鸟儿的心情，也许鸟儿正如自己现在一样，这鸣叫是独自诉说，或许是向自己抗议。鸟儿渴望自由、渴望天空、渴望森林，正如自己渴望权势、渴望名位、渴望利禄一样，但自己只有进入朝廷的笼子才有这一切，鸟儿却与自己相反，它只有飞出自己的笼子才能获得想得到的一切。

奕䜣轻轻打开了笼子的门，一对鸟儿欢快地鸣叫着飞向天空。

福晋一看，以为奕䜣疯了，失声叫道：

"王爷，你——这是精心侍养多年的宠物，你怎么把它们放啦？"

奕䜣回过头，注视一下福晋笑了。

"鸟儿应该到它应该去的地方去，我满足鸟儿的愿望，也不知太后能否满足我的愿望？"

说到这里，奕䜣脸上的笑容消失了，又浮上一层阴云。

荣寿固伦公主来到储秀宫，慈禧正和宫人一起玩踢毽子的游戏。

荣荣上前跪拜说："荣荣拜见皇额娘，祝皇额娘圣安！"

慈禧一看荣荣来了，马上放下手中的毽子，满脸堆笑说：

"原来是荣荣来了，我的乖女儿，快快起来，别跪坏了身子。"

"谢皇额娘！"荣荣站了起来。

"皇额娘早就想你了，几次让你阿玛传话让你来宫中陪一陪皇额娘，也一直不见你来。"

"请皇额娘见谅，孩儿一直脱不开身，额娘，身体一直虚弱，阿玛最近也病了。"

慈禧心道："你阿玛是因为我革了他的职气病的吧。但她却不能这么问，装出十分关心的样子问道：

"你阿玛得的什么病？重不重？有没有请御医看过？"

"多谢皇额娘关心，阿玛患那病已经多年了，听御医说是长期操劳过度，积劳成疾，再加上阿玛饮食起居没有规律，才形成的这病。"

慈禧点点头，又装作无心的样子问道：

"你阿玛每天的生活是怎样安排的？"

"回皇额娘，阿玛每天起得很早，睡得却很晚，早晨起来先安排一下自己一天的事务，然后就忙着上早朝，有时早晨饭也来不及吃，阿玛每天都干了些什么儿臣一点不知，但阿玛每天很晚才休息，经常把卷宗带回府中批阅。额娘见阿玛太辛苦，劝他辞去几职，阿玛总是叹息，说等到天下太平，皇上亲政后他就什么也不干了，安心在府中陪额娘安度晚年。"

荣荣说着，抬头看看慈禧，又问道：

"最近几天阿玛情绪很坏，听说阿玛惹皇额娘生气了，他正在府中懊恼呢？"

慈禧淡淡地说道："你阿玛多虑了，并非皇额娘为难他，是有人参劾你阿玛犯了四大罪状：纳贿、骄盈、揽权、徇私，这四大罪状虽然查无实据，但也事出有因，皇额娘和慈安太后刚才商量一下，免去惩罚，开去你阿玛的一切职务，令他在府中静养几日，也反思一下自己的行为。如果不这样何以威服朝中其他大臣呢？你阿玛皇室亲王，在他身上敲个警钟是给满朝文武一个警示，让他们明白恭亲王犯法都要严惩，更何况他们那些一般朝臣呢？执法必严，严应从上起，只有上行才能做到下效。回去之后告诉你阿玛也不必烦恼，等过了一段时间，这件事平息后，再想法恢复他的职位。"

"荣荣代阿玛先谢过皇额娘。不过，阿玛说他不在乎职位的恢复与否，他说自己觉得委屈，是树大招风，惹人嫉妒，每天都在府中自责自悔呢？说等几天后，身体稍稍恢复就入宫向皇额娘赔礼呢？"

"那倒不必了，让你阿玛好好在府中养病，待病愈之后再说吧。"

荣荣点点头，"皇额娘近些日子玉体圣安吧？"

"多谢荣儿挂念着皇额娘，皇额娘的身体还好。"

"皇额娘每天日理万机，一定要注意身子骨，平日多休息多锻炼一下，如果皇额娘乐意，孩儿今后多来宫中陪陪皇额娘说说话，锻炼一下身体，让皇额娘解解闷。"

慈禧笑了，"还是女孩家心细，皇上可从来也没这样关心过皇额娘呢？皇额娘都一直想把你接入宫中居住？只怕你阿玛和额娘不同意。有荣儿在身边，皇额娘也多个说话的人，少寂寞一些。"

"只要皇额娘乐意，荣儿会时常服侍在皇额娘身边的。皇额娘刚才说皇上很少陪陪皇额娘，皇上渐已长大快要亲政了，还是读书学习的大好时光，心思都用到书本上了，那像荣荣整日只懂绣花做衣之类的小事儿。皇额娘不应责怪皇上，应该高兴才是，因为皇上长大了，能够为皇额娘分忧解难了。皇额娘，是吗？"

慈禧连连点头，"荣儿说得对，应该高兴，应该高兴！"

这时，太监来报，说惇亲王与醇亲王来见。

荣儿立即说道："皇额娘有要事在身，孩儿告辞了。"

"荣儿别走，今天留在宫中吃饭，皇额娘好久没有同荣儿在一起用膳了，回头让皇上也来，咱娘儿几个好好乐一乐。"

荣荣只好点头答应。

慈禧来到乐寿堂，奕谅奕谭已经等候多时了。

拜见完毕，慈禧径直问道："不知二位王爷到此有何公务？"

奕谭率先说道："回太后，我们二人是受朝中众大臣之托特来启奏太后有关对奕䜣惩处的事。"

"哦，有什么话尽管说罢？"

慈禧心道：即使你们不说，我也明白你们的意思，你们这些人多日来可都没有闲着，四处活动，哼，没有我慈禧发话，谁也别想让奕䜣复职？

奕谅先把曹毓瑛代写的一份《请安折》递给慈禧说："太后，奕䜣十分后悔，他反思多日向太后认错悔过呢？肯请太后谅解。"

慈禧接过请安折一看，言辞也算恳切，仔细一看，字迹不像奕䜣所写，把折子往旁边的案子上一放，十分不满地问道：

"这《请安折》似乎不是出自奕䜣之手吧，字迹不像呀？"

奕谭立即附和说："太后真是好眼力，这折子的确不是奕䜣所写，是奕䜣口述，曹毓瑛代写，奕䜣这多日来身体不适，几乎不能下床，请太后见谅！"

慈禧这才嗯了一声。

"奕䜣本来要亲自送来，一是因为身体欠佳，二是担心太后责备，特请我们兄弟二人代劳，望太后见谅，谨望太后看在手足之情的情份上收回成命，从轻发落?"奕谅又说道。

"满朝文武大臣对此事有何议论呢?"

"回太后，满朝文武耸动，一致认为对奕䜣处分太重。"奕谅小心翼翼地说。

"依你们之见，应该如何处置奕䜣呢?""这——"奕谅一时不知从何说起，他想说最好是免去处罚，又怕这话一出惹慈禧生气，把事情办得更糟，便看看奕谩，示意奕谩先说。

奕谩会意，躬身说道:

"奕䜣纵然有错，也多是生活小节，太后谕旨已令他警醒，何况现在太平天国长毛余党未尽铲除，北方捻匪猖獗，正是用人之际，群臣一致认为开去奕䜣所有职权实在不妥，请太后站在朝廷大局立场上——"

不待奕谩说下去，慈禧立即喝斥道:

"难道本宫开去奕䜣的职权是为了报私仇不成? 本宫见他居功自傲，为官不检点才这样做的，一切都是从朝廷大局出发，你怎敢胡言乱语妄加猜测?"

奕谩急忙恳求说:"请太后恕罪，请太后明察，卑职决不是这个意思，微臣是希望太后站在朝廷正是用人之际的立场上对奕䜣从轻发落，革去部分职权也保留部分职权。"

"醇王爷以为革去奕䜣的哪些职权又保留哪些呢?"

"群臣一致认为皇上渐大，快到亲政的年龄了，奕䜣的议政王一职可以取消了。"

"嗯，还有呢?"

奕譞又说道："群臣也觉得奕䜣内务府总管一职也可裁去，当然——"

慈禧马上打断奕譞的话，"还有呢？"

奕譞想不到慈禧真的心这狠，裁去这两大要职还不满足，他推辞说：

"群臣只议论裁去奕䜣这两职，对于其他职权都主张保留，群臣说奕䜣掌管军机处多年积累了丰富经验，这许多年来，军机处也确实做出了不少成绩，特别是平定南方长毛叛乱上面可谓功劳显著，如果开去此职恐军机处一时无首陷于瘫痪。对于总理衙门一职，群臣也一致认为非奕䜣莫属，如果裁去奕䜣恐怕洋人也不会同意——"

奕譞刚说到这里就被慈禧打断了，"本宫明白了，此事让我再同慈安太后商议一下，如果你们没有别的事可以回去啦。"

慈禧毫不客气地下了逐客令。

奕谅和奕譞无奈，叹口气，同声时退了出来。他们回到恭王府，把奏折情况详细回报众人，都认为奕䜣恢复职位尤望，谁知几天后两宫太后发出谕旨：

恭亲王谊属至亲，职兼辅弼，在诸王中倚任最隆，恩眷极渥。特因其信任亲戚，不能破除情面，平日于内廷召对，多有不检之处，朝廷杜渐防微，恐因小节之不慎，致误军国重事。日前将恭亲王过失，严旨宣示，冀其经此惩儆之后，自必痛自敛抑，以小惩大诫，曲为保全之意。兹览王公大学士等所奏，金以恭亲王咎虽自取，尚可录用，与朝廷之意正吻合。见既明白宣示，恭亲王著即加恩仍在内廷行走，并仍管总理各国事务衙门事务。此后惟当益矢勤慎，力图报称，用副训诲成全至意！特谕。

奕䜣接旨后，见两宫皇太后只恢复了自己"在内廷行走"，"管理总理各国事务衙门"的职务，革去"议政王"与"军机大臣"的实权，心里很不是滋味，却又有苦说不出。无论如何，太后还是给自己留了点情面，在军权、政权、财权、族权、外交大权这五权革去了军权与政权，给他保留三大权也算是满面子了。但奕䜣知道自己不能进入枢廷参与国家机密大事，对于一个热衷于大权的人无疑又是一次重大打击。

虽然如此，还必须亲自去叩拜两宫太后，以示感激之情。

奕䜣在奕誴、奕谖等人陪同下来到养心殿西暖阁，他带着万分复杂的心情走上台阶，一步步走到墀阶前双膝跪下，认真地说道：

"罪臣奕䜣叩见皇上皇太后圣安，谢皇上皇太后恩！"

说到这里，不知什么原因，奕䜣竟伏在地上呜呜哭了起来，是委屈还是悔过，或许是失望，此时此刻的心情他自己也不知道，也许兼而有之罢。但奕䜣这一哭却哭得恰到好处。两宫皇太后有了面子，慈禧更是心花怒放，到底是奕䜣输了，胳膊拧不过大腿啊。

奕䜣一哭，奕誴、奕谖等人也陪着掉眼泪，皇上与慈安太后也觉得眼眶涩涩的，泪水直在眼眶里打转。

慈禧这才说道："恭王请起吧！"

奕䜣再次拜谢后才站了起来。

慈安看看诸王爷，用商量的口气对慈禧说：

"妹妹，恭王已经悔过了，如今枢廷也正是用人之际

——"

慈禧会意，不待她说下去，冲慈安点点头：

"就依姐姐所说，命恭亲王仍在军机处上行走吧，这议政也就算啦。"

恭亲王奕訢在失望至极一听又让自己在军机处上行走，虽然拿去议政王的头衔，心里仍热乎乎的，再上叩谢。

吃一堑，长一智。奕訢对慈禧太后又多了一层了解。

二、捻军东征

僧格林沁顾不上王爷的尊严，急忙跪地求饶。

"朕喜欢谁就是谁，朕还要纳你为妃呢！"

"她一名下贱宫女，怎配做皇上的妃子呢？"

太皇太妃一头撞向殿堂的柱子上，顿时脑浆迸裂。

五月的骄阳烘烤着大地，白花花的阳光刺得人睁不开眼睛，一队衣衫破旧但斗志昂扬的人马正从西往东急驰着。

随着一阵急促马蹄声，从后面跑来一位慓悍干将，对并排走在前面的两人一拱手说道：

"宗禹哥、大喜哥，我们是否先下令休息一会再走，战士们太累啦。"

张宗禹和陈大喜同时看看越升越高的太阳，见战士们确实汗流浃背，点点头：

"禹爵，你去下令吧？"

"是！"

张宗禹一抖马缰绳又跑开了。

战士们都坐在树下乘凉，随便吃点干粮喝口水。张宗禹、张禹爵、陈大喜三人围坐在一个土坡上商量着这次东征的军事部署。

张禹爵十分悲愤地说："我们西捻军这次挥师东征，倘若不能打败僧格林沁的部队，击毙这个老贼为父王报仇，我死不瞑目，也无脸去见九泉之下的父亲。"

"禹爵，不用悲伤，只要我们能够在张庄寨与邱远才、赖文光的东捻军会师，就一定能够打败僧格林沁，至于能否击毙这个老贼和叛徒潘贵新只能根据军事的部署的进一步周密情况而定，意外情况也要考虑。僧格林沁老奸巨滑，万一看破我的计划就难说了。"张宗禹安慰说。

张禹爵叹息一声，"几年来，我一天也没忘记这父仇家恨，想不到西阳集分兵竟是和父王的永别。"

张禹爵黯然神伤，几乎流下泪来。

"禹爵，你的心情我理解，我也从来没有忘记叔父的养育之恩，是叔父把我养大成人的，为叔父报仇我也时刻牢记在心。"

陈大喜愧疚地说："我没有保护好沃王，这次回来一定手刃僧格林沁和潘贵新，如果不是为沃王报仇，我也不会忍辱活到现在。"

"陈大哥你不必内疚，这不能怪你，都是潘贵新那个叛徒的罪过。"张禹爵说道，"任化邦愿意与我们合作，一是为了给我父王报仇，也是为了抓住潘贵新这个叛徒。"

张禹爵点点头，"僧格林沁也许仍认为我们远在陕南呢？他做梦也没想到我们会突然杀回来，给他一个措手不及。因

此，这次东征在与东捻军汇合后，一定要秘密进行，决不能
让僧格林沁有所发觉，否则，歼灭他就落空了。"

"汇合以后是两军同时前进，还是分兵前进呢？"张禹爵
问道。

张宗禹分析说："僧格林沁的部队在亳州，任化邦与遵
王赖文光的部队在张庄寨，我们会师以后分头前往亳州包抄
僧格林沁，力争将他的人马消灭在亳州附近。我们也给他来
个层层围困，正像当年他在雉河集老家围困我们一样，这叫
依其人之道反治其人之身。"

张禹爵听后，沉思一会儿说：

"宗禹哥，如果按照这样布署打败僧格林沁的希望不大，
即使侥幸取胜也要付出惨重代价。"

张宗禹不解地问，"何以见得？我们东西捻军人马合并
一起有六十万人，而僧格林沁也只有四十万人，怎能说胜的
希望不大呢？"

张禹爵分析说："从两军合并后的人数上我们是比僧格
林沁多一些，但我们的武器装备远远抵不上清兵，何况我们
是围攻僧格林沁老营，他们兵多粮足，兵器精良，如果坚守
亳州不出，我们仅仅包围着，一鼓作气攻不下城，对我们十
分不利，我们一惯都是流动战，打一地换一地。如果湘军相
峙一久，我们的供给跟不上，到时被迫退出，可能会被清军
随后掩杀呢！六十万人的粮草不是个小数目呀？"

张宗禹也陷入了沉思。

张禹爵又说道："我们这几十万人会合一处也难免不被
僧格林沁觉察，他一旦觉察必然四处告急求援。瑞麟、丁宝
桢、李鸿章的人马都会很快赶到。即使会合之时不被发觉，

我们把僧格林沁包围在亳州，他坚守不出，我们又一时攻不下城，周围几地的清军也可能闻讯救援。如果清军内外挟攻，我们必败。"

张宗禹也意识到张禹爵分析得有道理，不能冒然进军会师，必须重新调整军事部署。可又怎么调整呢？

张宗禹问道："你是怎样认为的？"

张禹爵答道："一路上我一直在思考这个问题，直到刚才也才想出个眉目，也不知行不行？"

陈大喜催促说："你先说说看，咱们哥儿几个研究研究。"

"我们不如把军队开往一个秘密的地方埋伏起来，暂时不与任化邦的人马汇合，让他带领队伍把僧格林沁的兵马引出亳州，引到我们埋伏的地方，然后两支人马汇合一处将僧格林沁就地包围起来，一举歼灭他。"

"嘿！这倒是个好主意。"陈大喜说道，"只是我们把人马开往何处呢？"

"从这一带的清兵部署看，许昌有瑞麟的人马，济南有丁宝桢的人马，相对空虚的地方是这东北的荷泽一带没有清军大队人马，我们不如把军队开往那里埋伏。"

张宗禹点点头，"行是行，只是我们已经同任化邦和赖文光联系好，约定在张庄寨会合，他们一定在那里等待我们怎么办？"

陈大喜说："派人快马去张庄寨通知任化邦，把我们的计划告诉他，让他派兵把僧格林沁人马引出亳州，就说在荷泽会兵，你们以为怎么样？"

张宗禹犯难地说："事到如今突然改变战略任化邦会不

会怪罪呢？如果他不同意合作，我们的计划再周密也是泡汤。”

“你们放心好啦，任化邦不是那样小心眼的人，何况他也想打败僧格林沁，不打败他，任化邦的东捻军就时刻受到威胁。对于打败僧格林沁，他的心比咱们还急呢？”

“如果真是这样，就应该立即行动，我们带领大军向东北方向挺进，陈大哥你再去任化邦那里跑一趟，因为只有你去最合适，你和他关系较近，能够说动他，其他人都不合适。”张宗禹说道。

张禹爵也说道：“陈大哥，又要劳累你再奔跑冒险，小弟我——”

陈大喜握住张禹爵的手，“禹爵弟，你不用再说了，为了给沃王报仇，为了给咱死难的捻子兄弟报仇，也为了咱捻军发展壮大，我陈大喜死也不会摇头，跑跑腿算什么，那我现在就走了。”

陈大喜翻身上马，刚要走，张宗禹又叮嘱说：

“一路小心！如果任化邦不同意，你立即北上与我们会合，如果他接受我们改变战略的要求，你和他一同行动，我们在荷泽会师。”

陈大喜一抱拳，“二位兄弟，后会有期！”

说完，一甩马鞭，一溜烟消失在视野中。

张庄寨任化邦大营。

遵王赖文光、任化邦正在谈论会师南下亳州围歼僧格林沁之事，忽然接到探马来报，说西捻军将领陈大喜有急事来见，任化邦立即出营相迎。

　　任化邦特别敬重陈大喜，一是两人并肩战斗多年结下深厚的友谊，二是陈大喜为人坦诚忠厚不骄不躁，追随沃王多年，没有丝毫私心杂念。由于叛徒潘贵新告密，西阳集张乐行被俘，后来被僧格林沁处斩，陈大喜曾在任化邦营中领兵，也为他立下不少功劳。尽管任化邦待他如亲兄弟，但陈大喜自愧没有保护好沃王，把自己的人马全都交给任化邦，自己一人去陕南向张禹爵谢罪。

　　这次回师东征为沃王报仇，也是陈大喜从中活动才征得任化邦的合作。当然，对于张乐行的死，任化邦也自觉心中有愧，虽然不是他告密的，但是他的手下将领出卖的，又是在自己的地盘上被俘。经陈大喜一出面要求，他立即答应了。更主要的，他也希望消灭僧格林沁老贼，不消灭他，自己在皖北的发展时刻受到威胁。

　　任化邦一见陈大喜一人突然到此，估计出了什么问题，见面之后简短的几句寒暄，任化邦就直接问道：

　　"陈将军，怎么就你一人，西捻军的大队人马呢？难道遭到清兵的埋伏？"

　　"任大哥，进帐再详谈吧？情况有所改变。"

　　众人落座后，任化邦迫不急待地询了情况，陈大喜把张禹爵的想法和新的行动向众人讲述一遍，征求大家的意见。

　　任化邦沉吟不语，半晌抬起头问道：

　　"遵王，幼沃王张禹爵的想法也有一定道理，只是按照他的计划行事能行吗？僧老贼是又奸又滑，会上我们的当吗？"

　　赖文光点点头说道："张禹爵提出的作战方案比我们原先设定的方案获胜机会更大一些，可以采用，这在兵法上叫引蛇出洞，诱敌深入。如此看来，幼沃王在智谋上胜于其父张乐行。"

陈大喜也点点头，"幼沃王虽然年轻，但才思敏捷，在领兵打仗上略胜沃王当年，如果沃王当年听取他的意见也许不致于兵败被俘。西捻军短短几年能够发展壮大到今天的规模与幼沃王有着必然的关系。"

赖文光赞叹说："捻军新一代人中能有这样的人才真是难得，从这次兵马行动的调整中，可以看出幼沃王的军事才能不弱太平天国的英王陈玉成当年。"

赖文光说到这里，十分难过地说：

"只可惜英王轻信了他人，被叛徒李兆元所出卖，死于胜保之手。唉，也许是天意，是天亡我太平天国，是满清鞑子的气数未完吧？"

任化邦立即劝慰说："遵王不必难过，太平天国虽然被攻破，太平军并未灭亡，还有我们淮北的几十万捻军呢？只要大家齐心协力，照样能够与清廷干到底。这次两军合作，倘若能够打败僧老贼，咱淮北的捻军就有出头之日了。"

赖文光见任化邦把前景看得那么美好，对自己那么有信心，也不想说什么，自从扶王陈得才死后，他兵败流落至此对一切都失望了，他曾是英王陈玉成部下杰出将领，随英王打天下立下许多战功，也因此被破格封为遵王。英王派他和扶王陈得才一同入陕发展势力，准备与英王一同从中原挟攻京津，捣毁满清老巢，迎接洪秀全天王北上。万万没有想到，天京内讧，英王也多少受到排挤，安庆一役救兵不到，英王兵败被杀。他和陈得才在陕西刚刚拉起一支人马，又接到天京危急回师东征的求救信号，被迫挥师东进，遭到清兵

挟击，陈得才死难，自己兵败被任化邦所救。天京被攻破
了，他几次想殉国都被任化邦劝阻了，如今成为任化邦的参
谋。

赖文光十分清楚捻军的处境，虽然东西捻军互相呼应驰
骋在中原一带，也让清军生畏，但捻军的前途也十分渺茫。
像张禹爵那样年轻有为的军事将领实在太少了，任化邦、陈
大喜等人都是一些诚实可靠有血性的男儿，但对于指挥打仗
实在懂得太少，更何况捻军五旗人马人心不齐，其他几支人
马已经被清军剿灭了，唯这东西两支捻军呈现上升的势头。
只可惜大势已去了，如果太平军不灭，在南方钳制清军，北
方再有两支这样强大的军队，能有几位能征惯战的将领，那
捻军的前途就难说了。沃王张乐行有天时却无人和，幼沃王
有人和却无天时，不过，从捻军这次行动部署看，打败僧格
林沁还是不成问题，只是打败一个僧格林沁，将会有更多的
僧格林沁一样的人马涌来，到那时……

赖文光正要细想下去，只听任化邦问道：

"遵王认为幼沃王的计划可行，西捻军已经北上荷泽一
带，我们东捻军如何行动呢？"

"一部分北上，一部分去亳州引诱僧格林沁人马进入西
捻军的埋伏地。"

"如何才能把僧老贼引诱出亳州呢？他会上当吗？"

赖文光认真思索片刻说："僧格林沁早就有剿灭我们的
意思，即使我们不打他，他也会派兵攻打我们呢？只要我们
派兵去打他，他一定会出兵的，然后再想法把他引向荷泽一
带。为了让僧老贼上当，可以先派骑兵扰乱他的大营，打一
阵就撤，然后再回头去打，把他惹火，就会率大军追赶我们

的，那时，我们的大军早已撤走，埋伏在预定地点，一旦清兵进入包围圈便四下围杀。现在必须派一名得力干将去引诱清兵，这次战役的关键在于如何引敌北上，能否达到预定计划，关键就在这一点上。"

任化邦点点头，他看着几位将领，想着派谁去最合适。

这时，陈大喜站了起来，"任大哥如果相信小弟就让我去吧？"

任化邦看看赖文光，赖文光想了想，也觉得没有合适的人选，任化邦的几员大将多是有勇无谋，让他们去引诱僧格林沁只怕会坏大事的。唯陈大喜长期跟随在张乐行身边，多少有些头脑，赖文光同意了。

赖文光又叮嘱说："你所率人马全部为骑兵，有五千人就足够了，但要记住，你的任务只是引诱清兵北上，不可恋战，打打停停，停停打打，把僧格林沁惹怒，也要把他的人马拖疲拖垮。"

陈大喜会意，立即带领五千骑兵出发了。

僧格林沁亳州大营刚刚恢复平静。

僧格林沁在帅帐里暴跳如雷，气得骂娘：

"你们这些狗日的王八羔子有个屁用，连个营也守不住，又让捻匪给踏平了。本帅已经下令要严加防范，就是不听，真他妈的笨蛋！"

"回大帅，捻匪全部是马队，他们来无影去无踪，让我们怎么防范？何况，何况匪徒都是夜间行动，神出鬼没。"

"哼，任化邦这小子也是孬种，不敢和本帅面对面的对阵，竟做起偷鸡摸狗的行当来，算什么英雄好汉，真是暴徒行为!"

"僧王爷,任化邦本来就是暴徒出身,当然吃屎的狗离不开茅侧。"潘贵新立即谄媚说,"也许任化邦是狗急跳墙吧,知道自己末日快到了,才敢在太岁头上动土,大帅不如发大兵到张庄寨,踏平匪徒老巢。"

僧格林沁摇摇头,"任化邦太狡猾,他不敢同本帅正面交兵,我大兵不到他人马就逃之夭夭,白白劳累我大军往返跋涉。"

"但捻匪三番五次骚扰我大营怎么办?不给他们点颜色看看,任化邦认为王爷胆怯呢?"潘贵新又说道。

僧格林沁来回踱几步,"本帅判断,任化邦多日来派马队偷袭我大营是以进为退,可能要逃往他地,他是害怕我大军追杀,才故意用骑兵前来骚扰,妄图迷惑本帅。哈哈,小儿雕虫小技怎能蒙住本王爷的眼睛。"

僧格林沁立即派人侦探任化邦大军动向。

不断有探马报来,说任化邦大军从张庄寨撤走,向北逃蹿。

僧格林沁听报后大喜,知道任化邦果然不出他所料在向外地蹿逃,但也令僧格林沁大吃一惊,看任化邦逃跑方向,似乎是从荷泽一线北上直逼京师。而这一带远离军事重镇防守空虚,万一捻匪逼近京师,造成京师危急,自己必然遭到朝廷重责,轻则降级降职,重侧罢官杀头。

最近京城传来消息,恭亲王奕诉都被免去议政王一职,不是众人求情,奕诉还可能被罢官呢?像奕诉这样有威望有功劳的铁帽子王都因办事不力遭到两宫太后处罚,更何况自己这样一个蒙古王爷呢?决不能被任化邦的花招迷惑,要阻止他的人马北上。

当初，放走一批捻匪进入陕南，加大了陕西剿回的困难，左宗棠一个折子上去参了自己一本，幸亏当时抓住了匪首张乐行，否则那一次也够惨的。这一次更不能放走捻匪，如果任化邦蹿逃到了河北，后果更严重，自己的罪责也更大。

僧格林沁不敢怠慢，他立即调动全部骑兵去追赶任化邦的人马，自己率领部分大军随后增援，又安排五万步兵负责后方供给。

僧格林沁大军刚到蔡堂集，就接到前面探马报告，说先遣骑兵在定陶遭到捻军马队袭击，但伤亡不重。僧格林沁知道这是任化邦派马队阻挠自己大军追赶，估计任化邦的大队人马不远了，他下令步兵跑步前进，一定要赶到荷泽截住捻匪北上。

僧格林沁的骑兵到达荷泽时，仍没有见到捻军的大队人马，僧格林沁起了疑心便下令就地休息，埋锅做饭，暂且停止进军，待查清敌情后再作打算。

几天的急行军，人困马乏，士兵刚休息一会，又遭了捻军骑兵的冲杀，虽然伤亡不重，但搅得人心恍恍。僧格林沁大怒，他下令潘贵新率骑兵随后追杀，让步兵稍稍休息半日。

潘贵新率骑兵沿着捻军马队的蹄印追去，不多久来到一个山坡，捻军的马队忽然不见了。潘贵新立即意识到有埋伏，下令撤军，他掉转马头就要跑，突然听到一声呐喊：

"别放走叛徒潘贵新——。"

四面站满了人，有骑兵也有步兵。潘贵新知道自己被包围了，一面拼命抵抗，一面派人突围求救。

僧格林沁听说潘贵新所率的骑兵中了埋伏，被捻军大队人马包围，又惊又气。这支骑兵是他从蒙古各部中精挑细选出来的，也是封王的资本，曾跟随自己征战各地立下汗马功劳，自己这顶科尔沁亲王的头衔都是他的这支骑兵挣回来的。如果骑兵覆灭了，他也就完了。

僧格林沁立即下令步兵跑步增援，不惜一切力量解救骑兵突围。

大队人马刚到高庄寨，迎面碰到铺天盖地的捻军从正面杀来，为首一人正是张宗禹。

僧格林沁刚要下令将士冲杀。正在这时，发现后队人马乱了，又有大队捻军从后边杀来，不多久，左右也都发现有捻军冲杀过来。

此时，僧格林沁知道中了任化邦诱敌深入之计，但为时已晚，唯一的逃命办法就是杀出一条血路来突围。

僧格林沁的兵马连天加夜行军，又不断遭到捻军骑兵袭击，吃不好也睡不好，早已人困马乏，哪经得住张宗禹与张禹爵大队人马的掩杀，早已溃不成军，死伤无数。

僧格林沁知道必败无疑，在刚一交战就悄悄溜了，趁着双方激战混乱场面向外逃蹿。刚跑不久，猛听身后一声大喊：

"僧老贼，哪里逃！"

随着一声怒喝，张禹爵一箭射出，僧格林沁胯下战马中了一箭，那马受惊，腾地一跃把僧格林沁掀翻在地。

张禹爵纵马来到跟前，用刀扼住僧格林沁的脖子怒喝道：

"僧格林沁你也有今天!"

僧格林沁也顾不上亲王的尊严,急忙跪下求饶道:

"好汉饶命,只要你放我一条生路,要什么我给你什么,我有的是银子——"

"哈哈,我什么都不要,只要你的命给我爹爹报仇!"

"你爹爹是谁?"僧格林沁战战兢兢地说。

"沃王张乐行!"

僧格林沁知道末日到来,从腰中拔出匕首猛地向张禹爵投去。张禹爵侧身让过匕首,挥剑刺去结果了僧格林沁的性命。

张宗禹、张禹爵率领西捻军将士把僧格林沁的步兵几乎斩杀殆尽。

那边,任化邦、赖文光、陈大喜等人也把僧格林沁的骑兵部队歼灭,处死了叛徒潘贵新。

雉河集。

一座长满荒草的坟前,搭起一个祭棚,灵幡飘动,纸钱飞扬。三军将士披素戴纱,静默致哀。

供桌上,除了大碗的鱼肉酒菜,最引人注目的是两颗血淋淋的人头。张禹爵和张宗禹披麻戴孝长跪在供桌前,陈大喜、任化邦、牛洛红、任柱、宋景陈等将领也陪跪在旁边。

张禹爵一声嘶裂号啕大哭在灰暗的天空中飘荡着,飘荡着。

陈大喜猛然想起多年前,随沃王南下与英王陈玉成会师,路经八公山的一段奇遇。他们曾去拜访过山上的空云大师,空云大师曾留一个谶语,说张大哥的劫数在天命之年,当时百思不得其解，这天命之年又是哪一年呢？如今想来，这天命之年不就是大哥五十岁这年吗？人们常说，四十不惑，五十而知天命，张大哥被俘牺牲恰恰五十整岁。

难道空云大师的预测是那样灵验？可他所说的大清王朝气数一事，唉，也不知张德顺到底流落何处，为何多年杳无消息呢？也许早已死于异地他乡。

炎热的太阳像个火球烘烤着紫禁城上琉璃瓦，紫红的琉璃几乎要被烤化似的，闪着耀眼的光，到处白花花的一片，令人眩目。

宫中的男男女女都不知躲在什么地方去了，林荫道旁仅有两只大黄狗在伸着舌头喘着热气。

同治躺在滕椅上闭目养养神，张德顺在旁边轻轻给他煽着扇子，同治仍然感到闷热，他翻了个身，说道：

“热，热，煽快些。”

张德顺把扇子煽快了许多。同治浑身仍然向外流大汗，同治十分不满地催促道：

“小德张，你是喝稀饭长大的吗，怎么没有一点劲，能不能再煽快一些？”

“是，皇上。”

张德顺一下连着一下挥动着扇子，双臂早已酸痛，浑身简直成了一个水驴。

同治忽地站了起来，把张德顺手中的扇子夺过来扔了，骂道：

“真是无用，没有一点儿风！”

"主子，让奴才给你煽吧？"李莲英不知何时拿着一把扇子走到同治面前说。

同治再也睡不下去，他随着从御案上拿起几份折子读起来，让李莲英给他在旁煽扇子。

自从恭亲王被罢免议政王以后，两宫太后就让皇上边读书边学着阅读奏折和批阅奏折。给同治皇上所开设的课程也主要是治国方略与用人之道，由翰林院编纂的《治平宝鉴》作为一门重要讲读内容由翁同龢负责讲授。

同治看了一会儿奏折心烦得要命，也热得浑身冒汗，他把奏折向桌上一扔，对李莲英道：

"你也不用煽了，风还是热风，煽也没用，让朕走一走，散散闷气就行啦。"

同治走出了乾清宫，向后面逛去，李莲英跟在旁边，同治走了一会儿，向李莲英挥一挥手：

"你不用跟着，朕想一个人走一走。"

李莲英回去了。同治像一头无头的苍蝇东一头西一头乱溜，也没有个目的。

同治随便走着，来到储秀宫，几个看门的太监也躲到房檐下乘凉了，他走到内堂，见大门掩着，周围也没有一个宫女太监，估计都在室内乘凉说笑呢？

同治走进内堂，踌躇一下，他想转回身。不知为何，他特别讨厌来到这个地方，一般情况下，没有事他不随便踏入这里，每次来这里，总是挨额娘的数落与臭骂，说他这做得不好，那做得也不对，真是鸡蛋里挑骨头。后来，除了每天例行的早安叩拜外，没有重要的事干脆不踏入这里。

同治刚要退出，听到室内有窸窸窣窣的声音，他悄悄贴进门缝向里一瞧，透明的帐子半掩着，母后半裸着身子躺在床上，用手勾着安德海的脖子，安德海一只手给太后煽着扇子，另一只手在太后裸露的乳房上轻轻揉搓着。

同治帝把脖子一缩，脸刷地红到了耳根，下面那玩艺儿也通地硬了起来。同治喘着粗气在门外站了片刻，急忙转过头悄悄地跑了出来，毫无目的地乱跑一气。一不小心，和一名宫女撞个满怀。

那宫女一见是皇上，吓得急忙跪下，十分不安地哀求说：

"请皇上恕罪，奴才不小心撞着皇上了，奴才该死。"

同治愣愣地看着那宫女，也不知她说的是什么，仍然喘着粗气，红着脸。那宫女一看皇上不说话，只愣愣地盯着自己的脸以为自己把皇上撞晕，急忙磕头求饶。同治这才清醒过来，一把拉过这宫女，把她推进室内，三下两下把宫女的衣服扒个净光。

这宫女也明白皇上想干什么，但她哪里敢喊。普天之下莫非王土，率土之滨莫非王臣。在皇宫大内，除了太后太妃之外，哪有不是皇上的女人？特别是一般宫女，能得到皇上的雨露那是得到世上最幸运的恩泽，说不定皇上一高兴，封个妃嫔贵人之类的也够光宗耀祖的。

同治皇上的身子虽已渐渐发育成熟，但由于整日泡在皇宫大内里面，接触的半男不女的人，可以说生活在女人与半女人的窝里，对男女之事似懂非懂。今天是受了母后与安德海的刺激，突然有一种从来也没有过的冲动，好像人性中最原始的东西被唤醒了，产生了迫切求偶的激情。

但同治帝毕竟未偿禁果，对男女之事也不太了解，再加上这名宫女也是个生瓜头。同治急得像头发情的小牤牛，就是找不到合适的地方，是越急越不中用，越不中用越是着急。忽然，心头一热，开了人生第一炮，却没有打中目标，全部流到这姑娘身下的衣裙上，姑娘羞得满脸满身都红，低着头，也不敢正视皇上。

同治也觉得十分尴尬，一边帮着这宫女擦身子，一边红着脸问道：

"请问姑娘的芳名？在哪个宫当差？"

"回皇上，奴才叫红艳，在长春宫当差，是负责洒扫的。"

同治点点头，"你如果在空闲的时候可以到乾清宫找朕，陪朕谈谈心。"

"奴才不敢，太后知道会打死奴才的。"

同治拍拍她的肩膀，也学着安德海的样子轻揉着红艳的玉乳安慰说：

"不用怕，有我呢？我是皇上，太后不敢把我怎么呢？何况我已经长大了，也该选秀女册封后妃了，只要你对朕有情，朕对你有意，就启奏太后，将来封你为妃。"

同治说完，穿好衣服走了，临走时再三叮嘱红艳姑娘去乾清宫找他。

同治路过储秀宫门前，正遇着安德海从宫内往外出。安德海马上嘿嘿一笑，点头哈腰地说：

"这大中午天这么热，皇上不再宫中歇息着，来这里有啥事呀？要不要奴才效劳？"

同治感到恶心，冷冷地回敬道：

"难道朕做什么事还要向你奏报不成？"

"奴才不敢，皇上误会奴才的意思了，小的是怕皇上热着累着，皇上如果有什么事吩咐手下的奴才做就可以了，不必亲自操劳。"

同治理也不理地走了，心中暗暗下决心，一旦朕亲政后，定要将你这狗日的处斩！

安德海见皇上不买他的账，而周围又有几个太监在旁边掩口偷笑，他觉得十分没有面子，转过身冲着嘲笑他的太监，骂道：

"兔崽子养的，笑什么笑？皇上有什么了不起的，他也要听太后的。只要太后看重我安德海，谁也别想动我安德海一根汗毛。"

这话恰好被刚走过去的同治听到，同治冷哼一声，好，我看朕能否动你一根汗毛。

同治皇上回到乾清宫弘德殿上书房，无精打采的，更不想读书，也不想看奏折，傻愣愣地坐在那里发呆。

正在这时，张德顺进来报告说，贝勒载澂来见皇上，见是不见。

同治皇上正在无聊之际，一听小哥们载澂来了，马上来了兴趣，立即命他进来。

载澂是恭亲王的长子，曾因奕訢为朝廷立下功勋而荫及儿子，被两宫太后加封贝勒，又授予辅国公头衔，十二岁时就赏给三眼花翎顶戴。经太后要求入宫给同治皇上作伴读，但这小子却不像他父亲那般榆木脑袋不开窍，不知从哪里学得那样乖巧，特别会讨好人，心眼儿很活，整日把皇上哄骗围绕着他直打转。同治特别信任他，只要和载澂在一起，他的皇上架子全没有了，像小弟俩一般亲热。载澂在宫外也向别人放言，他和皇上十分要好。为此，奕䜣曾狠狠地训斥过儿子，他担心儿子别步自己的后尘，将来被皇上抓个错治罪，不死也要脱一层皮。

载澂刚一踏进上书房，见皇上双手托腮在望着天花板发呆，就笑嘻嘻地走上前问道：

"皇上今天怎么不高兴啦，谁这么大胆敢惹皇上生气，请皇上明说，我去教训教训他。"

同治晃一下脑袋，"朕都教训不了的人，你又怎么能够教训他呢？"

"皇上，到底是谁呀？说出来也让我给你想个办法呀。"

"安德海，你教训得了吗？"

载澂挠挠头，他也知道安德海在宫中的位置，除了两宫太后、皇上之外他就是第三把手了，太监总管崔长礼也要让他三分，因为父王曾打了安德海一顿，西太后一怒之下，后来找个借口差点革了父王的职，父王惹不得，皇上都受他欺负的人自己又能怎样呢？

载澂叹息一声，同治皇上却笑了：

"载澂，你不是常吹牛什么事也难不倒你吗？对于安德海你怎么叹息啦？"

载澂忽然眼睛一亮，拍了一下脑门说道：

"皇上，有了。"

"有了什么？"

"有了惩治安德海的办法了。"

同治皇上马上来了兴致，"什么办法？"

载澂小声在同治耳边嘀咕几句，同治立即笑起来，连声说道：

"妙计，妙计，你真是朕的诸葛孔明先生，这事就交给你办了，事成之后必有重赏。"

"赏不赏倒没有什么，但我有一句话要提醒皇上，如果皇上不答应，我就不去做，就让皇上一人去做好了。"

"什么事你说吧？朕一定答应。"

"事发后太后若怪罪下来，皇上不能说我干的，皇上只能说是你一人干的。"

"你放心好，朕决不是出卖朋友的小人，大丈夫做事一人做事一人当，怎会连累呢？"

"好，击掌为誓。"

"啪——"两双白嫩的小手拍在一起。

"喂，皇上还没有告诉我为什么要惩罚安德海呢？"

"嗨，不要提他，一提他我就恶心，他是朕的眼中钉肉中刺，一旦我亲政掌权后第一个杀的人就是安德海。咱不说这些，还是想办法让朕乐一乐吧。"

载澂又挠挠头，"要么去御池游泳？"

"天天游没有意思。"

"要么去钓鱼？"

同治又摇摇头。

载澂忽然说道："玩斗鸡吧？"

"斗鸡？和斗蟋蟀相比哪个更过瘾呢？"

"嘿，当然是斗鸡了，比斗蟋蟀可热闹多啦，斗蟋蟀只能在笋筐内进行，而斗鸡要一个大场地，观看的人也多，也刺激，这是我刚从大街上学来的。"

"可宫中哪有鸡呢？一时到何处去买？"

载澂摆摆手，"不用去买，我就知道皇上一定喜欢斗鸡，几天前买了四只大公鸡养在府中呢？派人取来送给皇上就行了。”

同治一听，高兴了，立即派张德顺去恭王府取鸡。

不多久，四只强健善战的大公鸡被带到弘德殿，载澂立即从笼中取中，教皇上如何斗鸡。先划定一个场地，四周拉上网，防止鸡斗败跑掉，其次是撩拨鸡的斗志，鼓励它知难而上，打败敌手；第三是教会鸡战前强身，舒动筋骨。

准备完备，载澂让皇上先挑选一只鸡，自己随便从中拿出一只，两人各自训导一下自己的兵便放入网中。

载澂先吹一下口哨，逗引着自己的芦花大公鸡去啄皇上的大红公鸡。同治也学着载澂的样子哼着口哨，呼唤着自己的大红公鸡迎战。初始是载澂的芦花大公鸡主动进攻，接连几口啄得同治的大红公鸡连连败退。皇上气得直蹦直叫，自己大红公鸡还是吃了大亏，紫红的羽毛被啄掉好多。

同治气得一拍手，骂道：

“真是辜负了朕的一片厚爱之情，原来是个脓胞，朕再换一只。”

“不成，等这一局结束皇上再另换鸡，这才是斗鸡的规矩，上至皇上，下到平民百姓，任何人都必须遵守。”载澂说道。

同治一听这话也没有办法，只能眼睁睁看着自己的大红公鸡一步步被逼得好无退路。着急也白搭，不是自己上去角斗。

忽然，大红公鸡转败为胜，咯咯叫几声，猛地张开双翅跃起，用嘴咬住芦花大公鸡的鸡冠，连连猛叼几口，立即把敌手的鸡冠啄出血来。芦花大公鸡疼得直叫唤，转头就逃，大红公鸡便乘胜追击，又咬掉芦花公鸡身上的一些鸡毛。

同治皇上高兴地哈哈大笑，连声叫喊：

"穷寇莫追，穷寇莫追！"

"再来，再来！再斗一局！"

载澂不服气地叫嚷着，猛然抬起头，看见慈禧太后铁青着脸站在对面，吓得张着的大嘴也忘记了合上。

同治一看载澂的表情也意识到了什么，急忙转过身，看见额娘和安德海就站在身后，也不知额娘来多久了。他急忙垂下头，怯生生地说道：

"儿臣读书读累了，有点头疼就——"

"住嘴！"慈禧猛喝一声。

载澂乖乖地跪了下来，其他人一见这架势也都知趣地跪了下来。

同治皇帝稍稍迟疑片刻，也默默跪下。

慈禧足足沉默了两分钟，猛地伸出手去拧皇上的耳朵，但手到半空又缩了回来，狠狠地瞪了载澂一眼，冷冷地问道：

"这些傻主意都是你想出来的吧？"

载澂张了张嘴没有回答，同治皇上立即答道：

"是儿臣让载澂从宫外购买的，如果额娘怪罪就训斥儿臣吧？"

"放肆！我在问载澂，没有让你来回答，不许多言。"

"的确是儿臣让载澂购买的，起初他不肯，儿臣威逼利诱下他才勉强同意，请额娘恕罪，饶过载澂？"

"嘿，皇上倒挺讲义气的。"安德海故意在旁边提示，希望慈禧太后多训斥皇上几句。

同治火了，转身喝斥说：

"混帐的东西，龟孙王八羔子，哪有你讲话的权力？"

安德海的脸微微荡起一丝红晕，立即把目光投向慈禧太后，见太后一声不响，也只好默默地站在旁边。

慈禧训斥载澂道："让你来上书房是做皇上伴读的，不是让你陪伴皇上想法设方玩耍的，你以后不必进宫当陪读了。"

慈禧说完，怒气冲冲地走了。

养心殿西暖阁，两宫皇太后正在闲聊着，无意中说到了皇上，慈禧叹息说：

"皇上实在贪玩，整日只想着吃喝玩乐，一点也不重视读书，前几天又不知从哪里学会了斗鸡的玩法？这真是，斗腻了蟋蟀学斗鸡，斗腻了鸡还不知又玩上什么鬼把戏呢？"

"嗨！还能跟谁学呢？一定又是载澂这个浑小子从宫外带进来的，他和皇上也真是般配，没有一个学好的，干脆通知六爷，让他把载澂带回去了，省得整日给皇上出些馊主意。"

"姐姐不用再通知六爷啦，他和皇上斗鸡那天就被我赶回去了，喝斥他以后不再当皇上的伴读。"

慈安点头说道："这样也好，只是让皇上一个人呆在宫中也够闷的，如今皇上已大，明年又到了选秀女的年份，倒不如趁早选定后妃，也省得我们姐妹操闲心，有皇后管着皇上也许要老实得多呢？"

慈禧一听慈安突然提出给皇上册立后妃的事，心中不免有所失落。皇上一旦大婚就意味着长大成人，也就应该亲政了，自己就要归政于朝廷退居后宫过一种安闲的日子。对于慈禧，如今才刚刚大权在握，初步体味到玩弄权术的乐趣，正如吸鸦片的人刚刚品尝到大烟的甜头就让他戒烟，他能同意吗？

慈禧略一踌躇，不愉快地说道：

"皇上还小，正是学知识长身体的时候，现在就给他完婚册立后妃，对皇上是有害无益，万一皇上大婚后沉湎女色这大清的江山今后可怎么办呢？如今可是多事之秋呀？昨日奏闻说东洋倭人派兵进犯台湾，西北沙俄也是虎视眈眈，域内更是暴乱不断，云南苗疆闹了起来，陕甘回民暴动一直未休，中原捻匪也没有完全平息……"

慈安见慈禧还要说下去，就打断她的话说：

"皇上哪里小啊，与列祖列宗比起来，像皇上这个年纪都有皇子了。顺治爷十四岁就亲政了，十五岁也就举行了大婚典礼，康熙爷更小，十二岁大婚，十四岁就亲政啦，如今皇上可是比两位先祖大几岁呢？"

慈安的这几句话令慈禧无可辩驳，她不情愿地说道：

"待明年大选之期再详议这事吧。"

正在这时，恭亲王来了，看样子好像有什么急事，只见恭亲王紧走了几步，一甩马蹄袖，单膝着地，躬身奏道：

"启奏两宫皇太后圣安，山东巡抚丁宝桢河南巡抚瑞麟都有十万火急的折子奏报，请太后御览！"

慈安边从太监手中接过折子边问道：

"中原到底出了啥子大事值得他们这么风风火火的？"

"回两宫太后，科尔沁亲王僧格林沁所率领的四十万剿捻蒙古大军全部覆灭，僧格林沁阵亡沙场，人头也被匪首割走了。"

慈安一听这话，着实吃惊不小，急忙问道：

"不是奏报匪首被杀，几股乱军人心不合沦为流寇吗？为何会突然聚集一起打败僧王的强悍蒙古大军呢？何况僧王的大军以骑兵为主，都是从蒙古各部中精心挑选的骑射能手，奏折是否属实？"

"奏报如实，根据奏报的情况看，中原一带目前尚有两支强大的捻匪武装，他们突然勾结一起，引诱僧王孤军深入进入他们提前准备好的埋伏圈。"

"这么说是僧格林沁轻敌啦？"慈禧问道。

奕䜣点点头。

"既然南方太平天国长毛被灭，应速调南方大军北征，再谕令左宗棠、瑞麟、丁宝桢、官文等人从四面夹击中原几股捻匪。"慈禧建议说。

慈安也认为必须这样，立即令奕䜣传谕旨给两江总督曾国藩、湖广总督官文带兵北上。

奕䜣又建议说："可令江苏巡抚李鸿章为钦差大臣，率领淮军作先遣部队到达皖北扼住捻匪，然后再谕令河南、山东、河北、天津、安徽等省的巡抚、都督共同派兵围剿，定可踏平中原，全歼捻匪。"

两宫太后接受奕䜣的建议，令他再回军机处仔细磋商，务必确保全灭捻匪。

奕䜣刚要告退，忽见安德海满脸红肿，苦丧着脸进来了。慈禧一看安德海这个狼狈样，忙问道：

"安德海，你这是怎样啦，那脸——"

"回太后，不知哪个缺德鬼在奴才的帽子下面盖着一盘蚂蜂，早晨起来奴才一拿帽子，那些蚂蜂哄地一声全落在奴才的脸上头上，这不？全肿啦，痛得要命，请太后给奴才作主。"

安德海说着，一把鼻子一把泪，竟然委屈地哭了起来。

奕䜣和慈安一见安德海这个样子都想发笑，却又笑不出来。慈安见慈禧不发话，便问道：

"安德海，莫不是你得罪人了不成？否则谁会故意用恶作剧坑害你不成？你今后可要处处小心一点，千万别做什么伤天害理的坏事，这次用蚂蜂蜇你，说不定下次会用毒蛇咬你呢？若是被毒蛇咬了，可不同于蚂蜂蜇，说不定会要你的命呢？"

慈禧一听这话不高兴了，淡淡地说道：

"安德海，听见没有，有人想要你的命呢？你今后可一定要小心点，记住慈安太后的提醒，防止有人背后对你下毒手，有些人早就对你不开胃啦。"

慈安听慈禧这样说是满肚子不乐意，可话又不好明说，唉，也怪自己多嘴。

奕䜣听了慈禧的话也不是滋味，她是在给自己敲警钟呢还是在含沙射影呢？

安德海也能够悟出慈禧话中的意思，但他仍装作不知地说道：

"奴才每天都是老老实实呆在宫里服侍太后，从来也没得罪任何人呀！太后，奴才觉得这人惩治奴才是小事，矛头是指向太后，只怕有人要在背后诋毁吧？"

安德海的这话明显带有挑拨的意思，可把奕䜣与慈安气坏了，心里道：你这小子真是罪有应得，这蚂蜂倒蜇轻了，能蜇得你这小子说不出话才好呢？

慈安太后刚要发作，皇上走了进来，一见安德海的模样，知道载澂给自己出的计谋成功，故意装作不知道什么原因的样子说：

"啊呀，安德海的这个模样好像刚从戏台上下来，莫非安德海也会唱戏不成，不然怎么搽个花脸呢？"

慈禧早就猜想这件事一定与皇上有关，其他人还真没有如此大胆，一听皇上这样讲话更证实了自己的猜想。

慈禧立即喝斥说："皇上身为一国之主，整日不思进取，每天只做些游手好闲的事，有失人君仪度。想不到今天竟然做起这种令人不齿之事，传扬出去这皇家的尊严何在？到底是谁给你出的馊主意？"

同治急忙辩解说："谁也没给我出什么馊主意。是儿臣自己觉得安德海可恶，才这样惩罚他的。"

"我且问你，皇上是从何处弄来的蚂蜂？是不是载澂从宫外给你送来的？"

奕䜣一听慈禧的话牵涉到自己的儿子，也紧张起来，认真听下去，只听同治说道：

"这完全是我自己干的，与载澂无关，那蚂蜂也是我从皇后御花园中找到的。"

奕䜣一听这话，悬着的心踏实了。

慈禧也无耐，只把皇上训斥几句。

同治挨了额娘一顿臭骂，回到弘德殿把御案上的奏折、书本和笔墨全部掀翻在地，独自一人躺在床上生闷气。

不知过了多久，同治忽然听到殿外有口哨声，急忙翻身下床跑到殿外。嗬，果然是自己的铁哥们载澂来了。同治上前拉住载澂的手说：

"小哥哥，你可来啦，把朕急坏了，我正有话要询问你呢？"

"什么事？惩罚安德海的事成功了吗？"

同治来了精神，点点头说道：

"计谋是成功了，只是后来被额娘识破了，还挨了一顿臭骂！"

"皇上把小臣给出卖了吗？"载澂很紧张地问道。

同治一拍胸脯，"朕是那种出卖朋友的人吗？千斤重的担子有朕一人担着，你放心好啦。"

载澂这才放心地问道："皇上有什么事急着问小臣，快说吧？臣马上还要走呢？如果让太后知道我又来了会挨骂呢？回府后阿玛也不会放过我的。"

"快到殿内叙话吧，这是秘密的事。"

两人进入殿内，同治上了床，载澂坐在床边上。载澂又问道：

"皇上，什么事你就说吧？这儿没有外人。"

同治的脸有点微红，憋了好半天才讷讷地问道：

"小哥哥玩过女人吗？"

载澂一听笑啦，用手在自己大腿上一拍站了起来。

"我以为是什么机密大事呢？原来是这桩事，实不相瞒，这事我常干，就是今年一年被我玩过的女人就有这个数。"

载澂说着，伸出一把手。

"五个？"同治伸长了脖子。

载澂摇摇头，"不，是十个！"

"嘿，你还真行！"同治赞叹说。

"皇上已经玩了多少宫女？"

同治脸通地红了，过了半晌才说道：

"朕询问你的就是这件，朕前不久和一名宫女试了一次，不知为何却撒在外面了。"

载澂扑哧笑了，"嘿，想不到皇上还是个嫩角，我还以为皇上早就——，不过皇上不用担心，让小臣来教你。"

载澂伸出头，在同治耳边嘀咕了一会儿，又指手划脚地表演一番，两人都哈哈大笑。

同治高兴地搓搓手说："朕就按小哥哥的办法试一试，看看能否成功？如果成功，朕一定有赏！"

"皇上尽管去做吧，包你成功！如果再不成功，小臣亲自为皇上作现场指导。"

载澂说完就要告辞。

同治再三叮咛："一定常来宫中看望朕，朕一个人呆在这宫中实在闷得慌，只有小哥哥来此朕才能有点欢笑。"

载澂走后，同治一人躺在床上，把载澂的话前前后后想一遍，独自笑了。他又不由自主地想起了那名宫女红艳姑娘，一想起红艳姑娘那低着头十分娇羞的神态，以及她那白净的肌肤和丰满的身子，同治就心里热乎乎地。

嗯，一晃多日了，怎么不见红艳姑娘来找自己呢？同治坐不住了，他想到长春宫去找红艳。

同治刚走出门，张德顺就跟上了。同治知道这事不适合人多，就回头对张德顺说：

"朕又不是到外面的地方去让你们跟着，朕就在这乾清宫内走一走，不必陪随，朕去去就回。"

同治独自一人抄近路来到长春宫，找了几个地方，不见红艳的影儿，他又不想多问，这样又找了几处仍不见红艳的影子，同治垂头丧气地回去了。刚走出长寿宫不多远，猛然听到旁边有人喊：

"皇上——"

这声音似乎在哪里听过，同治回转身子一看，眼睛一亮，嘀，这不就是红艳吗？

"你在哪里？让朕好找。"

"奴才怎敢有劳皇上大驾来此，折杀奴才了，奴才去了膳事房。"

"红艳，自从那天以后，朕一直挂念着你，朕让你去弘德殿陪朕说会话儿，却一直也不见你的影儿，朕就来这长春宫寻找，可仍然不见你在何处，令朕很失望。"

"奴才如此卑微，怎敢有劳皇上大驾挂念呢？皇上是龙体贵身，奴婢不敢辱没皇上龙体，请皇上回宫吧。"

同治一把拉住红艳不放，"朕的旨意你敢违抗吗？"

"奴婢不敢，但也请皇上体谅奴婢的难处，万一让太后知道会说奴婢勾引皇上，轻了要被乱棍打死的，重了要殃及家人，请皇上高抬贵手饶过奴婢吧？"红艳哀求说。

"怕什么，朕是一国之主，朕喜欢谁就是谁，朕还要封你为妃呢？就是太后知道也不会怪罪朕的，我朝二百多年来哪位皇帝爷子没有十几个妃子，朕如今一个也没有呢？"

同治说着，拉着红艳就走。

红艳也怕被人看着，挣开皇上的手说：

"皇上先走，奴才随后跟着，这样拉拉扯扯让别人看见多不好。"

二人来到弘德殿，刚一进入内堂，同治急忙掩上门，迫不及待地抱住红艳：

"小乖乖，可想死我了。"

说着，就忙着脱去红艳的衣服，并把她抱到御榻上，他边自己脱衣服边说道：

"小乖乖，你放心好啦，爷儿学到了本领，这回一定叫你满意。"

同治不再像上次那样慌张，他按照载澂所说的法儿一板一眼地操作着，果然如愿以偿了，那高兴的劲儿就甭提啦。

一场急风骤雨之后，同治皇上喘着粗气坐在一旁，拍拍自己光滑的脑瓜，嘿，载澂的法儿还真灵。此时他又有几分后悔，哼，这么简单自己也会，根本不必请教载澂自己也应该会的。

同治侧眼去看红艳，只见她一脸的泪水，床上一片殷红。同治不解地问道：

"你能承受朕的雨露应该高兴才对，伤心什么，如果能生下皇子，将来一定是大福大贵。朕的额娘不就是因为产下朕才有今天的显赫地位吗？"

红艳抽泣说："只怕奴才天生薄命，做不上皇上的妃子就命丧黄泉呢！圣母皇太后怎会让奴婢这样一个地位低下的人辱没皇室声誉呢？"

同治安慰说："红艳姑娘不用担心，慈安太后已经告诉朕，明年就给朕册立后妃，朕也就可以亲临朝政了，只要朕大权在握，一定封你为妃，但你必须每晚来这弘德殿侍寝。"

"这——"红艳犹豫了。

"不用担心，朕让张德顺每晚去长春宫迎接你行吗？"

红艳摇摇头，"只要皇上能够真心对待奴才，奴才死也甘心。如果皇上真的喜欢奴婢，以后奴婢每晚自己来就行了。"

同治也觉得这样做更好，现在还没有正式册立后妃，做得秘密一点再合适不过。否则，让额娘知道又会骂他是昏君。

没有不透风的墙，何况慈禧太后早已暗中派亲信监视着同治的一言一行。

这天，李莲英去储秀宫办事，刚到宫中迎面碰到慈禧太后从内向外出，李莲英急忙躬身施礼。

慈禧太后喊住了他："小李子，你过来——"

李莲英急忙走上前，躬身问道：

"太后找奴才有什么事尽管吩咐，奴才一定照办？"

"皇上这一段时间没听说闹出什么出格的事来，是否都把心思全部用在读书和阅读奏折上面啦？"

"这——"

"从实说来！"慈禧威严地说道。

"回太后话，即使太后不垂问奴才也会说的，奴才来这里就是有事要奏报太后，但奴才一时又不知如何开口，才犹豫的。"

慈禧舒缓了语气，"慢慢说吧。"

李莲英凑近慈禧，在慈禧太后的耳边嘀咕几句。

慈禧一听，花容顿失，惊问道：

"真有这事?"

"回太后话,这等大事奴才岂敢信口开河,胡说八道,奴才讲得头头是道,句句是实,若有半句虚话奴才情愿被太后处死。"

慈禧又责怪道:"为何不早来奏报,事到如今仍然吞吞吐吐,本宫告诉你的话丢到脑后了吗?"

"奴才怎敢忘记太后的训导,奴才时刻牢记太后的话呢?由于皇上都是暗中进行,仅派张德顺一人值班,奴才也是刚刚得到的消息,起初奴才不信,经过几天暗中窥视,证实后才来报告太后的。"

慈禧这才点头说道:"你回去吧,一定要留心皇上的一言一行,时刻来这里汇报,若有隐瞒不报被我查清的决不轻饶!"

"喳!"李莲英小心翼翼地退走了。

等到李莲英走后,慈禧转回内堂,气冲冲地对安德海喊道:

"小安子,你速去长春宫,把一名叫红艳的宫女给我叫来!"

"太后,叫那样一个宫女干什么?"

"不用多嘴,让你去喊,你只管把她喊来就行!"慈禧不耐烦地斥道。

"喳!"安德海乖乖地退了出去。

不多久,安德海又跑了进来报告说:

"回太后,那名叫红艳的姑娘不愿来。"

"你长手干什么的,不知道把她拖来吗?"

安德海看一眼慈禧,停了片刻又说道:

"奴才刚想去拉那红艳姑娘，把她强行拖来，恰好被太皇太妃看见了，她阻止奴才带走红艳姑娘，还骂了奴才一顿。"

慈禧囔地站了起来，"既然不让带走，那我亲自去看一看这红艳姑娘到底是什么角色儿，又是仗的谁的势力。"

慈禧带着安德海、韩来玉、张文亮、王成等七八个太监怒气冲冲地直奔长春宫。

长春宫。

太皇太妃待安德海走后，问明红艳姑娘缘由，知道这事非同小可。她虽然年近八十，深居长春宫，平时也深入浅出，对外事一概不问，但对于慈禧的为人也不是一日两日的，早有耳闻。这事撞在她手下，这红艳姑娘的命就危险了。

太皇太妃毕竟是经历过大事的，遇事并不慌张，她一面安慰红艳姑娘教她怎么做，一面派出三人分头去到皇上、慈安太后和恭亲王那里报信。

这三人刚刚离开，慈禧就带人赶到了。

慈禧进上殿堂，先礼节性地向太皇太妃施一个礼，然后傲慢地说道：

"请太皇太妃恕罪，我要把宫女红艳带走，她触犯宫规，不可不惩。"

不待太皇太妃开口，慈禧就喝令说：

"给我带人！"

安德海，韩来玉大步上前把坐在太皇太妃旁边的红艳拉了起来就向外走。

太皇太妃大喝一声："给我站住！你们也太目中无人了

吧，没有我的许可，谁也不能把我宫中的人带走！”

太皇太妃颤巍巍地站了起来，扫一眼慈禧，十分不满地说道：

“那拉氏，你眼中还有没有我这个尊长，纵然你可以不把我放在眼里，你也应该说明缘由再带人。”

慈禧看一眼银发飘飘的太皇太妃，也不示弱地说：

“不用我来多嘴，想必太皇太妃也应该知道我将她带走的缘由。”

“你既然知道她是皇上看中的，就应该放过她，至少也应该征得皇上的同意才能惩处她。何况皇上已经长大，倘没有册立后妃，如果皇上同意，待册定后妃时可以纳为妃吗？”

慈禧冷哼一声，“她一个下贱的宫女，出身卑微，尚不配被皇上纳为妃。你是宣宗成皇帝之妃，也希望自己宫中的人也像你一样做皇妃吗？也只有你的宫中才能调教出如此不知廉耻、勾引皇上的宫女来。”

太皇太妃想不到慈禧会说出如此尖酸无耻的话来，深深刺痛了她的心，这不等揭她的短吗？

这位太皇太妃当初就是以宫女的身份被道光帝看中而封为妃的，她是宫中最年长的人了，也是辈份最高的。

慈禧的这话她哪里受得住，尽管已经鹤发童颜，饱经沧桑，脸也微微发热，憋了半天一句话也说不出来。

红艳一见太皇太妃为自己受了这么大的委屈，急忙扑通跪倒哀求说：

“太皇太妃，让奴才去吧，奴才死不足惜，请太皇太妃保重！”

“走！”慈禧喝令道。

憋了半天的太皇太妃又大声喝斥道："谁若带走红艳姑娘，老身就死在谁面前！"

慈禧想不到太皇太妃这么犟，火了。

"我不带走她，但我就在你面前杖责她，把她打死，看你能怎样？"

慈禧转过身，对安德海等人下令说：

"给我家法侍候，重责四十仗！"

安德海、韩来玉、张文亮等人早已把木杖带在身边，慈禧一声令下，如狼似虎地把红艳按倒在地，举仗就打。

"不能打，不能打，她身上已怀有皇上的血骨！"太皇太妃不顾一切地喊道。

慈禧本来只准备教训一下红艳姑娘，也是在太皇太妃面前耍耍威风，并没有处死红艳娘娘的意思。但慈禧一听太皇太妃这么说，心横了下来，立即动了杀机，她自己就是因为这样受宠而一步步登上太后之位的，也是她处心积虑一步步深谋远虑的结果，她是这样有心计的人，却恨透了这样的人，更加认定红艳姑娘是为了当皇后才勾引皇上的。

慈禧不顾太皇太妃的阻拦，继续喝令道：

"给我打，狠狠地打，朝死里打，打死这个贱人！"

每一仗下去都是一声惨叫。

太皇太妃不忍看下去，扑通跪了下来，哀求说：

"不能打了，再打就打死了，她死不足惜，但她身上有皇上的骨血，伤了龙胎会影响大清国的国运。"

慈禧背过脸出，只当作没有看见。

随着红艳姑娘一声惨叫，太皇太妃也猛地站了起来，一头撞在殿堂的柱子，顿时脑浆迸裂。

　　这是慈禧所始料不及的，她只想打死红艳，却没有想把太皇太妃也给逼得撞死了。慈禧知道撞祸不小，但事到如今，后悔也没有用，立即命人叫太医来抢救太皇太妃。

　　人早已死了，命太医抢救有个屁用，慈禧这样做只是做做样子给人看的。

　　众人刚把太皇太妃抱到床上，慈安太后来了，一看这场面明白了八九分。事情既然发生了，吵也没有用，她问也不问，边流泪边吩咐人准备后事，只当太皇太妃是寿终正寝。

　　众人正忙乎着，同治皇上匆匆忙忙地跑来了，刚一进门，就看见躺在地上的红艳姑娘，周围血迹斑斑。同治不顾一切扑上去抱住红艳姑娘，拼命地喊道：

　　"红艳，红艳，你醒醒，醒醒。"

　　许久，红艳姑娘终于睁开了眼。看了一眼同治，吃力地说道：

　　"皇——上——"

　　头一歪死了，嘴角挂着凄惨的笑容。

　　"红——艳——"同治失声痛哭起来。

　　安葬太皇太妃的全部过程中谁也没有多说一句话，但心中都十分清楚。尽管慈禧知道众人是敢怒不敢言，而她也收敛了许多，尽量躲着众人，许多大事上也不再指手划脚，由着众王爷与大臣们处置，只要能够找到她的，慈禧一律点头同意，她多少有点内疚和害怕，唯恐慈安与奕䜣追究她的责任，令他无言以对。

　　终于把太皇太妃送入皇陵。刚一回来，奕䜣就找到了慈安，直截问道：

"太后受先皇遗命主持后宫与外庭，如今却闻也不闻，看也不看，任凭西太后专权恣事，如此下去只怕我朝不得安宁。那红艳宫女与皇上情意颇深，并且怀有龙胎，尽管身份不相称，只要皇上乐意，封为妃嫔还是不过分的。西太后明知红艳姑娘怀着圣上血骨却故意将她打死，这是要受到处罚的，胎气受损会影响大清江山的气数，这点道理西太后不会不知吧？太皇太妃之所以碰死廊柱上，不仅仅听了几句侮辱性的话，更主要地是向皇室成员敲个警钟，让我们以此为借口严惩那拉氏，不知太后还有什么想法？"

慈安太后叹息一声，"事到如今我也拿她没有办法，几次劝阻，她非但不听反而说一些令我伤心的话。唉，悔不该当初听信她的一片甜言蜜语，把先皇的遗诏给毁了，谁知自那以后她就毫无顾忌，一天天骄横起来，所作所为越来越出格，竟闹到这个地步，把太皇太妃也给逼死了。"

奕䜣一听慈安太后提到先帝遗诏，急忙问道：

"请问太后，这先帝遗诏到底是怎么回事？臣也曾听人传闻先帝曾私自留下一份制裁西太后的遗诏，可从来也没听太后讲过，先帝到底有没有留下遗诏呢？"

慈安太后点点头，"留是留了，只可惜被毁掉了！"

慈安太后把先帝留遗诏的经过及撕碎遗诏的前后讲了一遍，奕䜣有所怀疑地问道：

"太后是否询问过御医，当年太后所患何疾，用什么药治愈的？"

"我也曾问过御医沈宝田，他只说是操劳过度造成的阴阳失调，至于用什么药我却不曾知道，记得当时沈宝田说需要一种特别难寻的药物做引子，没有那种药物我这病便治不好。直到我的病痊愈后才知道是慈禧割下胳膊上的肉做的药子，那种难寻的药物便是女人身上的肉。"

"这种药尽管听到稀奇古怪，但不是什么千载难寻的东西，宫中这么多的宫女谁的肉不行，为何一定要用西太后的肉呢？虽然是她主动献肉为太后治病，我却怀疑里面有问题，也许是苦肉计诱骗太后撕毁先帝遗诏吧？"

慈安太后想了想说："不会吧，当时我也曾询问沈宝田为何不用宫女身上的肉呢？而让慈禧承受巨大痛苦。沈宝田解释说，太后玉体非凡夫俗子可比，只有凤凰之体才能够将补，这凤凰是鸟中之王，千年难觅，而有幸能够成为皇后之人均是凤凰修炼转世，慈禧虽为贵妃，但她生有皇太子也是真正的凤凰之体，正好可以与我相补相济，而一般宫女的肉做药引子只会愈补愈差，慈禧正是听到沈宝田的这些解释后才忍痛舍身为我治病的，令我万分感动就撕碎了那遗诏。"

奕訢听后仍然将信将疑地说："太后不可轻信她人，我始终觉得这背后似乎有什么阴谋，这种治病的药听起来有些道理，仔细揣摩一下确实匪夷所思，实在令人难以置信。太后请想，这人肉做药引子可是古今奇闻，太后尽管是千金贵体，但也是父母所生，与常人又有多少差异呢？都有生老病死吃喝拉尿。我估计这是西太后与沈宝田密谋的诡计。据我所知，沈宝田与西太后关系非同一般，仅西太后给他的赏赐就富甲京城，可与五品御史相比。"

"也许是为皇上治了头痛之病慈禧表示感激才重重赏赐他的吧！"

亦訢摇摇头，"不是这么简单，据属下有人报告安德海经常去沈宝田的宅第，太后何不把沈宝田叫来仔细盘查一下呢？万一这是个阴谋太后更要惕防一下了，西太后的为人是宫内宫外人人皆知的。"

慈安一听奕訢这么说也起了疑心，当时自己撕遗诏时慈禧虽然嘴上不让自己毁去遗诏，但却坐在那里一动不动，任凭自己将它撕粉碎。

慈安派崔长礼去把御医沈宝田叫进宫。沈宝田一听慈安太后叫他，心中七上八下，如果慈安知道那件事与他有密切关系，只怕这条小命就玩完了，不想去可又不敢不去。沈宝田想问一下崔长礼太后让他去为谁看病，崔长礼冷冷的一句话"太后的事我怎会知道"，把沈宝田给堵住了。沈宝田从崔长礼那不冷不热的面孔实在猜不出个所以然，只好乖乖地随他来到钟粹宫。

沈宝田刚一坐定，慈安太后就十分威严地问道：

"沈宝田，本宫且问你前年本宫得了那病到底是何病，是什么原因引起的，需要什么药物治疗？"

沈宝田一听慈安太后果然问起他最担心的事来，着实吃惊不小，忙陪着笑脸说道：

"当初我不是给太后讲过了吗？事隔这么久让奴才一时讲起都是用了哪些药奴才也记不全面，只知道太后是因劳累过度而引起的阴阳失调，从而造成心脾不适。由于太后这阴阳失调不同于一般民间百姓的疾病，奴才采用以阴补阳的办法，所开列的药中必须有凤凰之肉作药引子方法，但何用寻找凤凰之肉？人所共知皇后都为凤体是凤凰修炼转世，奴才把给太后治病所需的药讲给慈禧太后听。"

沈宝田讲到这里，抬眼看看慈安，讪讪说道：

"这些太后都已经知道，何必让奴才再重述呢？"

"我且问你，自古至今，哪本书上写过用人肉做药方的？你分明是在胡言乱语欺骗本宫和慈禧太后，是谁指使你这样做的，从实招来！"

慈安在没有确实的把握知道是不是慈禧与沈宝田定的苦肉计，她也不敢妄加乱言，才故意这么说，想让沈宝田先招供，然后顺藤摸瓜查清真实情况。如果一开始把矛盾指向慈禧，倘若实际情况不是她和奕䜣猜测的那样的，这后果也会让她难堪的。因为慈禧不是个省油灯，她不找你的事就算罢了，你主动找她的麻烦她会轻饶过你吗？

沈宝田一听慈安太后并没有怀疑慈禧太后与他的密谋，也大了胆，毫不软弱地说：

"给太后所拿的每一种药在药方中都写得明白，内务府也都有所记录，太后不信尽可去查寻，至于给太后治病所开的药方中用人肉作药引太后说古书没有记载，这并不稀奇。事事怎要有人开个头，后人才会跟着去做，倘若没有第一个人去吃螃蟹，也许螃蟹至今还没人敢吃呢？太后病也不是奴才最先治疗的，太后为何不问一问那些御医怎么把太后的病越治越糟呢？太后的病被奴才治愈了，太后反而怀疑奴才在坑害两宫太后，如果太后这样质问，奴才就是跳到黄河也洗不清，只愿奴才当初给太后治病并把太后的病治愈了，假如奴才当初不把太后的病治好也许就不问有今天的责骂与怀疑了？"

"大胆的奴才，你敢这么给太后讲话，是活得不耐烦了？"崔长礼从旁边说道。

慈安太后也非常生气，脸微微一红，但她又不好意思责怪，如果传出去这是自己的不对。别人救了自己的命，自己不去感激，反而胡乱猜疑，怎能服人呢？

沈宝田为何如此大胆说出几句偏激的话？他也是仗着慈禧的势力，知道慈安太后怵着慈禧，即使慈安太后听了那话不高兴，也不会把他怎样，关键时刻慈禧会为他撑腰的。

慈安一听沈宝田的话讲得这么硬，一时也不知怎么办，只好装作十分生气的样子斥道：

"沈宝田，休要这么狂妄嘴硬，这事已经有人向本宫告密，待本宫查清实情后一定严加追究，决不饶恕，你先回去吧！"

沈宝田走出钟粹宫，左想右想不对劲，难道慈安太后真的知道了我与慈禧太后所做的事吗？要么，事情已经过了许久，怎么现在突然提起来了呢？如果说慈安太后真的掌握了什么证据也不像，估计可能听到了什么风声，也不知慈禧太后是否知道，我应该去回报一声，让慈禧太后早作准备。

沈宝田见无人跟踪自己，就绕道去了储秀宫。

储秀宫内也是人心惶惶。

慈禧无意逼死太皇太妃，虽然皇室内各亲王贝勒谁也没有说什么，就是慈安太后也没有说一句责备的话，但慈禧从众人说话的态度和表情明白众人对她十分反感。

这多日来，慈禧说话，做事的态度较先前收敛多了，唯恐自己再做出什么过分的事而引起众人不满，众怒难犯，她现在虽然大权在握，但也不想成为众矢之的。特别是慈安与奕訢关系密切，对她不能不是一大威胁。

今天终于把太皇太妃送进皇陵，慈禧长长出了一口气，心里轻松多了，等于把自己身上的罪责掀了过去。她好象一个刚刚获释的囚犯，重新获得了自由，又要重操旧业，把几件一直挂在心上的事料理一下。

慈禧让安德海把同治皇上的贴身太监李存宜和跟班太监张德顺等人叫到储秀宫，慈禧毫不客气地喝问道：

"你等知罪吗？"

这几人只是低头跪着，谁也不吭声。张德顺早就估计慈禧太后不会轻意放过他，已经有了心里准备，一听慈禧问话，毫不畏惧地答道：

"请太后明示，奴才不知罪！"

慈禧一见张德顺当着众人的面顶撞自己，她心中憋了多日的火烧了起来，怒骂道：

"张德顺，你这个没良心的狗奴才，当初是本宫见你可怜，才好心收留你，也看你对本宫一向忠诚，才把你安插到皇上身边，想不到你竟背着我怂恿皇上做起这有辱皇家声誉的事。才刚刚跟着皇上几天，就觉得翅膀硬了，也敢顶撞起老娘起来，实话告诉你，就是皇上也是老娘手中的面团，让他向哪捏他向哪里去。哼，不要以为快要亲政了就神气起来，亲政后这大权也要由我给皇上掌着，你们这些狗奴才，谁敢不和老娘一心，我宰了你们！以后皇上如果有什么出格的事，敢不报告老娘，小心你们的狗命！张德顺！你听见了没有？"

张德顺低头说道："回太后，奴才实在冤枉，皇上的事奴才哪敢过问，奴才的任务只是服侍皇上，至于皇上干什么奴才一无所知。"

"嘿，你整日服侍在皇上周围，皇上和那长春宫的一名宫女有苟且之事你难道不知道吗？"

"奴才知道，但皇上不让奴才说。

"这么说你这小子还是挺忠于皇上的，难道你就不忠于太后了吗？太后曾告诉你皇上有什么过分的事应立即报告，你为何知而不报？"安德海从旁边质问道。

安德海又凑到慈禧身边，附在慈禧身上嘀咕两句，慈禧点点头，朗声说道：

"本宫今天大发慈悲饶你们这帮狗奴才不死，这是你们咎由自取，怂恿皇上触发宫规所致，死罪免去，活罪不饶，每人重打二十大板，赶出乾清宫，到杂务房干活去。"

张德顺一听，心中不免一怔，慈禧太后她说得轻巧，到杂务房干活去，这等于打入冷宫做苦力，实际上与充军发配没有两样。只不过这不是到边境，而是留在宫中罢了，但冷宫中苦力活也不容易做，吃不饱穿不暖不说，每天都是超负荷的干活。因为凡是到达那里的人都是触发宫规的人，实际上就是体力处罚。

安德海喝令韩来玉、张文亮对张德顺、李存宜等人进行杖责。

那不粗不细不长也不短的木杖正可手，每一仗下去都是一声惨叫，而每一杖落下都沾满了殷红的血。二十大仗下去，一个人高马大的男子汉也被打得皮开肉绽，只能爬着走。

正打得起劲，那边有太监来报，说御医沈宝田求见，慈禧立即命他进入殿内。沈宝田早已成为慈禧的红人，这是储秀宫人人皆知的，慈禧对他是既拉拢又防备，既把他当作心腹，又对他留一手。只要他来见，是每求必应。

沈宝田没有进得殿来就听到一声声惨叫，不知出了什么事，本想退出去，迟意了片刻还是进来了，上殿一看是张德顺与李存宜等人，便明白了八九分。

礼毕落坐后，慈禧先问道：

"沈御医整日钻研医术，潜心疑难病症研究，平日里都是召宣才进宫，怎么今日不宣而至呢？莫非有什么大事不成？"

沈宝田点点头，又回头看看殿下的其他人，慈禧会意，对安德海说道：

"小安子，你着人把这个该罚的奴才拖进杂务房吧，本宫有事同沈御医相商。"

众人退出后，沈宝田才把今天被慈安太后召见并挨训斥的事重述一遍。慈禧听后先是一惊，暗暗寻思道：这一定是慈安受了奕䜣的蹿掇想整治我，如此说来慈安对那治病一事起了疑心，哼，只要你慈安没有真凭实据，谅你也不敢把我怎么样。

慈禧安慰说："沈御医不必惊慌，你为本宫所做的那事没有外人知道，慈安不过是在诈你，谅她不敢对你刑讯逼供，你放心好了，有本太后在，这大清朝还不敢有人将你怎么样？"

"太后，那慈安太后会不会暗中将奴才害了呢？"

慈禧摇摇头，"慈安并不是想惩治你，她是想以你为突破口寻找证据来对付本宫，哼，只要她慈安敢给我过意不去，本宫决不会让她有好日子过！"

沈宝田又惴惴不安地问道："请太后明示，奴才要不要暂且先躲一躲呢？待慈安过了一段时间忘记此事，奴才再回来呢？"

慈禧思考片刻说道："这样也好，你不是经常外出寻访草药吗？这次你就以采草药为名到你山东老家躲一躲，待我在京城扫平一切后你再回来。但你一定要千万当心，不可向外人随便透露一个字，包括给皇上治病的事。"

"小的明白什么该讲什么不该讲，请太后尽管放心，慈安太后决不可能从奴才这里得到一个字。"

"这样就好，这宫中的事我会安排妥当的，她慈安也休想有所收获。"

慈禧再三告戒几句才让沈宝田告退。

沈宝田刚走，安德海就来了，慈禧又把慈安太后审问沈宝田的事告诉他，安德海吃惊不小，疑惑地问道：

"事情已经过了两年，慈安太后怎么又重提这事呢？难道她掌握到了什么蛛丝马迹？或有人偷偷向她告密？

"你所收买的在慈安身边的那名宫女是不是出卖了我们？"

安德海摇摇头，"不可能，她出卖了我们，她的小命也就没有，她不会这么傻。"

"那事是否被其他人看到了？"

"也不可能，如果真的被人发现了，也就早就出事了，不会推到现在的。"

"倘若是那名叫秀珍的宫女无意走漏了风声泄露出去呢？"慈禧又揣测说。

"也不可能，倘若是这样，慈安一定会审讯秀珍的，从她入手，怎会直接找到沈宝田呢？依奴才所见，一定与太后逼死太皇太妃有关。"

"这有什么关系?"

"嘿,关系可大啦,"安德海神气地说,"正因为太后用杖责死红艳姑娘,又逼死了太皇太妃,慈安等人看出太后的心太狠了点,她后悔撕毁了先帝遗诏,从撕毁遗诏的前后经过怀疑太后与沈宝田联手哄骗她,这才召见沈宝田,想从沈宝田入手寻找证据,最终达到惩治太后的目的。"

慈禧太后一听安德海分析得头头是道,也有几分道理,便说道:

"按你这么说,慈安会不会暗中监视沈宝田偷偷审讯他呢?"

"有这种可能,慈安太后不会亲自审讯沈宝田就怕她派奕䜣去做这事,如果奕䜣去做这事就不好办。,沈宝田是贪生怕死之徒,只要一用刑,他会把一切都兜出来的。"

慈禧一听急了,"这怎么办呢?幸亏刚才我同意沈宝田离开京城回山东老家暂躲一躲,也不知他什么时候动身?你晚上去沈宝田家一趟,催一催他赶快离开京师,以防动身晚了被奕䜣知道扣住不放。"

安德海却说道:"太后,吸取以上几件事的经验,做事不能拖泥带水,更不能留下后尾巴,不如来个彻底干净的,让慈安太后永无对证,太后以为如何呢?"

"你是说杀人灭口,除去沈宝田?"

"对,这样就永无后患了。"

慈禧急忙阻止道:"万万不可,你这样是此地无银三百两,更会引起慈安的怀疑。沈宝田是宫中出名的御医,名声响遍京城,如果突然死了,不引人怀疑才怪呢?"

安德海嘿嘿一笑:"太后怎么聪明一世,糊涂一时,我们不能不在京师干掉他吗？太后不是同意沈宝田以采草药为名回山东老家暂住，我们催他快走，然后赶到山东半路把他杀了，只说是强盗抢劫所为，谁也没有办法。"

安德海又补充说："不仅要干掉沈宝田以防万一也要干掉秀珍宫女，只有宰了这两个人才能确保万无一失。"

"按你刚才所说的办法倒可以除去沈宝田，只是那叫秀珍的宫女却如何除去呢？她每天都呆在宫内，如果把她杀死慈安一定会严加追究的，做不好会自投罗网，露出的破绽更多。"

"请太后放心，只要太后同意除去秀珍姑娘，奴才保证处死她也让慈安太后毫无办法，查不出个子丑寅卯来。"

"什么法子，你倒说说看，我考虑考虑行不行？"

"我们来个调虎离山之计，伪造一封家书，就说秀珍宫女的父母中有一人重病，请求回家探视一下，只要她出了宫，这家就不是她当了，我再派人送她上西天。"

慈禧笑了，"想不到小安子如今学得聪明了，计策是不错，但我担心你手脚不利索，弄不好又会留下什么后遗症或不妥之处。"

"请太后放心，奴才如今在太后的醺陶下不同于往年，手下又有一帮子人马，做起事一定干净利索，就让包青天转世也只能白搭。"

慈禧叹口气，"好不容易才收买这么一个人，如今又要干掉，真不忍心！"

"这也是没办法呀，不这样做会坏我们的大事，请太后放心吧，宰了一个秀珍姑娘后只要太后愿意出钱，奴才一定还会收买到更多的人呢？这叫旧的不去新的不来，有钱能使鬼推磨?"

　　慈禧忽然又顾忌说:"皇上的病全靠沈宝田给看一看呢? 如果宰了沈宝田, 将来谁给皇上看病呢?"

　　"依奴才所见, 皇上的病是幼时所得, 如今多方面治疗早已痊愈, 不会再有什么旧病复发的。如果太后顾虑太多就不好办了, 这叫舍不了孩子打不住狼! 做大事不做点牺牲能行吗? 事事哪有十全十美的? 太后一向做事果断, 怎么突然变得忧柔寡断起来, 看不出太后的性格了?"

　　"唉, 不是本宫做事不果断, 本宫也有难处, 为了太皇太妃的事我几乎成了众矢之的, 尽管谁也没说什么, 但众人对我耿耿于怀, 恨不得处掉我呢? 我已经酿成了一个大错, 决不能再出现类似的事了。"

　　"那太后同不同意除掉沈宝田与秀珍呢?"

　　"事到如今, 如果你真能做得十分令人满意的话, 你就大胆地去做吧! 杀一个是杀, 杀两个也是杀, 只要对本宫有利, 就杀个十八九个也没什么。"

第九章　双重悲剧

一、安德海的下场

停隔近十年的选美大赛再次拉开了帷幕。

慈禧想把凤凰山上父亲的灵柩运回京师安葬。

那空云大师为什么要救走匪首呢？

安总管一向敢做敢为，被小太监们推崇为"安大胆"。

张德顺心中一惊，知道自己已失宠于慈禧太后。

为同治皇帝选择后妃的选美大赛在新年的钟声敲响之后就开始了。

按照祖制，后妃必须从秀女中选出，这选秀女分为两种，一是由户部负责主持选八旗秀女，一是由内务府主持选拔内务府属旗的秀女。为皇上选择后妃多是选八旗秀女，一定要从蒙满官员的女儿中挑选，这也是为了保证皇室血统的纯洁性。

应征入选的秀女一般是 13 岁到 16 岁之间的未婚女孩，如果有特别出类拔萃的可以再适当放宽一些年龄。这些入选的秀女只有在落选后才能嫁人，而当选后则身价倍增，因为她们就有可能成为皇后、皇妃、或皇子、皇孙、亲王、郡王子弟的妻妾。

这选秀女一般为三年举行一次，可是自从咸丰皇帝宾天以后，大清国由于年年战乱就很少再进行挑选秀女的工作。而主要原因是同治皇上太小，各亲王贝勒中也无需要婚配的王子王孙，更何况这选秀女的事也是一项十分浩繁，劳民伤财的事，耗费无数金银不说，也牵动千万个家庭，搞得人心惶惶。对于"一朝选在帝王侧"，这是好事也是坏事，当然，能有幸成为后妃的值得骄傲，但这必定是凤毛麟角，绝大多数人只能留在后宫内独守空房，过着清心寡欲的日子。就是那些有幸"选在帝王侧"的人也整日过着提心吊胆的生活，伴君如伴虎不说，后妃之间勾心斗角尔虞我诈也是殊死的无声战斗。稍一不留心，轻则个人命丧黄泉，重则父母兄妹的命也搭了进去，因此，许多家庭并不希望自己的女儿应征秀女，但皇命难违，又不得不报宫应选。

今年这次由户部主持的选秀活动较往年更为隆重，其宗旨十分明确，就是为当今圣上选拔后妃，再加上这中间停止了十多年，可以说是当年头等大事，哄遍全国。

慈禧对这事更为重视，这不仅是为她选定一个皇上儿媳的事，更主要的是能否选择一个听命自己的儿媳，处处和自己一条心，这才是慈禧最关心的。慈禧早已明白自己亲生的儿子却不和她亲近，胳膊肘子向外拧，事事总站在慈安与奕䜣一边，这怎能不令慈禧脑火呢？为了能扭转这个局面，慈禧决定从选儿媳入手。自古男人多怕婆，只要儿媳听话，时间一久，儿子也自然会听话的。因此，慈禧派自己的亲信荣禄直接参与选秀女的工作。那边慈安太后也不示弱，派奕䜣参与选秀女的工作，由于奕䜣是军机大臣，又是亲王，他参与这事给荣禄的活动很大限制，令慈禧十分恼火。

这天早朝，君臣礼毕，慈禧问道：

"如今选秀女的事进行到哪一步了？"

奕䜣急忙出班奏道："回两宫太后，经过层层筛选，如今已经选出五位最佳人选，至于如何进行下一步的筛选定夺，请两宫太后定夺。"

慈禧点点头，"不知这最后的五位秀女都是哪府上的千金？"

"回太后，一位是户部尚书崇绮的女儿，一位是大学士赛尚阿的女儿，一位是知府崇龄的女儿，一位是下层官员英纶的女儿。"

不等奕䜣说下去，慈禧满脸不高兴地问道：

"还有呢？"

"还有侍郎凤秀的女儿。"奕䜣急忙答道。

这是慈禧最为关心的一人，侍郎凤秀是慈禧心腹，她与凤秀早已商定好，无论如何，一定让凤秀的女儿当选，这对于慈禧本人也极为有利，只要凤秀的女儿册立为后，一定会像她的父亲一样听命于自己的。可是奕䜣偏偏对凤秀不开胃，也是恨屋及乌吧，怎么看这凤秀的女儿也不顺眼，如果不是荣禄竭力保荐，只怕凤秀的女儿早就名落孙山外。

不论第几名，慈禧一听凤秀的女儿挤入了前五名，这还罢了，脸上稍稍缓和一下颜色说道：

"这选秀女册立后妃可关系到国家大事，关系着我大清朝的国运兴衰，非同儿戏，决不能有私心杂念，更不能夹杂个人喜恶，一定要公平合理竞争，因人而论，谁要是徇私办事，一经查出定要严加追究！”

奕䜣知道这是慈禧在给自己敲警钟，慈禧偏向凤秀的女儿，而自己却把秀凤的女儿排在第五名，她当然不高兴。也幸亏自己同意了荣禄的保荐让凤秀的女儿入围了，假如凤秀的女儿不入围，慈禧一定不会善为罢休，说不定会找茬制裁自己呢？或许一怒之下取消自己所选定的秀女。奕䜣心里道？你口口声声不准徇私，而自己却处处徇私，真是口是心非之人。

奕䜣诺诺退下，奕譞上前说道：

“如今册封后妃大事即将举行，皇上也快要大婚了，应该着人去南方来办龙衣及皇上大婚的用品，这事宜早不宜迟，请两宫太后定夺？”

不待慈安开口，慈禧先说道：

“醇王所奏极是，这也是一件大事，容本宫回去之后慎重考虑再着人办理吧。”

譞退下，慈禧又问道：

“各位大臣还有什么事尽管奏来，无事就退朝了。”

慈禧话音未落，军机大臣李棠阶出班奏道：

“臣昨天接到金陵来的文书，大学士两江总督曾国藩不幸病逝金陵，请太后定夺，择取替代之人。”

慈禧没有讲话，她一时还没有想到合适人选，这两江总督一职非同小可，必须一名有名望的封疆大员才可接任，谁合适呢？当然，最好是安插自己的亲信。

这时，慈安太后开口讲了话：

“曾国藩虽为汉臣，但对朝廷一片忠心，多年来征战南北，剿灭太平长毛与捻匪的过程中立下汗马功劳，如今才六十有二就不幸早逝，也是长年征战积劳成疾吧，应当加封受赏。请礼部拟定谥号，由其子曾纪泽承袭一等男侯爵之位。至于两江总督一职可暂调直隶总督李鸿章前去金陵接任。一是李鸿章曾为曾国藩的学生，可去协助料理恩师的后事，二是李鸿章曾任职两江总督，业务娴熟，同时兼管江南洋务与通商不会造成大员更替所带来的负面影响。"

李棠阶急忙奏道："太后所言极是，就依太后之意办理，只是这直隶总督一职？"

不等李棠阶说下去，慈禧急忙说道：

"如今大选之前行将结束，由恭王一人负责即可，可让荣禄接任直隶总督一职。"

慈安本来想让崇原接任直隶总督一职，一听慈禧提议让荣禄担任，心中虽然不高兴，但她什么也没有说，只好同意由荣禄接任。

退朝后，慈禧刚刚回到储秀宫，荣禄就赶到了，荣禄不解地问道：

"如今正是册封的关键时刻，太后为何将下官调任直隶总督呢？直隶总督为朝廷二品大员，对下官固然重要，但我这一走，太后身边的人手不就缺少了吗？如何能斗过慈安太后与奕䜣，这选定后妃的事只怕太后所中意的那凤秀之女便无希望。"

慈禧笑道："这册封后妃之事你也不必操心，你尽管去天津赴任吧。直隶总督一职虽是京外为官，但对于我们今后掌握大权十分重要，直隶总督统辖京津外围防线，是京津的门户重地，你去那里为官也是一个锻炼执掌兵权的机会，只有掌握兵权,将来才能担当大任。至于册封后妃一事,你留在京城作用也不大,你走了反而更好,这叫做欲进先退,给慈安奕䜣一个欢喜,待他们高兴之后我再杀个回马枪,把凤秀的女儿定为皇后。"

荣禄又问道:"太后对于去江南采办龙衣的事不知是否有合适人选?倘若没有,臣愿推荐一人。"

"目前尚无人选、不知荣大人所说是何人?"

"臣觉得蔡寿棋是个合适人选,此人一向对太后忠诚,如今虽然提升为御史,也是个闲职,太后可以利用这个机会让他捞点实惠,将来他会更加卖力地为太后做事。"

慈禧点头说道:"你说的也有点道理,让本宫再认真思考一下。"

慈禧说着抬眼看看荣禄,眼神里多少带着无限的爱怜与关心慈禧犹豫片刻终于有一丝不自在地问道:

"荣禄,你此番上任可以携带家眷,别辜负了郁瑶姑娘的一片情意,男人家虽然要以事业为重,但也不能把家给抛弃了。郁瑶姑娘是个好内助,不仅会持家,也会体贴人,否则我也不会把她许配给你。"

荣禄想不到太后会同他说起这些话,心中也是一阵酸楚。郁瑶曾是慈禧最贴身的宫女,知书懂礼,也十分贤慧,就是慈禧这么刻薄刁钻的人也对她挑不出毛病来,慈禧把她当作自己的妹妹一样看待。

也许慈禧有一种负疚感吧,她把郁瑶姑娘许配给了荣禄,荣禄何偿不知慈禧的心,虽然对慈禧仍有一番割舍不下的心,但他也清醒地知道那只能是水中月镜中花可望不可及。最后也同意和郁瑶结成婚配,但他的那一颗心却如泼出去的水永远收不回来，怎会像当年一样挚爱郁瑶呢？不过把郁瑶当作一个女人，一个发泄性欲的工具罢了，从来也没有真正地对她动情过，把心中的话儿讲给她听，虽是夫妻却同床异梦。

郁瑶是一个十分聪明的姑娘，何偿不了解丈夫与太后曾经的情缘，又怎能不明白荣禄的心思呢？但她什么也不能说，只能把泪水往心里流，一个人独处的时候偷偷哭泣。后来，干脆把全部的爱和心思都投入到对儿女的照料之中。

慈禧也经常召郁瑶入宫谈心，尽管郁瑶极力掩饰她与荣禄之间的不合，但又怎能瞒住慈禧的眼睛呢？同样是女人，慈禧又何偿不理解郁瑶的心，有时也觉得自己有一丝愧疚之情，渐渐在爱情上远离荣禄，把整个心投入到对权力的攫取上。

荣禄也觉察到慈禧对自己态度的变化，今天又听了慈禧的这番话，心中当然如打碎的五味瓶，酸、甜、苦、辣一起涌上心头。

荣禄谨慎地说道："谢太后关心，奴才一定照办，把妻儿眷属一并带往天津就是。"

荣禄又抬起头，含情脉脉地看着慈禧说道："也请太后多保重身体，臣会常来看望太后的，太后如果有什么事需要臣效劳，只管去一封诏书即可。"

荣禄告退了，慈禧望着他的背影也是一阵怅然若失。

安德海跑了过来，嘻嘻一笑，指着荣禄的背影说道："太后有点割舍不下吗？两情若是久长时又岂在朝朝暮暮？"

慈禧正在心烦之际，一见安德海嬉皮笑脸，马上严肃地斥道：

"你的皮又痒痒了吧，来人——"

安德海一见慈禧真的发起火来，马上告饶道：

"请太后息怒，奴才只是见太后不高兴才同太后开个小小玩笑，想让太后高兴高兴，奴才正有要事报告太后呢？"

"什么事快说吧。"慈禧仍然面无笑色地说道。

"回太后，奴才已经打听出沈宝田全家所居住的地方，只要太后下令，奴才立即派人去取沈宝田全家的首级。"

慈禧点点头，"这事你去做吧，一定要干净利索，不能留下蛛丝马迹，一定要做得像抢掠财物的盗贼所做的那样是抢掠杀人。"

"奴才明白，不过奴才还有一事相问？"

"何事，你说吧？"慈禧的面色缓和了许多。

"奴才听说太后要派人去江南采办龙衣，这事和奴才所做之事正好同路，如果太后放心，就让奴才带人去办龙衣吧。暗中携带大内高手，路过山东时将沈宝田干掉，然后再去江南采办龙衣，即使有人怀疑，也不会估计到是我们干的，这叫一举两得，太后以为如何？"

慈禧摇摇头，"绝对不行！我朝祖制规定太监不准擅自出城，顺治爷在位时曾命工部在宫内设十三衙门铁牌，明文规定，太监有敢过此门者斩！你不能拿自己性命开玩笑，我可以不杀你，但若被慈安与奕䜣知道，难免他们不以此为借口斩你，他们早就对你有些看法，特别是奕䜣对你更是恨之入骨，平时想整治你都没有借口呢？你怎不能自己送上门去呀？不是我不想让你去，而是担心你的性命安危。"

安德海不以为然地说："有太后你在谁敢动奴才的一根

汗毛？只要这事太后不说，别人就不会知道，奴才暗中外出就是微服出宫一能杀掉沈宝田，二能防止风声走露，只要办好龙衣奴才立即就回京，不会被人知道的，太后放心好啦。更何况祖制也是人定的吗？能定也能改，太后听政在我朝不是也没有先例吗？太后不照样听政，谁敢说半个不字，只要太后不追究奴才的责任，慈安太后与恭亲王也不敢把奴才怎么样，不然就是蔑视太后权威，故意和太后作对！"

"好啦，你别给本宫戴高帽啦，这事不同一般，让我再慎重考虑一下再说。我这次派出去的人任务重大，也不仅仅是采办龙衣的事，还有其他重要的事，只怕你去办不了。"

"太后尽管放心，请太后相信奴才的能力，无论是公事还是私事，奴才都一定做得到。太后就让奴才去吧，奴才在京师呆了这么多年，实在乏味了，想出去散散心解解闷。如果太后再不放心，奴才微服外出，隐姓埋名谁也不会知道奴才就是太监的。"

这时，传事太监来报，说大学士瑞麟求见，慈禧立即命他进殿。

瑞麟上殿，叩拜之后问道：

"太后传话叫微臣来此，不知太后有何吩咐？"

"瑞学士请坐吧，本宫请你来见有点私事相托，不知瑞大人能否为本宫辛苦一趟？"

"太后只管吩咐，微臣万死不辞！"

慈禧叹口气："也不是什么太大的事，说起来瑞大人是知道的，我能有今天还应该感激瑞大人呢？本宫说的也就是这桩事。"

"区区小事何足挂齿，太后就明说吧？"

"瑞大人一定记得二十多年前，我们全家孤儿寡母携带父亲灵柩被大雪所阻流落凤凰寺的事吧？"

瑞麟见慈禧太后提及往事，只好点点头，那是太后落魄之时的事，如果不是太后主动提及，他是万万不敢说的。因为当权者最别人了解自己的过去，特别是自己不光彩的往事，虽然瑞麟有恩于慈禧，但瑞麟也不敢主动提及，他怕慈禧以为自己是向她要恩而犯忌杀了他。如今是慈禧太后主动提及往事，瑞麟只好点头承认。

慈禧又说道："父亲尸骨本来准备运往京师，因大雪封河，水路不通被迫葬在凤凰寺后，由于当时发生了雪崩，我们匆匆离寺下山回京了，也没在坟上留下什么标记。自那以后，我们兄妹再也没有去凤凰山祭扫过一次。起初是因为家贫无资可去，后来又因为服侍先皇左右无暇前往。我们兄妹几人也多次商定想将家父灵柩起运京师，无奈这多年来太平长毛作乱江南，一直没能够如愿。如今南方太平妖匪被平，北方捻匪也剿灭殆尽，天下太平，道路畅通了，本宫想把家父灵柩起运回京。这事知道的人不多，唯瑞大人是在场之人，本宫想有劳瑞大人辛劳一趟，能否凭借着当年的记忆找到家父棺木起出来运回京师重新安葬呢？"

瑞麟急忙说道："微臣以为是什么事呢？原来是这件事，臣愿为太后效劳。不过臣也有几句话想提醒太后，不知当讲不当讲？"

"瑞大人对本宫一向忠诚，但说无妨。"

"谢太后信任微臣，臣就直说了。太后当年携老太师灵柩路过凤凰山时，因大雪阻碍被迫将老太师灵柩葬在凤凰寺后。当时曾听凤凰寺主持空云大师谈论凤凰山与凤凰寺的来历，说凤凰山有一千年不遇的风水宝地，就在凤凰寺附近，曾经有许多人到那里寻找都失望而回。空云大师说风水地只能让有缘人寻得，可遇而不可求。谁也没有料到那凤凰山上的风水地竟被老太师所拥有了，这真是天赐机缘。那雪崩正是灵柩击中风水穴地所产生的天地威力，才因此山崩寺塌。听空云大师说，那是天缘，也是太后的造化，恕微臣斗胆说一句不恭的话，如果不是当年那次天缘，只怕太后不会有今天呢？"

慈禧一愣，细细回味瑞麟的话，又回想一下当时避难凤凰寺的情景，瑞麟的话也不无道理，自那以后，自己的家运果然一天天好了起来。"

慈禧又问道："以瑞大人之见，家父的灵柩就不必搬运京师了？"

瑞麟点点头，"古语说埋骨何须桑梓地，更何况老太师的灵柩有那种天赐良缘埋到千年不遇的风水之中呢？听一些风水先生所说，葬入风水穴中的棺木不能轻易移动的，一经搬移，那风水的灵验就消失了。"

"瑞大人可否听空云大师所说那处风水宝地到底有何灵验，对后人有什么影响呢？"

瑞麟急忙摇摇头，"空云大师不曾说过，他只说天机不可泄露，从空云大师的神情中约略可以看出他对那处风水宝地极为赞赏，要么他怎会连说是千年难寻呢？那山叫凤凰山，那寺叫凤凰寺，也许那风水与龙凤有关吧？人们不经常说龙凤呈祥吗？自古人们多把皇后比作飞凤，把皇帝称为真龙天子，太后当然就是凤凰转世，而当今皇上不正是真龙天子，只有真凤凰才会有真龙天子，依微臣估计，那风水地的妙用可能还不止于此呢?"

瑞麟几句话把慈禧说得心花怒放,慈禧也的确信以为真,笑着说道:

"本宫就接受瑞大人的建议,今后不再提出搬迁家父灵柩之事。不过也请瑞大人对此事守口如瓶,万万不可对外人谈起,你知我知即可。"

"请太后放心,臣怎会不知轻重到处乱嚼舌头呢?这多年来太后对微臣关怀备至,屡次提升微臣,令微臣感激涕零,日夜思念能报答太后对下官的提挈之恩,却一直没能够如愿。今日本想为太后效命却不料这事实在做不得,干系着家族的兴望发达,望太后体察微臣的忠心,不要以为微臣偷懒了。"

慈禧又笑道:"瑞大人忠心可佳,本宫岂能不知,本宫对瑞大人的屡屡提升也是报答当年的慷慨相助。只可惜本宫不知道那空云大师现在流落何处?空云大师也有恩于我家人,并且为了安葬家父所造成的雪崩把凤凰寺也给毁了。如果本宫知道空云大师流落何处,一定加倍报答当年的收留之恩,为他建造一个比当年大十倍的寺院。"

瑞麟见慈禧面色上流露出几分失望之情,急忙安慰说:

"太后不必为此伤感,当年空云大师能够收留太后,并为老太师指点风水宝穴,也许是前世的因缘,上天所安排的,或许空云大师——"

瑞麟说到这里猛然停住了,面部的表情也僵住了,他突然想起了一件事,就是几个月前发生的一件事。

慈禧正听瑞麟讲着,猛然见他话说了一半停住了,面上也露出古怪的神色,便问道:

"瑞大人正讲着话怎么突然不讲了，想起了什么？"

瑞麟这才醒过神来，急忙答道：

"回太后话，奴才听太后提及空云大师，突然想起几个月前发生的一件事，当时却怎么想不起来，现在经太后一提醒，突然想起那人就是空云大师，一定是他，虽然过了二十多年，空云大师苍老了许多，但依稀还是当年的风貌，鹤发童颜，仙风道骨。"

慈禧一听瑞麟说他几个月前曾见过空云大师，也是一惊，急忙问道：

"在哪里相见的？现在能否找到他？"

瑞麟这才回忆起那天与空云大师相见的情景来，事情的经过是这样的：

自从东西捻军在山东荷泽西北高楼寨设伏击毙科尔沁亲王僧格林沁，并全歼僧格林沁的几十万蒙古大军后，震动了朝野，大清朝看到了捻军对他们统治的威胁，也认识到捻军不可忽视，立即调各部大军对捻军进行围攻堵截，准备一举歼灭东西捻军。为此，大清朝也付出了血的代价，伤兵损将不说，就是几位赫赫有名的带兵大帅也都受过几次降级降职甚至革职的处分，如曾国藩、李鸿章、左宗棠、丁宝桢、官文、刘铭传、郭松林等。瑞麟的处境也不妙，但他有慈禧太后为后盾，才免于降职的处分。

在朝廷的威逼利诱下，这些奉命剿捻的带兵大员知道再不剿捻军自己的职位难保，真的拿出了看家本领。京师以奕诉为总指挥，节制陕甘总督左宗棠、湖广总督曾国藩、两江总督李鸿章和直隶总督官文，这四位总督又节制山东巡抚丁宝桢、河南巡抚李鹤年，安徽巡抚英翰、陕西巡抚刘蓉以及各省提督。此外，又派瑞麟率领火器营神机营，马炮营前往助战。这才将两路捻军分割包围，一一击败。东捻军首领任化邦在江苏北部赣榆一战被杀，赖文光率领全部南撤扬州又遭到李鸿章大军围歼也被俘死难，东捻军至此全部覆灭。

自从东捻军覆灭后，西捻军也孤掌难鸣，处境艰难，一步步走向灭亡。直隶饶阳一战陈大喜与邱运才殉难，幼沃王张禹爵受了重伤，被迫和张宗禹南下山东，在徒骇河一带又遭到瑞麟与丁宝桢的围攻，瑞麟就是在这里见到空云大师的。

那天，瑞麟率大军从聊城北上，与丁宝桢的大军汇合把捻军的残部围困在大运河、黄河和徒骇河一间的一个狭长地带。捻军经过几次大的惨败仅剩下五千多人，也多是伤兵，主帅张宗禹受了轻伤，幼沃王张禹爵受了重伤。他们希望能突破山东防线打回皖北老家重新招兵买马再战，但等待他们的却是灭顶之灾。人马刚到茌平就被包围了，尽管张宗禹多次率军冲杀都没有能够突围。

捻军的伤亡人数在一点点增加，清军的包围圈也在逐渐缩小。张宗禹知道今日必败无疑，下令解散捻军各自逃命，自己保护着张禹爵也寻找逃命的出路。几万大军层层包围着，想活命的希望几乎等于零。

张宗禹和张禹爵刚逃到山坡的一片树林边，迎面碰到瑞麟率领的一队人马，张宗禹一把推开张禹爵，大叫一声：

"禹爵，快逃命吧，记住报仇！"

自己纵马挥刀向瑞麟杀来，瑞麟举起手枪勾动了搬机，张宗禹应声倒下。张禹爵刚要扑上去和瑞麟拼命，突然被一个人用手挡住了，只听那人低声喝斥道：

"不可鲁莽，留得青山在不怕没柴烧，君子报仇十年不晚，快随我来。"

那老者拉起张禹爵就走。

瑞麟大喝一声，"站住，再走我就开枪了。"

只见老者转回头，是一位白须飘飘的出家人，瑞麟眼睛一亮，觉得这人好面熟，似乎在哪里见过，可怎么也想不起来在哪里见过，不待他细想下去，只听那出家人也大声喝斥一声：

"瑞麟将军请回吧，天意不可违！"

瑞麟一愣，在这山野之中怎会有人认识自己，这位出家人到底是谁？就在瑞麟发愣之际，那老人和张禹爵消失了。瑞麟立即带人向树丛中寻找，边找边射击，最后既没有找到人也没有找到尸体。直到天黑，瑞麟才令收兵，此时，所有捻军残兵全部被消灭，至此，捻军彻底覆灭。

慈禧听完瑞麟的讲述，疑惑地问道：

"你是否能确定救走匪首的老人就是当年的空云大师呢？"

瑞麟点点头，"当时我只觉得这人十分面熟，就是一时记不起来，后来也就把这事给忘记了，今天经太后提醒微臣才突然想起那人就是空云大师，虽然他较二十年前苍老了许多，但言行举止，容颜也没有太多变化。"

"你后来带兵没有找到匪首和空云大师吗？"

瑞麟略带惭愧地摇摇头，"我带兵搜遍整个山坡也没有找到他们，估计从山崖中溜走了。据说那匪首张禹爵是张乐行的儿子，他受了重伤，部下又全歼灭了，即使逃走也成不了气候，请太后放心吧。"

"本宫不是担心那匪首再次聚众闹事，本宫是想那空云大师为何要救走匪首呢？是有意相救还是碰巧相救？他们现在又在哪里呢？能否找到空云大师？"

瑞麟急忙劝慰说："太后不必多虑，无论空云大师是有意相救还是碰巧相救都不必放在心上，也许空云大师后来流落成捻匪呢？不然怎会救走匪首。就是他们逃得了活命也不足惧，估计他们也是为了活命罢了，想聚众闹事也不可能了。"

"无论如何，能够找到空云大师我还会感谢他的，只可惜不知他的下落？"

"太后心肠仁慈实在是我朝洪福，请太后不必把此事放在心上，空云大师能够为太后服务是他的造化，也是他佛门有幸，他应该感激太后才对呢？太后何必耿耿于怀呢？"

慈禧点点头，"瑞大人将来再有机会碰到空云大师，一定查清他的住址，本宫当面重谢于他。"

瑞麟这才告辞离去。

瑞麟也算朝中众臣中最幸运一个，他因偶然的奇遇认识了当今太后，从一名镇江总兵如今升迁到大学士，真是始料未及。朝中众臣能够和瑞麟相比的，也许只有荣禄了，当然荣禄是靠个人的心灵痛苦换来的今日荣幸，不同于瑞麟的一次误碰才有今天的辉煌。

慈禧本来打算让瑞麟去江南负责龙衣，同时负责去凤凰山搬迁父亲的尸骨，今日一听瑞麟劝告的也有理，就不愿再搬迁父亲的尸骨，也就不想让瑞麟去江南采办龙衣。谁去呢？慈禧想接受荣禄的建议让蔡寿祺去，但她又觉得蔡寿祺写写说说还行，去做这些活儿不太合适。

慈禧正在思考，安德海又凑上来说道：

"太后可否考虑好，奴才是否可以去为皇上采办龙衣？"

慈禧叹口气，"如果你实在想去就去吧，本宫真拿你没有办法！不过，你千万要微服出京，一定不能让慈安太后与奕䜣等朝中大臣知道，可多带几名心腹侍卫，以防万一，在刺杀沈宝田时务必小心，以干净利索为上，还要让人认为是抢劫杀人，不是为了杀人灭口。"慈禧又再三叮嘱安德海。

安德海一听慈禧同意他出京去江南采办龙衣，真是心花怒放，十分高兴地谄媚说：

"请太后放心吧，奴才这次出京为太后办事一定让太后满意，不仅要为皇上采办龙衣，也要为太后采办一些树木石料，让太后重修圆明园，将来好让太后在里面怡养天年。"

嗬，安德海这一句话还真提醒了慈禧，她立即来了精神：

"小安子提醒得也是，圆明园是历经明清两朝皇上所修建起来的皇家园林，共有四十八景，号称万园之园，不想被西洋红毛给毁坏了，如今只剩下一片凄惨的景象，实在令人不忍目睹，看之伤心落泪，理应修复。洋人能毁，咱大清朝就能修，不能令洋人小瞧于我们！小安子此次去江南，采办龙衣后可向当地官员多订购一些优特树木、石料，并责令各地官员尽快送来，我们马上就责令大臣修复圆明园。"

"只要太后吩咐，奴才一定不会令太后失望，太后放心在宫内静候佳音吧，奴才回京之时，一定给太后征够修复圆明园的材料。"

慈禧见安德海那得意忘形的样子，又叮咛说：

"路上万万不可贪玩，以办事要紧，皇上等着举行大婚呢?”

"喳!"

安德海向慈禧太后道一声安便哼着小曲走了出去,准备打点行装去江南采办龙衣。这小子做梦也不会想到,他这一去就再也没有回来。

古老的大运河犹如一条长龙自南向北蜿蜒流淌着。

正值夏天,河水暴涨,水流急促,船也行得特别快。湍急的河面上三艘大号太平船快速地行驶着,安德海走出船舱,站在船头,看着两旁飞逝而去的景物怡然自得。

安德海边用牙签剔着牙缝中的残物,边哼着小曲欣赏着周围的美景。哼小曲唱京戏是他的拿手本领,也正是靠这些家当才取得慈禧太后的欢心,再加上他会见风使舵看慈禧脸色做事说话,很快成为太后的贴心人。自从为太后出了几个馊主意帮助慈禧打败她的对手,安德海又成为太后的心腹。

太监私自出京在大清朝尚属首例,如果不是慈禧太后对他倍爱有加,他怎会有今天的荣耀呢?这个年头,有权不用过时作废,该享受时要享受,该作恶时要作恶,好人不长寿,坏人活千年,谁不想活千年呢?还是作恶比行好有用。这是安德海的人生哲学,他也从宫廷的斗争中悟出这道理,特别是从自己主子的亲自经历中坚定了他自己的人生准则。如果不杀人,如果不作恶,自己从一个流浪街头吃不饱也穿不暖的孤儿怎会有今天呢?在京城之内,不论多大的官儿谁不对他低头让三分。

安德海正在胡思乱想,侍卫刘霸走了过来,招呼说:

"安总管发什么愣,才出京几天就想太后了吗?"

"你这个龟孙王八羔子狗嘴吐不出象牙，让太后知道不撕破你的狗嘴才怪呢?"安德海回头骂道。

刘霸立即笑着赔礼道："安总管不要生气，小弟不过是开一个小小玩笑，如果安总管真的想找女孩陪一陪，到了沧州小弟给你弄上三五个，沧州是小弟的老家。"

"哦，刘霸，你原来是沧州人，这么说咱们还是老乡呢?"

"安总管老家在——嗬，你瞧我这人多肯忘事，安总管是南皮人，沧州向南一站路不就是吗? 安总管几时没有回家了? 这次有机会路过家乡是否回家看一看?"

"不瞒刘老弟，自从二十多年前离开家乡到京师做起这行当就再也没有回过家乡，本来家里也没有了什么亲人。这次出京恰好经过南皮，应该回家看一看，也风光风光，可我是微服出京，没有经皇上谕旨许可，太后再三叮嘱不可声张，办完事立即回京。倘若回家乡这一张扬，岂不暴露了身份，传扬出去不好呀?"安德海顾虑重重地说。

"嘿，安总管做事一向敢做敢为，被弟兄们推崇为'安大胆'，如今出离了京城怎么倒胆小起来，人们不是说'将在外君命有所不受'吗? 太后也只是说说，这远离京师，你打着太后的旗号，谁敢不服，谁又敢质问你有没有皇上谕旨呢? 安总管在朝中都是个人物，官吏不论大小都对安总管高看一眼，如今路过家乡却不去看望父老乡亲，做一个缩头乌龟躲在船上，谁又知道是安总管来了呢? 依小弟之见，安总管应该在船头插满龙凤彩旗，多置些鼓手乐队，一路上风风火火，热热闹闹，让各地官员列队迎接，酒宴敬献，那样安总管才风光，小弟也跟着安总管风光一次。"

安德海一想刘霸讲得也有点道理，人生不就是乐他一乐吗？今朝有酒今朝醉，该出人头地时要出人头地，不能那么窝窝囊囊出京一趟，只要我不说，谁又知道老子没有谕旨呢？哪个不知天高地厚的官员敢向我安大爷讨要圣旨呢？可是太后已经再三叮嘱了，这事让太后知道会不会骂自己呢？

安德海正在犹豫，猛然接到前面船上人的报告，说大船被沧州码头的稽查官员扣住，说我们是贩卖私盐的，要扣押船上所有人质。

安德海一听可气坏了，骂道：

"他奶奶的，真是人善有人欺，马善有人骑，大爷没有在船头插上旗号，这些狗日的王八孙子就狗眼看人低了，传我的话，让沧州知府程绳武来见我安大爷，他要是敢不来，问他是人活腻了，还是官当腻了！"

那沧州码头的稽查官马方正一听这船上的人口气不小，不买他的帐，反而点名道姓让沧州知府程绳武来见，心中也吃惊不小。说是官船罢没有旗号，看不出官职级别，如果说是民船吧又怎么会有如此气派呢？三只大号太平船，每一只船上都有许多穿着华丽，却又分辩不出身份的人。马方正也不敢轻举妄动，一方面扣住这三条船不放，一方面快马通知沧州知府程绳武。

程绳武接到报告，寻思道：如今国家太平，会不会是朝廷派往各地微服私访的钦差大臣呢！若是这样，自己可得罪不起，宁可信其有不可信其无，立即备轿到码头上看个究竟。

程绳武来到码头。安德海已经下了船，正在那里大骂马方正狗眼不识泰山，马方正一边挨骂，一边低着头赔礼。程绳武一听是安德海来了，哪敢怠慢，急忙上前说道：

"原来是安总管到达下官所在地，安总管为何不提前打个招呼，也好让下官早作准备，列队相迎。"

安德海一见程绳武来了，又转过脸毫不客气地说道：

"我奉太后之命赴江南为皇上采办龙衣，本不想打扰程知府，悄悄过去就算了，谁知你的属下都是瞎了狗眼，拦住我的船不放，我无奈才令人去请程知府，程知府放不放行呀？"

程绳武当然知道安德海的来头，也知他是此地人，立即陪笑道：

"安总管不必生气，都是属下狗眼不识泰山，得罪了安总管，还请安总管多多海涵。既然安总管路过此地，理应下船小住，也让下官尽一尽地主之宜，何况安总管就是这南皮人，从家乡路过，也要回乡探望一下乡亲。如果安总管路过家乡不下船走一走，让乡亲们知道不说安总管官当大了，人也大应了，连家乡也不要了，这不太好吧。以下官之意，安总管到下官衙门小住几天，休息一下，也让下官给你准备点礼物，然后送安总管回家乡看一看，安总管意下如何？"

安德海见程绳武如此客气，话也说得有道理，就点头同意了。

安德海带几名随从去沧州府衙门赴宴，留下刘霸等人照看船只，并叮嘱刘霸改变出京时的装饰，一律在船头插满龙凤彩旗，配备鼓手，号手，要边行船边奏乐饮酒。并在自己所乘座的中间太平船上竖立一个高大的旗干，上插绣有三足乌的杏黄旗。

相传三足乌鸦是西天王母娘娘座前的宠鸟，专门负责为王母娘娘采集果食等用品。安德海在自己船上插有三足乌的杏黄旗，就是向各地官员、百姓表明自己是奉西太后慈禧之命到全国各地为皇上采办宫中用品，好让各地官员向他孝敬纳贿。

果然，安德海在沧州休息了几天，带着程绳武赠送的礼物乘船南下，再也不同于先前无人问津，还受到各地的巡查。如今，风光多了，大船缓缓而行，一路载歌载舞，热闹异常，又有许多童男童女服侍左右。每到一地，地方官早早列队相迎，敬献酒肉礼品，并亲自上船向安德海行叩拜礼。那运河两岸看热闹的百姓更不用说了，站得密密麻麻，好似人墙一般。

安德海没有到南皮，南皮的地方官就得到了消息，把迎接安德海的各种设施准备齐全，等候安德海到来。

安德海来到自己的家乡南皮，他下令把龙凤彩旗插满船帮，锣鼓也擂得更响，船头站满锦衣铠甲的卫士，服侍自己的童男童女在船头来回不断。

安德海也一反往日的装束，身穿绣有凤凰的三品官蟒袍补服，头戴正蓝顶花翎帽，脚蹬官靴。安德海下了船，在南皮县令郭德贵的陪同下乘上八抬大轿去乡里走一趟。

轿前先有马队，接下来步兵，然后是县衙的跟班衙役扛着"肃静"、"威武"两块大招牌与各种彩旗。安德海的轿后又跟着南皮县令、县丞与团练使等人。

安德海回到故居，说是故居那里有什么房子，仅是几间快要倒塌破茅草棚子。安德海也是内心一阵辛酸，这就是自己的家，睹物思人，父母双亡，自己一人流浪街头，几乎饿死他乡，无可奈何情况下经人介绍到宫里当了太监。一晃二十多年过去了，如今回来，怎能不悲喜有加呢？

安德海又到父母坟前举行祭拜之礼，由于自己多年与家乡没有来往，父母坟上早已荒草遍地。他祭拜之后，令随从拨款重修故居，也把父母坟墓周围的土地买下十几亩，准备重修祖坟。地方哪敢要他的银两，都答应照办，一定修建得比他所要求的还好。

安德海接受乡亲们的跪拜之后，为了施恩乡人，把从沧州得到的银两等物品全部赏赐给亲朋近支。这样，安德海在南皮停留了几天，又乘船南下。

安德海回乡省亲的消息不胫而走，一时间成为人们谈论的话题，南皮的百姓更是议论不休，谁也没有想到当年人人瞧不起的小安子如今竟然这么风光，真是人不可貌相，海水不可斗量，当太监也能发迹。

离开南皮之后。

安德海站在船头上，回首眺望岸边列队相送的地方官吏和数以千计的老百姓，安德海得意地狂笑起来，他为自己得到众人的仰慕和朝拜而踌躇满志。

安德海正陶醉在自己欲望的满足中，侍卫刘霸拍拍他的肩膀说：

"安总管，小弟给你的建议不错吧，如果不搞得大张旗鼓，风风火火，怎会有今天的荣耀呢？这个年头就是这样，人人都是脸朝上的，谁不趋炎附势呢？只要打着慈禧太后的旗号，别说是小小知府，就是各省的巡抚，总督也要对安总管另眼相看，他们不向安总管进贡朝拜，还要想想自己的官还做不做？"

刘霸见安德海高兴得直咧嘴，又怂恿说：

"安总管，下一站就是德州了，过了德州就到了山东境内，听说山东巡抚丁宝桢是东太后的人，安总管可要小心，如果他不向咱哥们进贡，待回京一定在太后面前诋毁这小子，不让他有好日子过，最好能拿去他的巡抚一职。"

"听说丁宝桢这人很硬，在剿灭捻匪过程中也立过大功，好大喜功，不把一般官员放在眼里。"

刘霸笑了，"丁宝桢再硬还能硬过安总管，他不把一般官员放在眼中，总不会也不把慈禧太后放在眼中吧？"

安德海一想也对，什么丁宝桢铁宝桢，他不在乎我安德海总在乎太后吧，我且为太后行事，他敢不进献修建圆明园的钱财？

安德海决定在山东一地多敲诈一些钱财，一为太后修建圆明园用，另一方面也为自己修建故居和父母坟墓所用。

安德海刚到德州，见不像其他地方那样有地方官列队相迎，心中很不高兴，以为德州知府赵新不知道自己的到来；就派人去德州知府衙门通知。

其实，赵新早就接到报告，知道安德海的到来，他对安德海的所作所为早有耳闻，十分反感，故作不知，不去列队相迎。

赵新接到安德海的来人报告，知道自己不去不行了，被迫无奈带着几名随从去迎接。

安德海见赵新姗姗来迟，也只带着几名随从人员前来迎接，没有大队人马，也没有备上酒肉赠礼，心中更是不高兴，一见面就冷冷地问道：

"赵知府公务挺繁忙啊，每天日理万机比太后还忙啊？"

赵新一听安德海的语气带着不满，也不示弱地回敬道：

"卑职一个小小知府怎敢与太后相提并论，但卑职身为地方父母官，应为当地老百姓的死活操心，每天也少不得有许多地方小事缠身。今日恰好有两个案子处理，迎接安总管来迟，请安总管多多谅解。"

安德海见赵新话中有话，对他不软不硬，有心找他的茬却又一时抓不住什么把柄，也只好作罢。

安德海只好再次抬出太后压他："我奉慈禧太后之命前往江南采办龙衣，顺便为朝廷修建圆明园搜集材料，赵知府所在德州财富充足，要多多供献，不可推诿不供，以免太后生气，让我不好交差呀？太后的脾气赵知府虽然没有亲身领教，想必也已经听说过，假如太后动怒，赵知府担待不起呀！"

赵新一听安德海满嘴无赖之词，又一口一个太后压人，心中不服，却又不敢发作，只略带不满地问道：

"不知安总管搜集何物用来修复圆明园？"

"什么财物都行，上等木材，优质石料，金银钱财更好，有多少供奉多少。"

赵新一听十分生气地说："朝廷修复圆明园固然重要，但也要顾及百姓的死活，我德州遭受捻匪连年战乱，今年又因干旱而欠收，对百姓的赈济都没有钱财，哪有钱财供奉修复圆明园呢？请安总管到别处索取吧！"

安德海火了。这个赵新真是不识时务，看他的官也是干够了，不但对自己态度冷淡，不请吃饭不纳供，连太后所要的供奉也敢违抗不交。

安德海喝斥道："赵新，你不识好歹，敢违抗太后懿旨，是不想做这德州知府的官了。那好，待我回京后立即奏明太后，将你撤职查办！"

安德海向随行人一挥手，"走，我们走！真是给他脸他不要脸，与我安大爷过意不去，有他好看的。"

安德海气呼呼回到船上，下令开船。

安德海刚走，赵新立即亲自带人快马给山东巡抚丁宝桢送信报告。

　　山东济南巡抚大堂。

丁宝桢面对着这多日来送上的公文大怒，几乎各府县送来的公文都提到安德海勒逼官府供奉，骚扰百姓，所带随从无故打骂差役抢掠财物。

丁宝桢知道安德海是西太后慈禧心腹太监，在京城就依仗太后势力勒索官员，凡是要到储秀宫拜会太后的，一定要给安德海一些跑腿费，不然坚决不给通报，以致京城官员都对安德海恨之入骨。但众人也只是敢怒不敢言，谁能得罪起西太后呢？恭亲王奕䜣因不满安德海的骄横跋扈曾打了他一巴掌，被慈禧又哭又闹骂了一场，后来奕䜣被革去议政王一职也不能不与他殴打安德海一事有关。

丁宝桢不满安德海的所作所为，对慈禧太后的一些做法也十分反感。

那是在扫平中原捻子作乱以后，丁宝桢和李鸿章、左宗棠、瑞麟等人回京领赏。一天，慈禧太后单独接见了丁宝桢，正在谈话之间，有传事太监来报，说有一太监昨天晚上不小心，把一只玉壶打碎了，请求太后裁决。慈禧随口说道：如此粗心的奴才留之何用，拉出去乱棍打死。丁宝桢一听，当时心里就咯噔一下，过去传闻西太后心狠手毒，如今亲眼所见才知道西太后果然毒辣，今后一定要小心行事，不能被她抓到什么不是，何桂清、胜保都是自己的例子。

丁宝桢面对这些控诉安德海文书正在思考对策，传门官进来报告，说德州知府赵新求见，丁宝桢估计也一定是与安德海的事有关，立即传他进来。

赵新进来说道："卑职参见丁大人，有要事相告。丁大人一定听到奏报有关安德海高悬三足乌杏黄旗勒索财物的事吧？"

丁宝桢一指案上的一堆文书说："我正为这事苦恼呢？各地控告书如雪片般飞来，而安德海却依仗西太后的势力到处招摇撞骗，一点也不把各地方官放在眼里，人们都是敢怒而不敢言。"

"哼，昨天安德海在德州时向我勒索财物，下官给他一个闭门羹，气得安德海在德州也没停留就灰溜溜地开船走了，要报告慈禧太后将下官革职问罪呢？请丁大人为下官想想办法？"

丁宝桢一拍桌子说道："做得好，就应该这样，本官支持你，如果太后怪罪下来，本官给你顶着，要革职问罪把我丁宝桢也一同算进去！唉，可惜有些地方官太趋炎附势，不能都像赵知府这样敢于顶撞安德海，倘若人人都不向他低首屈服，安德海也就乖乖地溜走了。"

"丁大人准备怎么办呢？是下令山东全省各处官员不闻不问任他嚣张，还是下令将他捕获正法。丁大人应该明白我大清朝的祖制，太监出都门半步，人人都有权诛杀，难道我们这些拿着朝廷俸禄吃着皇粮的朝廷命官就眼睁睁看着一个阉人如此为匪作歹吗?"

丁宝桢叹息一声,"赵知府不畏权势,敢于顶撞奸佞的精神可嘉,但赵知府也不能意气用事,要注意策略。安德海打着太后的旗号,又以为皇上采办龙衣搜集修复圆明园材料的名义敛财,我等在没有弄清楚确实情况以前,万万不可轻易动手。倘若安德海有皇上皇太后的特谕呢?我等随便把安德海抓住了岂不冒犯了朝廷的圣谕,这个罪责可担当不起啊。"

丁宝桢毕竟比赵新在官场混的时间长,做事考虑得多一点。

赵新却说道:"我朝自顺治年间就有限制太监参政弄权的十三块铁牌,康熙朝时再次规定限制太监干预政事,当今皇上皇太后对祖制不会不知吧,怎会主动违背祖制让安德海私自出京呢?下官以为,一定是安德海经过慈禧太后的默许私自出京的,决没有皇上谕旨。只要安德海没有圣旨,无论是经过谁的默许都没有用,我们有权将他捉拿处死,就是报到西太后那里也没有办法,只能怪安德海命短自己找死。"

丁宝桢听赵新分析得有理,但他仍然有所顾虑地说:

"尽管我朝有不许太监私自出京的先例,但规矩是人定的,人可以立规矩也可以废规矩。我朝不是也没有太后听政的先例吗?两宫太后不照样听政?"

赵新有点失望地说:"这么说我们无法制裁安德海,任他横行下去啦?"

丁宝桢思考一会儿说道:"本官有一个万全之计,一方面我们派人通知沿途各府县密切注意安德海行踪,派人盯住安德海不让他跑过山东,必要时以好酒好菜招待,也捐赠些财物，拖住他缓行；另一方面采用夹单密奏的形式，八百里文书飞递进京，先奏请恭亲王与慈安太后，请求东太后旨意，如果东太后让我们拘捕安德海，我们就立即动手，如果东太后也不同意我们对安德海采取行动，这事也只好不了了之，我们也拿他没有办法。"

赵新见丁宝桢如此小心谨慎，不敢随便得罪安德海，何况自己一个小小的知府呢？只好同意丁宝桢的决定，静候消息。

丁宝桢派出几拨人马送口信给东昌府、济宁府、泰安府的知府，令他们再传信各知县密切注意安德海的行动，及时上报。布置停当，丁宝桢便写一份有关安德海私自出京征求慈安太后意见的条子夹在文书里，派人着八百里快递送往京师。

这"夹单密奏"就是在正式奏折里夹上一个条子，既不存卷，也不会被安德海知道。如果太后不同意惩处安德海，只要毁去条子就可，避免事情办不成遭到安德海与慈禧太后的报复。如果直接正式参奏，出现什么不良后果可就要由丁宝桢一人承担了。

二、风流少年帝

皇上学过满文、蒙文、汉文，就是没学过洋文

"不杀安德海对不住列祖列宗，朕心中这口气也出不来。"

同治帝和载徵走进"天地一家春"酒楼。

安德海叫道："姓丁的，你敢杀我，太后一定

会为我报仇，让你不得好死。"

乾清宫弘德殿。

同治正在埋头写着文章，脑袋上的皮蹙成一把，费了九牛二虎之力才写那么几句。同治实在写不下去了，索兴把笔一扔冲着守候在门外的梁吉庆吆喝道：

"梁吉庆，快服侍朕休息去，朕今日就写到这里，明日再写吧。"

梁吉庆进来了，"皇上，有人要见你，在殿外等候多时了，奴才知道皇上在写李师傅布置文章，就没给他通报，皇上见是不见？"

"谁？"

"贝勒载澂——"

梁吉庆话没说完，同治啪地一巴掌打在梁吉庆的脸上，骂道：

"狗奴才，载澂来了为何不早报告给朕，害得他久等，快去把他请进来！"

梁吉庆捂着红肿的脸出去了。

载澂进来了，先向同治躬身施个礼：

"皇上好，臣给皇上行礼啦。"

"快起来吧，好个屁，烦死了。李鸿藻那个臭老头让朕写一篇文章，朕费了半天的功夫才写上那几句，真没劲！"

载澂拿起御案上的纸一看，文题是"任贤图治，只见下面写道：

治天下之道，莫大于用人，然人不同，有君子焉，有小人焉，必辨其贤否，而后能择贤而用之，则天下治矣！

"嗬，皇上写得不错吗？真是三日不见当刮目相看，皇上进步多啦。"

"小哥哥，别提这扫兴的事，咱说点快乐的事吧，你这许久也不来看望朕，都忙乎什么来着？有逗趣的事吗？快说给朕听听。"

"嗬！皇上若说逗趣的事可多啦，小臣每天吃罢饭没有事，就偷偷溜上街转悠一圈。只要上街，新鲜事可是太多啦，什么挑担的，卖菜的，耍把式的，玩猴的，还有斗鸡斗羊训虎的，说上三天也说不完。"

载澂看看皇上听得入神，碰碰他问道：

"皇上这多日来也一定高兴呗，听说给皇上选了五个漂亮的大美人，皇上相中哪个做皇后呢？"

"嗨，还是别提这事，一提就气死人，五个女娃子朕都看了，长得也还马马虎虎，可选谁做皇后的事正放在那里呢？也不知能放多久？两宫太后各执己见，一个要定富察氏，一个要定阿鲁特氏，谁也不相让。"

"那么皇上乐意让谁当皇后呢？"

"当然是阿鲁特氏啦，这人是户部尚书崇绮的女儿，雍容端雅，天生丽质，有德有才正适合作皇后。"

"既然皇上喜欢这不就得啦，立那阿鲁特氏为后就是。"

同治十分苦恼地说："慈安太后也同意朕的选择，和朕的看法一样，偏向于阿鲁特氏，可额娘却说凤秀的女儿富察氏美艳绝伦有母仪天下之姿。"

同治说到这里连连摆手，"咱们不说这些令人扫兴的事，说点别的事吧。"

"好，说点其他吧。"载澂忽然又问道，"怎么皇上的贴身太监又换了，小臣刚才来让他给通报一声，他只说皇上在做文章不允许我进来，害得我久等，如果皇上以后再不允许小臣进来，小臣就不来啦。"

同治立即解释说："小哥哥不要生气，朕不知道小哥哥在殿外久等，否则早就让你进殿了，怎会让你久等呢？什么写文章，朕高兴就写，不高兴就不写。也怪新来的太监梁吉庆，他不晓得朕与小哥哥的关系，所以不让你进来。若是李莲英、张德顺、李存宜他们几人早就让小哥哥来陪陪朕解闷了。"

"李莲英、张德顺、李存宜他们几个呢？"

"安德海这小子近日不知什么原因突然不见了，额娘让李莲英去她身边啦。至于张德顺和李存宜几人还不是因为那事受到牵连打入冷宫做苦力了。"

"为着啥事？"载澂不解地问。

"还不是为了长春宫的那名宫女——红艳姑娘，额娘说他们知而不报，怂恿朕做有辱皇室尊严的事，把他们重责二十大板打入冷宫做苦力。嗯，别提这些伤心的事，你还是说说你在外面遇到新鲜让朕听一听，也乐一乐。朕可不像你这么快乐，整日无忧无虑的，想去哪儿去哪儿，想干什么就干什么，自由自在，像一只长了翅膀的小鸟。而朕却是锁在深宫大内里面的一头小羊，也是井中的一只青蛙。不有一个典故叫坐井观天吗？朕就是这样，每天呆在宫里看头顶上一方蓝天，别人说什么朕就听什么，是好是坏朕一无所知，不是一只青蛙是什么。"

载澂见同治情绪低落，急忙安慰说：

"皇上不必难过，皇上是一国之主，受万民敬信，乃是真龙天子转世，怎么会是一只小羊呢？皇上如今事事不顺，这正如孟子所说：天将降大任于斯人矣，必先苦其心志，饿其体肤，劳其筋骨，增益其所不能。皇上现在就是这样，阿玛常说大清江山的中兴全靠皇上呢？皇上现在虽然被人掣肘，皇上是水中的蛟龙，一旦亲政后一定会做出轰轰烈烈的伟业来，像康熙爷当年，这就叫潜龙腾渊吗？而小臣是游手好闲之徒，干不出什么大事的，打趣逗乐还可以。"

同治急阻止了他，"小哥哥不要再恭维朕了，朕怎样我自己清楚。唉，在很小的时候，接受父皇的遗托，那时雄心勃勃，希望自己将来重振大清江山，做一番惊天动地的大事来，能像康熙爷与乾隆爷一样永远受人敬仰。可是后来，渐渐长大却一点点消磨掉儿时的豪气与锐气，再也不想下苦功夫读书，只想及时行乐，什么江山社稷、祖宗千秋大业似乎与朕无关。朕有时冷静下来，回想一下自己的所作所为也觉得心中有愧，想痛下决心多读书，将来做一位明君贤主，可书拿在手中时又发自内心烦起来。"

"如果皇上不喜读书就不读书，那些龟孙五经四书都是骗人的鬼把戏，读不读也没有什么太多的用途，自古至今不是有许多帝王根本没有读过书吗？不照样当上了皇帝，还留名青史呢？"

同治摇摇头，"也不是这样。人们常说，半部《论语》打天下，半部《论语》治天下。古人许多治国齐家平天下的言论还有用的，多读书可以明智，增长处理问题的能力。读史也可以借鉴，从古人的经验教训中明白自己应该做什么，不应该做什么，司马光编撰《资治通鉴》的目的就是'资于往事，鉴于今朝'，让后人从古人那里得到好与坏的借鉴。"

载澂不解地问："既然皇上如此明白读书的重要性，怎么会厌学呢？"

同治无可奈何地叹口气，"我也一直把读书看得很重，对倭仁、翁同龢，特别是李鸿藻等人所教授课，朕总以为他们讲得太板，不能与当时的朝政联系起来，只是就事论事，缺少深度。"

载澂见皇上大谈读书作用与心得，又问道：

"皇上从何时才产生厌学的心理呢！"

"自从那年发生一次头痛后，朕就懒得读书，后来虽然被御医给治愈了，这多年来也没再犯过病，但自那以后就再也不喜欢读书了，一拿起书本就头痛，也因此一天天厌学。朕觉得读书就是这样，越读越有趣也越能读进去，越是读不下去也就越厌读。"

载澂忽然想起了什么，问道：

"皇上读过许多满蒙文和汉书，不知皇上可否学过洋文？"

"什么洋文？朕不曾读过，小哥哥可否写几个字让朕看一看？"

"洋文就是西洋红毛说话写文章使用的文字。阿玛说他在总理衙门任职，经常和洋人交往，不懂一些洋文实在不方便，就请了一位洋先生在府中教他学洋文，那洋文先生叫包尔登，经常在府中走动，教了我一些字词。后来阿玛又让那包尔登专门教习我说洋话，嗨，我的汉话说得都不精通，哪有功夫学说洋话，这边学那边忘，如今只记得一句洋话叫'狗逮猫'，据说是'早晨好'的意思，也不知对不对。"

同治来了兴趣，问道：

"教你洋文的那位包尔登先生呢？现在还留在王府吗？"

"早就不在了。在阿玛的主持下，我们大清朝成立了同文馆，专门教习洋文，组织一批人翻译搜集整理洋人的书籍资料，为我朝办洋务使用。那洋文先生包尔登就去了同文馆当先生。"

同治点点头，"这办同文馆的事朕也曾听说过，如今我朝大兴洋务，学习西洋人办工厂造枪炮，也购买西洋火轮创办水师训练新军。听李师傅和翁师傅讲，这是把林则徐、魏源当年提出的'师夷长技以制夷'的主张落到实处，通过创办洋务振兴我大清江山。等到咱大清朝的各项洋务轰轰烈烈搞了起来，洋人有什么咱们有什么，咱大清朝就不必惧怕洋人了。一旦洋人入侵我朝，我朝就可以奋起抗击，把西洋红毛打个落花流水，从而达到'制夷'的作用。"

载澂翻动一下小眼睛，疑惑地问道：

"洋人会这么笨吗？把能够制服我大清朝的看家本领毫无保留地传授给我们？这不合情理呀，自古至今，哪有师傅不对徒弟留一手的？猫传授老虎技艺时还留一手爬树的本领呢？我估计洋人也和猫一样狡猾，一定会留一手绝技的。不然，他们还害怕咱大清朝强盛起来去攻打他们西洋列国呢？"

"我大清朝是礼义之邦、仁义之师，怎会像西洋蛮夷那样缺少教养，四处攻占抢掠呢？至于洋人会不会像猫一样狡猾对咱大清朝留一手实在难说，但办起了洋务总比不办的要好，能多学一点就会少挨洋人的一点打。"

同治忽然又转脸问道："听说近日将派一批幼童到那美利坚地方留洋学习，你可曾听到这个消息？"

载澂点点头，"小臣确实听阿玛讲过此事，命两江总督李鸿章负责管理的呢？说从上海乘船出海。阿玛曾问我愿不愿飘洋过海学习洋务呢？哼！我才懒得到洋人地界那里受人歧视呢？洋人一向不近人情，一旦翻脸也许会扣人作人质或杀掉咱们派去的人呢。"

同治也说道："小哥哥不去那洋人国度是对的，你走了谁来陪朕开心呢？洋人不讲信誉反复无常，如今平安相处没有什么，如果两国一旦打起了仗，只怕会把小哥哥当作奸细杀掉，那才是我皇室的耻辱呢？"

两人正谈得热火朝天，梁吉庆又进来报告说恭亲王求见皇上。

载澂一听阿玛来了，急忙说道：

"皇上见是不见我阿玛，如果要见，先找个地方让小臣躲一躲，以防止阿玛看见我在这里又会骂小臣来引诱皇上学坏。"

同治让载澂躲到内堂，这才让梁吉庆传唤恭亲王上殿。

恭亲王上了弘德殿参拜完毕，见没有他人，便奏道：

"启禀皇上，今有山东巡抚丁宝桢八百里文书夹单密奏，说安德海私自出京，并打着慈禧太后的旗号招摇撞骗，横征暴敛，有损太后声誉，请皇上定夺。"

按理说皇上尚未亲政，此事可以不奏请同治知道直接上奏太后，但奕䜣多个心眼，皇上虽然没有亲政，但今年将举行大典，明年也就亲政了，所以许多事也都让他知道，两宫太后也要求让同治学着批阅奏章，早早熟悉业务，为亲政作准备。

当然，今天奕䜣来向同治奏请这事是别有目的，他知道安德海私自出京的消息后便有除去此人的心思，但必须征得两宫太后同意。不用说，西太后坚决不会同意的，只要告诉西太后就杀不成安德海，而东太后为人心慈手软，是否同意要杀安德海还难说。但奕䜣知道同治对安德海十分痛恨，可以蹿掇皇上赞同杀安德海，由皇上和他一道再去请示慈安太后，估计慈安太后也就会同意铲除安德海的。

同治听完恭亲王的汇报，也不知怎么办，他还没有学会如何处理朝事。同治眨巴一下眼睛问道：

"六叔以为这事如何处理？"

奕䜣试探着问道："如果皇上想杀安德海这是一个最好的机会。按照我朝祖制太监非经皇上允许不能私自离京，若私自出京，越都门半步当斩！更何况安德海出京后胡作非为，用三足乌旗子诽谤太后声誉，愚弄百姓？倘若皇上无心杀安德海也就算了，如果这次放弃杀安德海的机会，只怕以后不会再有了，请皇上三思。"

奕䜣话音未落，同治就迫不及待地说：

"杀！朕恨不得现在就杀小安子，这个狗奴才依仗额娘给他撑腰谁也不放在眼里，早就该杀了，只不过没有机会罢了。如今他私自出京就是瞧不起祖宗留下的规矩，也是不把朕放在眼里，不杀安德海对不住列祖列宗，朕心中这口气也出不来！"

奕䜣见皇上同意杀安德海，又叮嘱说：

"安德海再大的胆子也不敢私自出京，一定是取得了慈禧太后的许可。如果皇上想杀小安子，暂时不要把这事告诉慈禧太后，以免她从中阻挠，把责任都拦了过去。若让慈禧太后知道是绝对杀不了安德海，皇上也一定明白其中的道理。"

同治点点头，"请皇叔放心，朕决不会向额娘走漏风声的。"

奕䜣又说道："如今皇上尚未亲政，仅皇上一人同意斩杀小安子还不行，还要征得慈安太后许可，请皇上与臣一同去面见慈安太后。"

同治向内堂瞧一瞧，然后对奕䜣说：

"请皇叔先行，朕随后就到。"

奕䜣认为皇上是担心他们一同去钟粹宫被慈禧的眼线发现了引起怀疑，就先走了。

待奕䜣走后，同治立即喊出载澂，叮咛说：

"小哥哥先在这里等着，待朕去面见皇额娘回来陪朕玩一玩，你也好久没有来了，今天就留在宫中多玩一会儿，中午陪朕用膳。"

载澂答应了。

奕䜣来到钟粹宫，说明来意，并取出丁宝桢八百里公文夹单密奏呈上去。慈安太后接过密奏一看，只见上面写道：

臣李丁宝桢启奏皇上皇太后：

今有宫监安德海率众出京已到山东地界，安德海自称钦差，以太后名义敛财纳贿。船头遍插龙凤彩旗，高挂三足乌杏黄旗。安德海一行所作所为激起地方官员众怒，因骚扰百姓也引起民愤。谨以此奏报，请皇上皇太后定夺。

慈安看罢密奏，也知道丁宝桢心意，虽然写得十分客观，也没有提出什么请求，但夹单密奏本身就曲折地表明了心迹。

慈安问道："慈禧太后是否看过这份密奏？"

奕诉微微摇摇头，"不曾看过。太后请想，丁宝桢此番所作就有回避西太后之意，故意没有正本参奏而采取夹单密奏的方法。安德海纵有天胆也不敢私自离京，他是取得西太后许可后才出京的，船上高挂三足乌杏黄旗更说明了这一点。臣之所以没有给西太后看，就怕被西太后看了，会大事化小，小事化了，把一切责任拦了过去，要么就转移到他人身上，势必给惩治安德海带来麻烦。"

"这么说恭亲王同意严惩安德海了?"

"不仅臣同意严惩安德海，皇上也同意严惩他。"

"这时，同治来到钟粹宫，也肯求说:

"请皇额娘同意斩杀小安子，这是按祖制办事，严明法纪，肃整后宫的大好时机。安德海在内飞扬跋扈，贪婪霸道，依仗在西太后面前得宠而胡作非为；在外则私自出京，蔑视宫规，毁坏皇室声誉，又扰乱地方百姓安居。凭哪一条都罪不可恕，当斩不饶。"

慈安太后仍顾虑重重地说:"不是皇额娘偏袒安德海不想杀他，就是杀了十个安德海也不过分。只是杀安德海一事不与你额娘商量一下，只怕她知道后会怪罪于我，又要和我闹个翻天覆地。"

奕诉说道:"太后也应该明白，这事若同西太后商量，一定杀不了安德海。这一次再不将安德海正法，只怕将来再也没有机会，安德海犯了如此死罪得不到惩处，将来如何惩处他人? 宫规不严，祸起萧墙，其中的利弊太后一定十分清楚，请太后三思。"

同治也说道:"西太后一向主张严明法纪，重整法制，振兴朝纲，她都能杀了何桂清与胜保，太后杀一个安德海又有何妨？斩杀之后，就是西太后不同意，生米做成煮饭她也不会说什么，只能怪安德海自己找死！"

慈安太后又思索一会儿，叹口气说道：

那好吧，先瞒住西太后下道密旨给丁宝桢，待处死安德海之后再通知她。唉，为了选皇后的事，我与她又闹了不愉快，至今尚未决定究竟立谁为后，再为了安德海的事只怕又免不了一场争吵。"

奕訢见慈安太后同意处死安德海，事不迟疑，以免夜长梦多，再出了什么岔子就杀不了安德海，于是催促慈安太后快下谕旨。

慈安令奕訢拟定密旨，加盖"同道堂"印与"御赏"印，然后以八百里飞递传送济南。

同治从钟粹宫回到弘德殿，载澂等得不耐烦了，一见面就唠叨着：

"皇上一走让小臣一个人留在这里闷死啦，如果皇上再不来，小臣就准备溜啦。"

同治立即解释说："小哥哥不要走，朕同皇额娘商量大事去了。"

"嘀，什么大事，是不是选定哪位小姑娘为皇后的事。"

"告诉你，你千万不能泄露出消息，否则就杀不了小安子啦。"

"噢，原来是杀小安子的事，果然是大事，请皇上放心好了，小臣决不会泄露这个秘密的。既然皇上有大事要做，小臣就先告辞了，改日再来吧。"

同治拦住了载澂，"小哥哥不要走，杀小安子的事已经安排停当，只待山东巡抚丁宝桢将小安子就地正法。朕如今去了一块心病，十分痛快，午饭后小哥哥能不能带朕到宫外走一走，也见一见宫外的世面。朕整日关在深宫大内里面，偶尔出去一趟不是祭拜皇陵就圆丘祭天，前呼后拥，朕根本没有机会四处瞧一瞧。朕对宫外大事一无所知，将来如何临朝执政呢？"

载澂犯难了，皇上外出需要许多大内侍卫保护，才能确保皇上安全，如果自己把皇上引出宫外，不出事倒还罢了，倘若出事，那要满门抄斩。

载澂劝阻说："皇上还是在宫中呆着吧，万一皇上有个三长两短小臣可吃罪不起。"

同治又央求说："小哥哥放心好啦，朕出了什么事决不让你担当责任，这行了吧？"

"皇上虽然这么说，万一出了事，皇上不追究，两宫太后也不会饶过小臣的，就是我阿玛也会打断我的腿。"

同治忽然灵机一动说道："康熙爷、乾隆爷几下江南，行程万里都不会有事，更何况朕仅仅到街走一走，怎会有事呢？"

"康熙爷、乾隆爷是微服私访，穿着便衣——"

同治笑了，"朕也可微服外出吗？只要朕不说自己是皇上，小哥哥不点破，别人谁又识得朕呢？朕头上又没有写字。何况咱们外出溜一溜，又不走远，决不会出事的，求小哥哥帮这次忙，一旦朕亲政后，定重重加封小哥哥。"

载澂见扭不过皇上，就答应了。

吃罢饭，载澂找来一身自己平日里的衣服给同治换上，再三警告梁吉庆不许外传，如果有人问起，只说皇上身体不适，早早休息了。

同治与载澂躲过值班太监与侍卫，从小门溜出了皇宫，沿着西直门大街向西逛去。同治如开笼放鸟一般，好自在。他初次这样出宫溜街，感到什么都十分新鲜，见什么都觉得稀奇，总要询问一番，让载澂给他解释一遍。有时同治的问话让周围的人都十分吃惊，以为这位花花公子是从哪山林里刚走出来的呢，怎么什么也不懂。

两人正走着，忽然看见前面围了许多人，同治好奇地围了上去。载澂也紧跟着挤进去一看，哦，原来是位摆摊算卦看相的。载澂拉着同治就要走，那看相的老先生一看面前站着两位花花公子，心里道给我送钱的人来了，他不待两人离开，急忙说道：

"两位公子天生富贵相，只可惜——"

"可惜什么？"载澂眉毛一竖喝斥道。

"好，好，我不说，只怪老夫多嘴，两位公子请走吧。"

同治一把拦住载澂，"小哥哥，不用急着走，就让他算上一算，看上一看，听他说一说可惜什么？"

"好吧。"载澂一指老人说："你且给我这弟弟看看相，看准了给你十两银子，不准揍你十拳，快说，看你狗嘴里可能吐出象牙！"

老人让同治蹲下，先打量一下他的相貌、身材、衣着，又拿过他的手仔细瞧一瞧，这才说道：

"这位小公子生在富贵人家，温柔华贵府第，一生享不尽的荣华，受不尽的富贵，未生就娇贵，生后主天地，乃封王封侯之相，只可惜出生时辰不好，命中注定子母相克，水火不容，公子的命受其母所制，是短命相，恐怕不能达而立之年就会早亡。"

同治一听，立即脸色惨白。

载澂一听这算命老家伙说皇上是短命相，哪还让他说下去，大吼一声就向那人打去。

"打死你这胡说八道的老浑蛋。"

同治急忙抓住载澂的胳膊，"小哥哥息怒，人生死有命，富贵在天，哪是他一个凡夫俗子说生就生说死就死的，只当他没说，咱们到别的地方看热闹去吧。"

那算命老人自知这两公子是大户人家子弟，怎敢得罪，急忙收拾自己的摊子溜了。

载澂走出了老远还气呼呼骂个不停，同治几次劝说才算消了他的气。载澂余怒未消地说：

"好端端出来散散闷气，寻寻热闹，不想全被这老家伙给搅浑了，不是皇上劝阻今天准打掉他的臭嘴巴。"

同治立即推推载澂，"小哥哥又称呼错了，幸亏刚才没有人，不然今天可就玩不成啦，要记住称我老弟。"

载澂拍拍脑袋，"唉，瞧我这记性，都是那看相的老家伙气的。"

"其他什么地方有没有更热闹的玩处呢？"同治问道。

"要么去赌场？那里可热闹啦，什么人都有，男的女的，老的少的，有钱的没钱的，谁不到那里赌一把，碰碰运气。"

"好，就去那里，咱们也赌他一把。"同治说着，摸摸身上分文没有，忙转身问道：

"小哥哥可有银两暂且先借给用一用，待回去之后加倍还你。"

载澂摸摸身上，"就这五十两银子，我们去碰碰运气，赢了多赌几把，输了就算晦气，咱们立即回去。”

两人找了一家赌场。同治却不懂赌场规矩，先让载澂赌给看，载澂走上前押了二十两银子，嗨，竟赢回了二十银。第二把载澂却押上五十两银子，谁知又赢了五十两。同治知道如何赌了，心道：我以为多么难学呢？原来这么简单，这个生意可真好做，送一得二，待我也试一试。

同治让载澂退下，他亲自赌一赌。载澂退到旁边指点同治如何下赌，如看骰子又如何收赌。同治一一记在心中。

那开赌的人见是一个从来也没赌过的年轻后生，便有心将同治的银两赢光，在第一把中故意让同治先赢二十两银子。那开赌老板嘀咕道：

“今日晦气，不赌啦，你们走吧。”

同治刚刚摸到赌博的甜头，哪能不赌下去，立即说道：

“你开赌场就是让人来赌的，输光也要赌，不赌不行，不然的话，朕——”

同治说到这里，猛然意识到自己说走了嘴，急忙改口说：

“不然的话，小爷真的带人来砸你的店。”

“嘿，你敢砸我家老爷的场子，你也问一问，访一访，这西门口谁不知道我家老爷麻八的，在这天子脚下，敢开赌场的，谁没有几下子，就凭你也敢——”

不待那人说下去，载澂挤了过来，威胁说：

“怎么？你家老爷不是他妈的大清国的臣民，他在京城再横比皇上还厉害吗？我弟弟今天说啦，要赌还罢了，不赌明天就让你们的场子关闭。”

载澂一嚷嚷围了许多人，见是开赌的和两个公子哥模样的人斗嘴，说什么的都有。同治哪见过这个架式，有点胆怯了，对载澂说：

"小哥哥，咱回去罢，你记住这个地方，等回来我派兵来抓。"

"好！咱弟们还从来没受过这窝囊气呢？走，回头不铲平这个赌场才怪呢？"

两人刚要走，赌场老板麻八拦住了他们，忙赔笑道：

"两位爷慢走，刚才只是给爷开个玩笑，我是这里的老板麻八，开赌场就是让人来赌的，岂有不赌之理？请两位爷息怒，继续赌，玩个痛快。"

麻八又转脸向刚才那个伙计斥道：

"不懂规矩的东西，还不快向两位爷赔罪！"

载澂看看同治，同治心道：这还差不多。

两人回到赌桌上。

麻八在这天子脚下混了这么多年，什么人没有见过，他虽然不了解同治与载澂的身份，但知道必是大户人家子弟。京城可是藏龙卧虎之地，稍一不慎得罪了哪位达官贵人都吃罪不起。特别是同治的那几句话更让麻八觉得两人必有来头。

同治与载澂第二次回到赌桌上可不同于刚才，不到一袋烟的工夫，连本加利输个精光。

同治输恼了，知道载澂再也没有银子。但赌瘾却上来了，对载澂说：

"小哥哥帮我去取银子，我在这里等着。"

载澂怕让同治一人留在这里出事，急忙劝阻道：

"咱一起回去吧，改日多带些银两再来。"

同治怏怏不想离去，在身上摸了半天也没摸到一文钱，忽然碰到了手中的玉镯子，他迟疑一下从手中取下来放到桌上：

"你们看看这副镯子值多少钱，我就赌多少钱。"

麻八接过镯子看了看，心道：这是货真价实地蓝田玉，还是上上等品呢？至于它的价值少说也值个万儿八千的。

麻八掂掂镯子，看看同治与载澂说：

"最多值五百两银子。"

载澂一听不愿意了，嚷道：

"你不能睁眼说瞎话，这可是上等玉镯，少说也值一千两银子。"

麻八见两人不识货，心中一喜，不动声色地说道：

"好吧，就依这位爷说的按一千两银子计算，你们赌就赌，不赌就收回镯子。"

"好，赌！"同治一拍桌子说道。

结果这一对镯子又输光了。

同治看看载澂，载澂看看同治，载澂劝慰道：

"今天就到此为止吧，改日多带些银两来赌一赌，顺便赎回镯子。"

同治点点头，两人这才无精打彩地走出赌场。载澂见同治闷闷不乐的样子，同他开玩笑说：

"俗话说赌场失意情场得意，如果小弟有兴趣我带你去一个地方，保证让你玩得快乐，决不会像刚才那样扫兴。"

同治又来了精神，"去什么地方，该不会也像刚才在赌场里一样输个精光吧？"

载澂笑而不答，"到时候你自然会明白的。"

载澂带着同治来到城南，这时天已近黑，街上亮起了灯，同治见那高大的门楼上横着一个大招牌，上面写着几个遒劲的大字"天地一家春"。

载澂这时才意识到天色已晚，急忙小声劝阻说：

"皇上，咱们回去吧，改日再来，如果家里人找不到皇上会着急的。"

同治抬头看看天，天色已黑，街上早已亮起了灯。同治也是第一次出宫，多少还有点顾虑，刚要转身离去，从楼内拥出一群姑娘们将两人团团围住。

"两位公子刚到楼下也不进去坐坐，就要走，实在让我们姐妹们脸上无光。请两位公子赏脸，到楼上喝杯茶再走。"

"哟，莫非两位公子嫌我们姐妹们长得不漂亮，否则怎么楼也不进就要走呢？"

几位姑娘不由分说，拉拉扯扯把同治和载澂拊上了楼。敬茶的敬茶，献烟的献烟，一声声软绵绵肉酥酥的话语把同治和载澂挑拨得浑身痒痒糊糊得，这样的地方，只要上去哪还有下来的。

载澂必定是经常出入这些方的，经得风月场多了，知道他们已经身无分文，只怕进得来出不去，惹更大的麻烦，先把臭话说在头来：

"各位姑娘们，今天我们哥俩本来带了两千多两银子的，不想运气不好全输光了，如果姑娘们不怕大爷抵赖，下次加倍赏钱。"

几位姑娘见两位公子都不像是地皮无赖之人，知道必定是富贵之家子弟，做她们这生意也不是靠一次二次挣钱，只要能拢住多情公子的心，还怕他以后不常来，那大把大把的银子还不滚滚而来。一位姑娘带头说道：

"这位小哥哥说这话可就无情无义了，虽然我们姐妹是做这个生意的，却也是有血有肉之人，只要两位公子是性情中人，我们姐妹也不在乎多少银子，只望两位哥哥能记住我们姐妹，常来看望就是。"

"对，我一看这两位爷就不像那些无情无义之人，那就来吧。"

一位姑娘边说边用胳膊勾住同治的脖子，载澂也被人拉走了。

那位姑娘把同治拉到一间屋里。同治是初次到这地方，对一切不太习惯，也不敢造次，拘谨地坐在床边上，瞅瞅这看看那。如今正值夏天，这位姑娘穿一件薄得透明的裙子，那洁白的肌肤，润泽的胴体几乎看个一清二楚。

这女子一见同治的神情知道是位处男，觉得十分开心，故意同他眉目传情，卖弄风骚。同治早已心猿意马，此时此刻他又想起了红艳姑娘，不免一阵心酸，和眼前这姑娘比起来，红艳缺少这姑娘的妖艳与妩媚。

同治正在胡思乱想，只听这位娇笑一声说道：

"这位小哥哥一定还没吃饭吧？"

她这么一提醒，同治才觉得有点饿了，从中午吃过饭出来，到如今已经半天多了，又走了这么多地方，怎能不饿呢？

同治哦哦两声又不好意思说，姑娘却冲门外招呼一声：

"快给这位小哥哥送些酒菜来。"

不多久，酒菜摆了上来，虽然不是十分丰盛却也可口，他们边吃边聊。

那姑娘先自我介绍说："我叫章玉婵，十三岁就被卖到这里了，如今已三个年头，在这'天地一家春'也小有名声，人家给我送个绰号叫玉娘，如果小哥哥不见外也叫我玉娘好了。敢问公子尊姓大名，家住何处？"

同治一阵紧张，支吾了半晌也没说出自己的姓名来。

玉娘急忙说道："如果公子觉得不方便也就算啦，按理说做我们这行的不应该打听客人姓名，我只是觉得公子不同于一般嫖客，像位官宦人家的读书人，才斗胆相问。"

同治渐渐放松了许多，几杯酒下肚胆子也大了，这才说道：

"我姓黄，叫黄爱新，就住在这京城里面，因承继祖上留下的一大片家业，整日坐在家中守候着，平日里读点书，很少外出，今天是应本家那位小哥哥之约出来走一走，散散心。"

玉娘一听同治的这番话真是心花怒放，果然是条大鱼。

同治为何这样报姓名呢！他是把"黄"与"皇"取谐音，这"爱新"二字是他们爱新觉罗家族姓氏的前两字。

两人又饮了几杯，话也多了起来，同治的胆子更大了起来。玉娘，为了拢住这条大鱼，以为同治端酒为名，故意把酒泼洒在同治的身上，她一面不住地陪礼道歉，一面给同治擦泼湿的衣服。

同治哪里经得住她这么撩拨，浑身燥热起来。双手也不由自主地在玉娘身上抚摸着。玉娘是何等风月场上的老手，顺势依偎在同治怀里，双手勾住同治的脖子撒起娇来。同治再也控制不住自己，猛地把玉娘压到床上。

同治正在温柔乡里卿卿我我，突然听到有人敲门，接着传来载澂的声音：

"弟弟快起来吧，天亮啦，咱一夜没回家，家里的人会着急的。"

同治毕竟是初次出宫，心中多少有几分顾虑，恋恋不舍地把玉娘那玉雕冰饰般的臂膀从脖子上拿下，轻轻下了床，又回味无穷地向玉娘投去怜香惜玉的目光，心中很不是滋味。

这时，玉娘醒了，见同治要走，一块到嘴的肥肉要掉了，她哪里愿意，急忙翻身坐起，伸手拉着同治的手，娇滴滴地说道：

"狠心的人，还不把这枕头焐热来就要走，多伤奴的心，俺不图你的钱财不图你的人品，只图你待俺一片真情实意。"

玉娘说道，竟不由自主擦起了眼泪。

男人最怕看见女人泪，玉娘这一哭，同治的心又软了，他急忙坐在床边安慰说：

"玉娘不要伤心，你对我是一片赤诚，我对你也是诚心诚意，只是我今日有急事不能久留，改日一定再来，即使玉娘忘了我，我还舍不得玉娘呢？"

载澂见同治半晌不开门，又在门外喊道：

"弟弟快起来吧，改日再来。"

同治这才十分不情愿地同玉娘告别。

同治与载澂刚到西角门就被出来寻找的太监看见了，赶紧把他们迎进宫中。一打听太后并不知道他们外出的事，两人才放下心来给几名值班太监每人奖赏五十两银子。同治再三告诫他们：

"朕今后外出你等不许向太后走漏半点风声，如若谁敢向太后汇报，朕一定将你们乱棍打死。"

这几位太监连连称是，他们也不想让慈禧太后知道皇上私自外出的事，皇上挨骂，他们也有责任，太后一发怒，他们少不得一顿毒打，重则被处死。只要给皇上瞒着，不但大家平安无事，反可以得到皇上的嘉奖，何乐而不为呢？

载澄奉同治之命从内务府支出一千两银子到昨天那家赌场去兑换皇上的玉镯子，起初那赌场老板不愿给，载澄一亮出恭亲王府的牌子，麻八害怕了，知道眼前这位公子定是恭亲王家的王子，哪敢不给。

载澄到弘德殿给皇上送玉镯子，刚刚踏进殿门，迎面碰上慈禧太后，他想转身躲开已经来不及了，慈禧一看见载澄手中拿着皇上的玉镯，便喝住了他：

"载澄，你为何拿着皇上手中的玉镯？"

"我，我——"

"快说，是不是趁皇上不在偷的？"

"不，不，回皇太后，有人说皇上这副玉镯是假的，皇上也拿不准，让奴才到街上请人检查一下，奴才刚刚去请验证一下，说这副玉镯是真的，价值四五千两银子呢？"

这时，皇上也闻声走出殿来。载澄一见同治站在慈禧背后，急忙说道：

"皇上，这镯子奴才刚才到街上，请人验证了是真的，请皇上带着吧。"

同治立即明白载澄的意思，忙说道：

"是真的就好，朕还以为是假的呢？

梁吉庆从载澄手中接过镯子给皇上戴好。

慈禧看看同治又看看载澄，将信将疑，她抓不住载澄什么错，忽然又想起了什么，便喝斥道：

"载澄，本宫曾经再三告戒你不许来弘德殿打扰皇上读书，你今日怎么又来了，该当何罪？"

同治急忙说道："回母后，这事不怪载澄，是儿臣派人请他进宫的。"

"皇上请他来这里干什么，是不是又想做什么恶作剧？"慈禧不满地说。

"儿臣让载澄到此就是让他代儿臣验证一下这副玉镯子的真伪，有几位小太监说这镯子是假的，不是真玉制成。"

"谁如此放肆，敢信口雌黄，皇上的用品岂能有假的！"

慈禧是来打探皇上对册立后妃之事有什么态度，到底垂青哪位姑娘，她当然希望皇上与她的心思一致，册立凤秀的女儿为后，共同反对慈安太后坚持立崇绮的女儿为后的主张，可刚才几句旁敲侧击皇上就是不表露心迹，她担心皇上或者另有中意人选，或者与慈安太后的主张一致。

慈禧知道同治与载澄关系要好，也许已经向他吐露了心迹，决定盘问一下载澄。慈禧对同治说道：

"皇上快进殿读书吧，母后有事询问载澄。"

同治不知母后想问载澄什么事，担心她询问昨天私自出宫的事，快快不想离去，慈禧又训斥皇上几句，这才把载澄带回储秀宫。

载澄更是忐忑不安，不知慈禧到底要审问他什么，唯恐问及昨日之事，那他可要受到责罚。谁知到储秀宫，慈禧却一反常态，和颜悦色地问道：

"载澄，你和皇上关系密切，皇上一定向你谈及册立后妃之事，你可知道皇上准备立谁为后？"

这次载濒多个心眼，他知道慈禧是从皇上那里没有打听出头绪，才故意哄自己讲实话的，哼，我不会上当的。于是，载濒故意装作不知地说道：

"回太后话，皇上不曾向小臣提及此事，皇上只是让小臣给验证一下那副玉镯，其他什么话也没说。"

慈禧一听载濒这话，知道他在耍滑头，恼了，这小子比他老子还滑，不给他点颜色看看不行，立即变了一个面孔，冷笑一声斥道：

"载濒，你小子不说实话今天本宫打断你的腿，让你永远也不能走路！你只当我不知道，你哪里是为皇上验证玉镯，是你们偷偷上街胡闹没有钱了把镯押在街上的当铺里，今日才赎来是不是？不老实交待，一定砸断你的腿，让奕䜣来带人。"

慈禧本是唬他一下，谁知载濒毕竟年龄小，被慈禧这一诈，害怕了，真的以为慈禧知道了一切，急忙跪地求饶说：

"请太后饶过奴才，奴才告诉太后一个秘密。"

"什么秘密？快说！"

"听皇上说，皇上和慈安太后正密谋杀小安子呢？派一个叫什么丁宝桢的人负责促拿小安子就地正法。"

载濒一紧张，为了给自己开脱罪责，把这个秘密兜了出去。

慈禧一听这话，知道载濒所言不假，因为安德海去江南采办龙衣一定经过山东，慈安派山东巡抚丁宝桢截拿安德海极有可能。

慈禧也顾不得处罚载濒，急忙带着李莲英等人直奔钟粹宫。

慈安太后正在午睡，听说慈禧来了急忙起身迎接，刚刚走出内堂，就见慈禧带着一帮宫女太监气势汹汹地闯了进来。

慈安太后一怔，心里道：莫非那事——还没来及讲话，就听慈禧质问道：

"钮祜禄氏，我那拉氏做事哪点对不起你，你竟如此狠心要杀我的下人？打狗还要看主人呢？你要杀安德海为何不同我打个招呼？他是我宫中的太监，至少也要让我知道吧？这总不算过分的要求吧？如果你慈安太后想独揽大权，嫌我碍事，就向众王公大臣宣布将我那拉氏赐死吧。你慈安太后原是正宫出身，是先皇从乾清门抬进宫的，有权有势，而俺是婢子出身，名不正言不顺，虽当了太后也是个窝囊角色，谁想欺就欺，还不如死了呢？"

慈禧说完号啕大哭，装作不想活下去的样子一头向慈安旁边的案子撞去。

慈安急忙扶住了她，见慈禧呼天抢地哭个不停，也觉得有点理亏，叹口气劝慰道：

"妹妹不要如此伤心，安德海不过是一个下等佣人，为他哭坏了身体不值得。"

慈禧一听这话，也怕慈安怀疑她与安德海有暧昧关系，急忙止住哭泣说：

"俺不是可怜一个太监，一个下等服侍人死他十个八个也没有什么希罕，只是你慈安太后这事做得太让人伤心，你分明是瞧不起我那拉氏，在你慈安太后眼中根本就没有我这个太后。实话说吧，安德海私自出京是我允许的，我让他去江南为皇上置办龙衣，以备皇上大婚所用，太后要杀安德海就先把俺杀了吧？你慈安太后明着是杀安德海，实际上是杀鸡给猴看，要治我那拉氏的罪，请太后治罪吧。"

慈禧说完又哭了起来。

这时，皇上得到载澂的报告也赶到了钟粹宫。

慈禧一见皇上来了，闹得更凶了，她走到同治面前扑通跪倒，哭着说道：

"载淳呐，你如今长大了，也快要大婚亲政了，可以不要额娘了，快下令把额娘杀了吧，额娘活着被人瞧不起，这也给皇上丢人现眼。额娘知道皇上从来也没有把我当作自己的额娘，连自己的儿子都不与我一条心，我还活着什么，儿啊，快把额娘赐死吧。"

同治急忙拉起慈禧，他十分为难地看看慈安太后，也眼泪巴嗒地不知说什么好。

慈禧被人架到椅子上坐着，她一把鼻涕一把泪，边哭边说：

"额娘生来命苦，从来也不求什么大富大贵，不想被先皇宠爱怀了龙胎生下皇上，自从生下皇上就遭人嫉妒，多次被人陷害，如果不是额娘心细一些，哪有皇上今天，早就被人害死了。大行皇帝宾天之际，额娘忍辱负重将你抚养成人，眼巴巴望着你早日长大，只等着你大婚之后举行亲政大典，额娘的责任也就到头了，额娘从此不再操心，找个偏僻的宫殿怡养天年，老死宫中也就心满意足了，想不到这几天的光景你们都容不下我。额娘不是处处为皇上着想，怎会匆匆忙忙派安德海离京为皇上置办新婚的龙衣呢？只可惜的一片疼爱心被当作驴肝肺啦。"

慈禧边哭边数落还真奏效，慈安太后的心软了，皇上也后悔起来。同治迟疑片刻对慈安太后说：

"皇额娘，谕旨虽然发出了，丁宝桢也许还不能收到，可否再发一道谕旨追回那先发的谕旨，把安德海押解回京治罪？"

慈安点点头："就按皇上所说，快拟定一道谕旨，免去将安德海就地正法，先押解回京再说，用八百里飞递送出去。"

同治立即拟定谕旨，着人送走。

慈禧这才止住哭泣，带着宫女太监们余怒未消地走出钟粹宫。

山东济南巡抚大堂。

丁宝桢坐立不安，这几天来又接到几个县的报告，说安德海所作所为更加猖狂，每到一地，下令让各地方官亲自迎接不说，还要送上一些漂亮的姑娘去陪酒侍宴，至于敲诈勒索的财物尚在其次。今天早晨，丁宝桢又接到泰安知府孙成海的报告，说安德海昨天晚上曾暗中派两名侍从出去办事，直到天色微明那两人方才归来，据监视安德海的人说，两人身上都有星星点点的血迹，今天早晨就接到报告，说泰安城北有一富裕人家五口被杀，估计是安德海派人所为，但尚无证据，至于为何刺杀那户人家也不得而知。只从侦破的人那里了解到，这户人家是近日才从京师搬迁到这里的，被杀者姓什么叫什么不得而知，从家中的摆设看，可能是位郎中。

丁宝桢越想越糊涂，安德海初到泰山怎会有此仇家呢？一定是在京中结下来的，那人为了躲避安德海才逃到泰安来隐居的，不想仍被他查到踪迹给杀掉。如此说来，安德海此番出京还有另一个目的，就是来此杀人。

丁宝桢对安德海已经恨之入骨，但他只是派人密切监视着，焦急地等待着京城的消息。时间已过了多日，眼看安德海就要走出山东，仍然不见谕旨到来怎能不让丁宝桢着急呢？万一杀不成安德海，自己夹单密奏的消息再让慈禧太后知道，自己这官也就危险了。对于慈禧太后的为人丁宝桢是清楚的。

忽然，丁宝桢接到传门官报告，京城八百里文书飞递送到，请他接旨。丁宝桢走出大堂，跪着接过谕旨，打开一看，只见谕旨上写道：

太监安德海私自出京，触犯我朝宫规，罪不可恕。又闻安姓太监捏称钦差，所乘大船遍插龙凤彩旗，悬挂日形三足乌杏黄旗，招摇撞骗，有损皇室体统。着令山东巡抚丁宝桢等人派员查拿，有犯必惩，纲纪至严，毋庸审讯，就地正法。特谕。钦此。

丁宝桢看罢谕旨，再次叩拜站了起来，欣喜若狂地走上大堂，对总兵王正起喊道：

"王正起何在？"

"末将在！"王正起走出班列躬身说道。

"你和马新铁、张之万三人率五百精兵快速赶到泰安，配合泰安知府孙成海将安德海一行人马全部拿获，有违令抵抗者格杀勿论。"

"遵命！"

王正起领命而去。

泰安一家最大的酒楼得天园，安德海正由四名美娇娃陪着饮酒作乐呢，旁边站着四名大内侍卫，猛然看见旁边的客人纷纷离去，安德海还没弄清怎么回事，就见王正起、马新铁、张之万带兵闯了进来。

安德并没在意，微微一笑：

"三位将军是来陪安大爷喝酒的吧？那就请坐呀。"

"我等是奉命来抓你的！"王正起喝斥道。

"嘀，你们来抓我，奉谁的命，是孙成海还是丁宝桢？他们有这个胆子来抓我安德海吗？问一问他们长几个脑袋，这官还做不做？"安德海丝毫不在乎地说。

王正起上前一步，"我等奉巡抚丁大人之命特来捉拿你这阉人，死到临头还敢嘴硬，给我把安德海拿下。"

马新铁与张之万上前就要拿安德海，安德海一见他们动真格的，急忙喝令四个侍卫：

"有谁敢动我一根汗毛你们给我格杀勿论，天大的事有我安德海一人顶着。"

王正起见安德海想反抗，挥刀向旁边一名侍卫砍去，几人立即混战起来，整个酒楼变成了战场。大内侍卫虽然功力高强，但抵不上王正起人多势众，不多久，四名侍卫两死一伤，另一人也乖乖地束手就擒。安德海自然也被捆了起来。

这边安德海被抓，那边孙成海也带人将安德海乘坐的三艘大号太平船封了起来。

安德海虽然被捆绑得结结实实，他仍然不服气，边被押上囚车，边破口大骂：

"你们这些龟孙王八羔子算什么东西，也配抓我安大爷，就是你们巡抚大人丁宝桢也没有权力抓我，他见到我安德海也会向我毕恭毕敬的，我是西太后的宠信之人，我的话太后言听计从，只要我一句话你们就可以荣宗耀祖，我一句话你们也同样可以脑袋搬家，你们这些王八羔子快放了我，放了我，我要找你们丁大人说理。"

"不用找，马上就见到丁大人。只怕见了丁大人你就死到临头。"王正起回敬道。

安德海被押到巡抚大堂，刚被解下囚车就冲着丁宝桢叫道：

"丁大人，快来救我，你的手下之人对我如此不敬，你给我严加惩处！"

丁宝桢冷笑一声："安德海，严加惩处的应该是你，你身为太监，私自出京，敲诈勒索，杀人越货，无恶不作，该当何罪？"

"嘿，丁宝桢，你不要狂妄，你只不过是一省的巡抚，也敢治我的罪？我是奉西太后之命为皇上置办大婚所用的龙衣，你敢违抗太后之命将我拘押，贻误朝廷大事，这个罪名你担当得起吗？"

"安德海，你不要拿西太后之名欺压本官，本官也是奉旨行事，这里有当今皇上和慈安太后共同发出的谕旨，令本官将你拿获就地正法。"

丁宝桢说着，从桌上取出谕旨抖动一下。安德海一见丁宝桢手中的谕旨开始害怕起来，一反刚才的骄横之态，扑通跪下哀求说：

"丁大人饶命，请丁大人放过奴才，那谕旨一定是未经西太后知道，皇上和东太后私自发出的。如果西太后知道是绝对不会同意将奴才就地正法的，求丁大人饶过奴才，奴才回京后一定在太后面前保举丁大人，让丁大人步步高升。如果丁大人想要银子的话，要多少都行，只求丁大人高抬贵手，饶小的一命不死。"

"本人只要你的命，其余什么也不要！"

安德海见软的不行又来硬的，立即威胁说：

"丁宝桢，你敢杀我，慈禧太后决不会放过你的，一定会杀你为我报仇，也让你不得好死。"

"安德海，我且问你，你私自派人到泰安城北刺杀那一家五口意图何在？"

安德海一惊，知道丁宝桢早就派人监视自己了，冷笑一声说道：

"丁宝桢，你既然知道这事，我也不再瞒你，刺杀那一家五口也是本人这次出京的另一项任务，这也是奉西太后之命行事，至于为什么，你只要同我一起回京面见太后，自然明白其中缘由。丁宝桢，你既然明白这些，该知道我不是私自离京了，应该将我放了，以免西太后谕旨一到，你吃罪不起。"

正在这时，又有快马飞奔而到，边跑边喊：

"请丁宝桢接旨——"

丁宝桢一时也被搞懵了，昨天刚接到一份圣旨，怎么又来一份圣旨。丁宝桢不容细想，急忙上前跪迎圣旨。

丁宝桢接过谕旨一看，只见上面写道：

著令山东巡抚丁宝桢暂且将安德海查拿缉押，且缓正法，押京师候审是问。

特谕。钦此。

丁宝桢看罢圣旨，心中十分难过，不用说，这查拿安德海的事西太后一定知道了，杀安德海得罪西太后，不杀安德海也同样得罪西太后。如今把安德海押解进京，有西太后在一定不会将他处死，如果安德海不死，在西太后面前定会将自己添油加醋地诽谤一顿，那对自己更加不利。是杀是留，丁宝桢一时拿不定主意。

安德海正在绝望之际，猛然听说又有圣旨到，心中大喜，估计是慈禧太后知道自己被查拿后才特意下谕旨释放自己的。他一见丁宝桢的神色，更坚信自己的判断，不待丁宝桢开口，安德海强硬地说道：

"丁宝桢，是慈禧太后下谕旨释放我的吧？还不快给我安大爷松绑，向我赔礼道歉，不然的话，本大爷回京后一定令太后拿你是问。"

丁宝桢见安德海太猖狂了，真是死有余辜，不杀安德海不足平息民愤。反正先有谕旨令我将他正法，我先把安德海杀了，上奏朝廷就说谕旨到时已经杀过。对，就这么办！

丁宝桢扫一眼得意忘形的安德海，对王正起喊道：

"把安德海推出去正法！"

安德海一听这话傻了眼，急忙跪下求饶：

"丁大人饶命，丁大人饶命！"

王正起等人上前拉起安德海就走。

安德海知道自己要命归黄泉，又破口大骂起来：

"丁宝桢你不得好死，丁宝桢你是个龟孙王八蛋！"

不等安德海骂下去，刀斧手挥刀砍了下来，一股鲜血蹿出丈余高，接着人头落地。

接着，丁宝桢下令将安德海暴尸三日。

丁宝桢冷静思考片刻，立即写一份奏折快马送往京师。

三、亲政与训政

同治帝和阿鲁特氏同时举起交杯酒。

张德顺动情地说："娇娇，我早已不是一个男人，甚至一个正常人也算不上，和你结婚是害了你。"

同治帝寻思着，亲政后要做三件大事。

"如何训政，妹妹不妨说得明白些。"

谕旨虽然发出去了，慈禧一直坐卧不安，她担心这第二份谕旨到达济南时安德海已被正法，自己的心思可就白费啦。这几日来，慈禧每天都派李莲英到军机处查问有没有山东来的奏折。

这天，慈禧正在宫内养神，李莲英慌慌张张地跑了进来，捧着一份折子对慈禧说道：

"太，太后，大事不好，安德海被杀啦。"

慈禧接过折子一看：

启奏皇上皇太后：臣接到本月初三日谕旨后既将安德海缉查拿获，待本月初五日谕旨到时，已将安德海正法，并暴尸街头。查抄安德海所带东西，得骏马五十余匹，黄金一千二百两，元宝一百五十八枚，巨珠十五颗，玛瑙八枝，悲翠碧霞朝珠两挂，玉如意一双，其他银两计五千。不日将解送内务府，请查收。

丁宝桢奏

慈禧看罢丁宝桢的折子，一把扔到地上，又忍不住哭了起来。慈禧也知道丁宝桢将安德海暴尸街头是故意做给众人看，为她澄清名声，消除传言她与安德海有暧昧关系。

慈禧在对丁宝桢感激的同时，更多地是痛恨，咬牙切齿地对李莲英说：

"丁宝桢杀了我一个人，有朝一日本太后定要杀他全家给小安子报仇！"

不知是慈禧失去了一个心上人伤心太重，还是其他什么原因，总之，在接到丁宝桢折子的第二天就病了起来，而且病得十分厉害。

李莲英趁机讨好西太后，每天都服侍在左右，端茶倒水，喂饭喂药，他要加倍讨好太后，进一步取得太后的信任，以便取代安德海的位置。

慈禧太后患病不能临朝执政，可乐坏了同治皇上，他急忙同慈安太后和恭亲王商量，立即举行后妃册立大事。这样，同治帝便顺利地将自己中意的姑娘，户部尚书崇绮的女儿阿鲁特氏册封为皇后。为了防止额娘病愈后取闹，把侍郎凤秀的女儿富察氏封为皇贵妃，仅次皇后一个等级，宫里的人都称为慧妃娘娘。其余三位秀女，大学士赛尚阿的女儿阿鲁特氏封为珣嫔；知府崇龄的女儿赫舍里氏封为瑜嫔；四川工部主事英伦的女儿西林觉罗氏封为贵人。

等到慈禧病愈后了解详情，册封大事已定。慈禧知道木已成舟，无法更改，好歹自己所中意的凤秀的女儿封为皇贵妃。还算儿子有点良心，她也不再说什么不满意的话，但在心中却对儿子极为恼火。也明白这与慈安太后从中作梗有关，此时，已萌生铲除东太后之心。

后妃册封大典之后，便择定吉日为皇上举行龙凤大婚。

诗曰：昭阳仪仗午门开，

夹路宫灯对马催。

队队宫监齐拍手，

后边知是凤舆来。

皇上结婚自然不同于一般平民百姓，就是达官贵人亲王贝勒也无法相比。整个紫禁城重新粉刷一新，从午门到神武门每一道门都披红挂绿，张灯结彩，大红宫灯上贴着烫金的"双喜"，地上铺满红毡，从午门一直铺到顺贞门。

大婚的程序完全按照宫规进行。

第一步是行纳彩礼：由户部侍郎与礼部尚书携带内务府置办的各种聘礼到户部尚书崇绮府第行聘礼，举行纳彩礼仪，举办纳彩宴。类似于平民百姓家的子弟结婚向女方赠送的上头礼。

第二步是行大证礼：就是在迎娶皇后前向皇后娘家所给的各种礼品，类同于我们现在姑娘出嫁上车前所要的一份上车礼吧。由于是皇帝家庭，这个上车礼可不是千把块钱，一般要给黄金千两，白银万两，其他什么马匹、绸缎更是无数。

第三步叫迎凤礼：皇上为真龙天子，皇后为人间飞凤，迎接皇后的礼仪当然取名叫迎凤礼喽。这是所有礼仪中最隆重一个，举国同乐，万民共庆，人人都要穿红着绿，家家都要张灯结彩，这是国家的庆典。这一天，上至达官显贵，下到平民百姓，一律不准办丧事举哀仪的，一经查出定当严加治罪。

迎凤礼就是一般百姓结婚时的迎亲礼仪，皇上的迎亲礼仪可隆重啦，从紫禁城到皇后娘家阿鲁特氏的府上，这一段距离一律净水清街，红毡铺道。两旁准允穿红带绿的百姓列队观赏。

迎亲队伍实在浩大。

礼炮齐鸣，凤歌凰曲高奏，迎亲的正副使节穿着崭新的礼服手持符节当向导，随后排列的是宫娥彩女们手捧的皇后志书和印信，也许就是我们今天的结婚证吧。接着是各种册亭、宝亭、喜桥、凤舆和皇后的仪驾队。最后才是迎接皇后的内务府大臣、锦衣侍卫等人。

迎亲队伍到达崇绮府时，也同今天民间婚嫁一样，男方先放炮向女方家打个招呼，女方家接着放炮回应，表示准备就绪，双方乐队合奏。先举行受册仪式，再请皇后升凤舆，开始起驾回宫。

我们百姓儿女结婚都撒喜糖散喜烟，皇上结婚更不用说啦，专门有人一路遍撒喜果喜糖，还有喜礼呢！

第四步叫行龙凤大礼：就是人们通常说的拜堂或者叫做拜天地。

穿戴一新的同治帝站在乾清宫门前等待皇后凤舆到来，一旦凤舆落定，同治帝立即向凤舆连射三支桃木神箭，给皇后驱走鬼怪。这时，同治走上前接过十全命妇合递上的金钥匙打开凤舆上的金锁，把蒙着红头盖的皇后阿鲁特氏引进坤宁宫。

又一阵礼炮响后，黄钟大吕齐鸣，奏出一支龙凤合欢典。在皇上与皇后按规定的位置站好，又有唢呐奏起百鸟朝凤的曲子，司仪太监高喊：一拜天地；二拜寿星；三拜灶君，四拜祖宗。接下来是慈安和慈禧两位太后端坐中央接受一对新人朝拜。慈安太后红光满面，乐呵呵地坐在那里等着接受大礼，她当然高兴，阿鲁特氏是她中意的后选人如愿以偿登上皇后宝座。慈禧太后嘴角虽然也挂着一丝笑意，但明显有几分做作，是故意挤出来的，其实内心是一千个不乐意，她所中意的种子选手凤秀的女儿没能登上皇后之位，表明她与慈安太后的斗争中她又一次失败了。

婚礼的最后一步是行交欢礼。就是入洞房与喝交杯酒。

又在一片祥和而又喜庆的龙凤呈祥的乐曲中，同治挽着阿鲁特氏走入洞房，在命妇的催促下，同治掀开新娘的红头盖。看着光彩照人、雍容典雅而又娇羞可餐的阿鲁特氏，同治十分动情，这是他满意的皇后。

"皇上，快喝交杯酒吧！"有人催促说。

同治与皇后同时举起了酒杯，四目相视，频频传情，都会心一笑。同治将杯中的酒一饮而尽，皇后仅仅饮了一半，把酒杯递了过来。

"臣妾不胜酒力，请皇上代臣妾把这剩下的酒饮干吧？"

阿鲁特氏那莺声燕语般的话语令同治心里喜滋滋的，接过酒杯，微笑着说：

"好吧，朕就替皇后代饮这第一杯酒。"

说完，又一饮而尽。

"皇上与皇后快吃汤园与子孙饺吧？"又有人从旁边提示说。

吃过子孙饺后便是交欢宴。王公大臣、亲王贝勒、命妇、福晋等人在太和殿接受皇上赐请的宴席，皇上与皇后在坤宁宫举行交欢宴。

交欢宴结束了，一切礼仪也到此为止，众人退下，其余的事就由皇上与皇后两人完成了。

一对红红的龙凤蜡烛照耀下，坤宁宫东暖阁内的气氛似乎更热烈，这里几乎都是红的，红色雕龙画凤的龙凤床，大红彩帐，地上是红毡，墙上贴满红的喜字，连门和窗户也都挂上红纱。

在这样的热烈气氛中，同治按奈不住内心的冲动，把皇后抱上了龙凤榻，一件一件给她脱个净光，就剩下最后一件红肚兜了，皇后忽然害羞地用双手捂住那红肚兜不让同治脱下去。同治也不好强硬给她脱下只好到此为止。

待到那对龙凤蜡烛燃尽的时候，同治把阿鲁特氏揽到怀里，一阵倒凤颠鸾，兴云布雨之后，同治无力地倒在皇后身边喘着粗气。这时，同治忽然觉得皇后端庄有余，风情欠缺，甚至太拘谨了，没有"天地一家春"里玉娘那么风情万种，也没有红艳姑娘那样体贴配合。人们常说女人就是一瓶酒，同治觉得玉娘是标准女儿红，喝起来有滋有味，酒尽之后味更浓。而红艳只能是二锅头，虽然不名贵，却喝起来实惠，也不厌烦，标准的家常酒，让人心暖想喝。那么皇后呢，就是这皇宫御酒，名字好听，中看不中喝，令人乏味。

同治反反复复把三个女人比较一遍，总觉自己和皇后做爱时不够开心，也不尽兴，也许是初次吧，同治这样安慰自己。

一觉醒来，天已大亮。同治看看身边，皇后不知何时已经起来，他也想起个早，忽然觉得自己的头有点懵懵的，就像几年前所得的那头疼病一样，浑身无力，四肢发软。是昨天太累，还是自己夜间没有注意着了凉，总之浑身不适。

莫非那多年前的病又重新复发了，同治暗暗问自己。

　　就在举国同庆，万民同乐，同治帝举行龙凤大婚之际，紫禁城的一个偏僻角落里却传出一阵悲婉凄绝的哀鸣，虽然哭声并不大，却撕人心肺，与黄钟大吕所奏出的凤歌与凰曲形成强烈反差，显得那么不谐调，这不能不是对皇家尊严的蔑视，也许更是冥冥之中的一种安排，究竟暗示着什么，只有苍天才能回答。

　　后宫东北角景祺阁。

　　这里静悄悄的。

　　今天是皇上大婚之日，从事杂务劳动的太监，都穿着崭新的衣服到前面帮忙去了。原先到这里的人就特别少，因为这里是冷宫，专门用来关押受到处罚的宫女太监。今天人就更少了，有几位较轻的受罚者也沾了皇上大婚的光，因为人手不够放了出去，现在只剩下张德顺一人了。

　　张德顺劈完最后一堆柴，他已经累得气喘吁吁，自从被打入冷宫，他心灰意冷，人一下子苍老了许多，身体也一天不如一天。当太监本是一件奇耻大辱的事，如今更是辱上加辱，他后悔自己太任性没有同张大哥商量一下，也后悔自己没有听从娇娇的劝阻，一时心血来潮信奉那空乐大师的一派胡言，入宫当了太监。自己这样做的目的是为报答张大哥的养育之恩，但这样做的后果报答了没有？张德顺十分清楚自己的处境。自从入宫以来，他一直牢记空云大师的话，接近皇后，力争取得皇后的赏识，后来发现皇后并不是空云大师所说的那种人，而慈禧太后才是，他又极力去讨好慈禧太后，也为她奔走卖命，力争取得她的信任，但他绝望了。无论自己怎样努力都不能讨慈禧的欢心，不会成为慈禧的贴心人，自己的话在慈禧心中也就没有份量。张德顺曾经不止一次地思考过这个问题，与安德海相比，自己究竟缺少点什么，自己为什么学不来安德海的那一套呢？甚至与李莲英相比，张德顺也自愧弗如。

后来，张德顺听到捻军被剿灭的消息，他一个人偷偷地躲在屋内哭了一天，几次想到自杀，但传闻捻军首领逃脱了，他相信张大哥没有死，大哥足智多谋，又那么勇敢怎会死呢？他放弃了死的念头，决心苟活下去，逃出这人间地狱，重返江湖寻找大哥，支持大哥重新拉起杆子，再与满清鞑子干。这多少年的宫迁生活，张德顺就学会了一个字，那就是"忍"，这多少年都忍了过来，再忍上一段时间，寻找逃出去的机会吧。就在张德顺作好逃跑的一切准备时，同治皇上因为红艳宫女的事把张德顺牵连进去，慈禧太后盛怒之下，把一切责任都推到他们这些服侍人员身上，张德顺被打进了冷宫，逃出去的机会几乎等于零。

曾几何时，张德顺也曾想用刺杀皇上与太后的办法帮助张大哥推翻大清王朝，但他后来渐渐发现皇上不过是个摆设，就把太后都杀死了也丝毫不能动摇大清朝的江山社稷，无论谁登上皇帝宝座都是一样，杀死一个人两个人是没有用的，必须拉起杆子真枪真刀地与清军干，彻底打败清庭，把他们赶到关外才行。

张德顺放弃了刺杀的念头，却又没有来得及逃出去，是他最后悔的。

张德顺歇息一会儿，站了起来，在这静悄悄地小院里走一走。平日里有人看管着，想走出这东小院的机会都没有，今天小院的人都走光了，张德顺大着胆走出东小院，想到西小院看一看，听说西小院关押的都是宫女。

张德顺刚跨进西小院，就听到里面有洗搓衣服的声音。张德顺又向前走几步，拐一个弯，见水井旁有位衣衫不整的宫女在埋头洗衣。

这个背影好熟呀，张德顺不由自主地向前迈出了两步。

张德顺的脚步声惊动了那洗衣服的宫女，她转过身，愣愣地盯着张德顺。

张德顺也怔住了，盯着那宫女失声问道：

"大妹妹，快告诉我你叫什么名字？哪里人氏！"

那宫女仔细打量着张德顺，认真搜寻着，似乎要从他脸上找到什么丢失的东西似的，忘记了张德顺的问话，半晌一言不发。

"快告诉我你是不是叫娇娇？"张德顺冲上前急促地问道。

"我，我是娇娇，你，你是德顺哥？"娇娇也失声地说道。

"对，我是德顺，张德顺，你真的是娇娇，我的娇娇！"两人抱头痛哭。

许久，许许，两人才抽泣着抬起头。

"德顺哥，别哭了，应该高兴才对，一别二十年，我们能够相聚，这是上天安排的，命中注定的，应该高兴才行。"

"对，应该高兴，应该高兴。"张德顺边擦眼泪边说。

"德顺哥，你真的到宫中当了太监？"

张德顺点点头，眼睛里闪着泪花，目光中充满了委屈与愧疚。

娇娇绝望地看着苍老的德顺哥，这就是她多少年来日夜思念的德顺哥吗？她有点不相信，又不能不相信这是真的，梦破灭了，这不是她心中的德顺哥。

娇娇又失声地哭了起来。

"娇娇，别哭了，会哭坏身子的，你不是说应该高兴吗？快告诉我你是怎样来到这个地方的？"

娇娇一听张德顺问起自己的经历，哭得更伤心了。又过了许久才抬起头，揉一揉红肿的眼睛，讲起自己的往事。

原来，娇娇在张乐行的逼迫下嫁给了太平天国的将领吴王陈玉成。在陈玉成被俘后落到清朝都统胜保手中，成为胜保的玩物。在胜保被赐死，其家眷解回京城后，胜保的家被安德海带人抄了，娇娇又被安德海占为已有。安德海在西直门外买下一个大宅院，强迫娇娇同他成婚，让娇娇做他的挂名夫人。谁知安德海又出了事，被丁宝桢所杀，家也被恭亲王派人抄了，所有财物送交内务府，家中的女佣押解到宫中做苦役，娇娇被打入冷宫，每天给太监宫女们洗衣服。

张德顺曾知道安德海在宫外买宅娶妻的事，他做梦也想不到竟是娇娇。娇娇的命运比自己更悲惨，一定程度上都是他给娇娇造成的，张德顺的心如万箭穿心，搅痛着，也在流着血，他对不起娇娇，就是来世为她做牛做马也还不清娇娇的情和债。

此时，张德顺彻底绝望了，身心也崩溃了，他既不想报仇，也不想逃出去寻找他的张大哥，一切对于他都毫无意义。

娇娇看见张德顺悲痛欲绝的神情，她反而冷静，转过来劝慰说：

"德顺哥，别伤心啦，这是命，命！上天就是这样安排的，不是为了寻找你，不是为了今生今世能再见你一面，我早就应该死了，就是有十条命也死光了。我之所以忍辱活到现在，就是为了寻找你，为了找到你，要和你结婚，德顺哥，咱俩结婚吧？这婚礼已经推迟了二十年，就让我们回到二十年前，实现当年的对天盟誓吧！"

"娇娇，我在二十年前已经对不起你，如今更不能再做对不起你的事了，我不能和你结婚。"

"为什么？为什么！你嫌弃我？嫌我脏？嫌我和多少个男人睡过觉是不是？既然如此，我也不硬求你，我已经见上你一面，我的愿望实现了，死也无悔了。"

娇娇说着，向井里投去。

张德顺不顾一切地抱住娇娇，哀求说：

"娇娇，原谅我吧？我不是不想和你结婚，我已不是二十年前张德顺，我早已不是一个男人，甚至一个正常人也算不上，和你结婚是害了你。你还年轻，还有可能出去，而我，就是能够出去又怎么样？"

娇娇惨笑一声，"德顺哥，我已是快四十的人了，还年轻吗？你都不愿意娶我，谁还会要这样一个下贱的女人呢？"

张德顺捂住她的嘴，"娇娇，如果你不嫌弃我，咱们就结婚吧！"

两人在井旁搓土为炉，插草为香，指天为媒，让这简陋的矮房为见证人，两人叩拜了天地，结为夫妻。

此时此刻，从坤宁宫中正传出高亢激昂的百鸟朝凤的施律。

张德顺与娇娇开心地笑了，这是他们人生第一次开心地微笑。那优美的曲子不像是为同治皇上吹奏的，而像是专门为他俩人吹奏的。

两人开始入洞房了。

娇娇偎依在张德顺怀里，张德顺紧紧地搂住娇娇，唯恐被人抢走似的。

娇娇抬起头，吻了吻张德顺苍老的脸：

"德顺哥，你幸福吗？"

张德顺点点头，"幸福。我们已经分离了二十年，今后永远不再分离，你到哪里我就随你到哪里。"

娇娇又吻了吻张德顺，"德顺哥，我觉得这个世界太凄冷，没有我们立足的地方，我想到另一个世界去，你愿意去吗？"

张德顺明白了娇娇的意思，又点点头说道：

"我愿意去，我刚才不是已经说过了吗？你到哪里我就到哪里，永不分离，只要和你在一起我就觉得幸福。"

"那好吧，德顺哥，咱们就上路吧。你听那边又吹奏起欢乐的曲子来，可能是为咱夫妻俩送行的吧？"

"对，是为咱俩口子送行。从哪里上路呢？"

娇娇指指身旁的一口深井，"就从这里吧，我已经在这里观察几个月了，时常对着井口想，后来终于想明白了，这不是井，这是从地狱通往天堂的出口。德顺哥，咱下去吧？"

"好！让我先给你开路吧。"

两声清脆的水鸣，一股水柱从井中射出，接着又泛起了一阵水花。片刻之后，周围恢复了平静。

这时，坤宁宫里各种器乐正在齐鸣，演奏到了高潮，气氛也更热闹了。

同治十二年正月二十六日（1873 年 2 月 23 日）

同治帝在养心殿举行亲政大典。

养心殿外披红挂彩，殿两旁的廊檐下摆满了象征皇权的斧、钺、爪、戟，插满了各种伞盖、旗帜。更远的地方，放置着各种乐器，有编钟、编磬、琴、箫、笙、瑟、鼓、锣等。

养心殿内，亲王、郡王、贝勒、内廷行走、御前大臣、军机大臣、大学士、总管内务府大臣、六部尚书、三殿三阁大臣等文武百官都穿戴一新等候在两旁。

漏壶漏到寅时整，执事太监扯着尖细的嗓门高喊一声：

"奏——乐——"

一时间，各种乐器齐鸣，中和韶乐与丹陛大乐交相齐鸣，由轻缓低沉渐渐变得高亢激昂，透露出皇权的威严遵贵和至高无上。

那些铜炉、铜兔、铜鹤、铜龟中也飘起袅袅香烟，由远而近，由近而远，由低而高，由高而低，飘飘渺渺，弥漫着，升腾着。

同治皇上特别有精神，身着杏黄色团龙朝袍，头戴缀有红色朝珠的皇冠。同治坐在宽大的龙椅上，两宫太后陪坐在身后。其实，今天上朝与往昔并没有什么特别的地方，但同治的感觉就不同了，仿佛这是有生以来第一次坐龙椅似的。

亲政大典到了高潮，文武百官高呼万岁万万岁三叩九拜。同治看着膝下跪了一片戴着红缨顶子的官员，感到特别舒服，不停地用手抚摸着龙椅光滑的扶手，真正感到皇权的可贵。

朝拜完毕便是训话，由执事太监宣读事先写好的谕旨，让王公大臣们尽心匡弼、毋避嫌怨，尽职尽责。两宫皇太后当然也要讲几句告诫的话，无非是勉励皇上敬天法祖，勤政爱民，发扬光大大清江山社谡一类的话。

最后是英、法、德、美、意、日等国的公使上殿免冠鞠躬觐见，表示祝贺。

礼仪完毕，同治散朝回来，独自在乾清宫想着自己亲政后要做的头等大事应该是什么。同治寻思道：人们常说新官上任三把火，自己初掌大权也要烧上三把火，办几件令人刮目相看的事才行。第一要提拔一批官员，作为自己的左膀右臂，一朝天子一朝臣，没有自己的一批人怎行？提拔哪些人？同治把自所熟悉的官员一一揣摩着，首先要提拔李师傅，李鸿藻这个糟老头子虽然糟一点，对自己还是挺不错的，认认真真教授自己许多年，没有功劳应该有苦劳吧？翁同龢也不错，人虽然犟了一些，但为人挺正派的，也较有水平，可以任用。还有谁呢？崇绮，他是自己的岳父大人当然胳膊肘子不会向外弯，一定会和自己一心的。至于慧妃的父亲凤秀，同治考虑再三还是把他给否定了，虽然也是自己的岳父，但他是太后的人，处处听额娘的支派，决不能重用。再者就是载澂，他是自己的铁哥们，可以提为御前大臣、既能给自己出谋划策，又能陪自己开心找乐趣。恭亲王、醇亲王、惇亲王等几位皇叔和那一般老臣先看他们对自己怎么样？是什么态度？好了就用，不好全部赶回府中颐养天年去。

第二件大事做什么呢？他想起了几日前看到的一份折子，那是江苏布政使丁日昌所奏，提出创办海洋水师的建议很有价值。折子说，可以把福建船政局扩建成南洋水师，如果再创办一个北洋水师，两个水师把守南北海防可以抵抗洋人舰队入侵，对于振兴大清基业很有帮助，朕可以派人筹办海洋水师。

这第三件大事呢？

同治刚想到这里，有太监来报，说慈禧太后有事请皇上商量，让皇上速到储秀宫觐见。

同治不知何事，但不能不去，这是母后之请岂有违抗之礼。

同治刚到储秀宫门口，李莲英就点头哈腰迎了上来：

"奴才拜见皇上，太后等候皇上多时啦。"

同治进得殿来，"儿臣叩见母后，祝母后圣安！"

"皇上就起吧。"

"母后请儿臣到此有何吩咐？请母后明示！"

慈禧看看同治，叹口气道：

"皇上如今亲政了，母后也该有个归宿吧，乾清宫是皇上皇后居住的地方，也是听政受贺及平日召对臣子、引见庶僚、接见外藩属国使臣的地方。慈宁宫虽是皇太后尊养东朝之地，也还有慈安太后呢？母后不能与她相争吧？何况母后也想离开皇宫远一些，找个僻静的地方，度过后半生也就算了。有慈安太后在此早晚训导几句就可以啦，母后也懒得操这些闲心喽。人越老嘴越贱也越肯说，必然招人厌烦，母后能到宫外居住就是整日唠唠叨叨皇上也听不见，免得生一些闲气。"

同治听母后说了半天，究竟母后想干什么还拿不准，他试探着问道：

"母后到底要到何处颐养天年不妨明示，儿臣一定尽力为母后去办。"

慈禧这才说道："母后想到圆明园那边清静晚年。"

"圆明园遭受洋人洗劫焚烧如今成为一片瓦砾，儿臣怎能让母后到那冷落凄凉的地方颐养天年呢？母后能留在宫内早晚之间儿臣也可叩拜问安，端茶端水服侍左右。倘若母后到那残破不堪的地方居住，传扬出去，天下人不唾骂儿臣是大清不肖子孙吗？请母后三思，万万使不得！"

慈禧淡淡一笑，"难得皇上有如此孝心，皇上如果真的为母后着想，让母后能有一个安享天年的地方，为何不能重修圆明圆呢？"

"重修圆明园？"同治微微一怔，这是他没有想到的，"这需要一笔相当大的开支啊？我朝多年来为平定南方长毛叛乱与北方捻匪叛乱，还有少数夷人叛乱，耗资甚大，国库亏空，儿臣还想从洋人那里购置火舱创办海洋水师。"

不待同治说下去，慈禧火了，不耐烦地训斥道：

"今天才头一天亲政，就在母后面前托大，说什么耗资甚大，国库亏空，置办水师的话来，好象这大清国只有皇上一人关心国事似的，母后能不了解这些吗？国库亏空也要做事！从洋人那里购买火轮难道就不需要花费吗？如今天下太平，正是休养生息之际，你创办水师岂不引起外夷猜忌，引火烧身吗？我看还是早早取消这个念头。"

同治急忙解释说："请母后明察，创办水师是我朝中兴的当务之急。拥有南北两大水师，可以拒敌于海上，令洋人不敢小瞧我大清。母后一定得到奏报，东洋倭人很早就对我大清领土虎视眈眈，如今又派兵船进犯厦门、台湾、倭人之心如虎狼毒蛇，不能不早早惕防，没有水师如何抗拒倭人侵袭?"

慈禧不再言语,拉长了脸静听同治解释。

同治见母后愠怒不说话,便缓和一下语气说:

"母后所提出重修圆明园一事也不是不可能,容儿臣回去后认真思考一下,再同大臣们商讨商讨才能决定,这事也不是说修就马上能修成的,需从长计议才行。"

慈禧的脸色这才恢复过来,幽幽地说道:

"母后想重修圆明圆,并非只为母后安享晚年着想,圆明园是我朝康熙爷在位时就开始创建的巨大园林,没有料想到竟毁坏在你父皇手里。尽管你父皇已宾天多年,但母后一想起此事就觉得心中歉疚点什么,你父皇宾天之际曾给母后说起他一生的憾事,就是圆明园毁在他的手中,他觉得对不起列祖列宗。如今天下太平,母后想起修复圆明园的事,就是为了完成你父皇的遗愿,尽管目前国库短缺一些,但多方面紧缩一些也不是没有能力修复。"

慈禧说着,用巾帕擦一擦眼圈,表现出忧伤的样子。

同治为了尽快摆脱太后对朝政的干涉,决定重修圆明园。

这圆明园由圆明园、万春园、长春园三个大园组成,周围约二十华里,占地近五千亩,历经一百五十多年,七八个朝代修造才形成规模,享有"万园之园"的盛誉,它是中国园林艺术的典范。

圆明园三园共有一百二十处风景之多,仅圆明园一园就四十八景:正大光明、勤政亲贤、九洲清晏、镂月开云、天然图画、碧桐书院、雷锋夕照、廓然大众、坐石临流、曲院风荷、慈云普护、洞天深处、上下天光、长春仙馆、万方安和、夹镜鸣琴、杏花春馆、别有洞天、接秀山房、坦坦荡荡、茹古涵今、武陵春色、平湖秋月、澡身浴德、山高水长、汇芳书院、蓬岛瑶台、月地云居、鸿慈永祐、方壶胜境、四宜书屋、日天琳宇、多稼如云、西峰秀色、鱼跃鸢飞、濂溪乐秀、北运山村、映水兰秀、澹泊宁静、春雨林塘、云和庆韵、水木自亲、星拱月斜、菩提东渡、潜龙腾渊、鹤戏云游、虎咆龙吟。

这些山水名胜、阁榭亭台，都是巧夺天工之作，早已毁于战火。而如今的圆明园却是断瓦残垣、荆棒遍野、芜草凄凄、水呜呜烟，若要重新恢复往昔的盛况谈何容易。

同治先派人到四代承办圆明园工程的雷氏家族找来三园全图，拟定修建的范围与规范，请来雷家的子孙雷思起作监工，负责施工任务。接下来就是准备修建圆明园的经费问题。

同治不想动用国库，他准备用国库的钱创办海洋水师，便把修复圆明园的经费责令给内务府来解决。

这天，同治帝在养心殿东暖阁召见了恭亲王、醇亲王与惇亲王等人，共同商讨筹集经费的问题。

内务府总管大臣奕谟一听皇上把经费推在内务府的头上，十分为难地说道：

"皇上明鉴，内务府的经费主要是户部拨款，通常每年的费用也就在六十万两，这两年为了皇上选秀女与举办婚礼亏空太大，现在已经亏空户部四十万两以上。而修复圆明园的一半工程至少也要上百万两，如此巨大开支，内务府如何承担得起呢？别说内务府，就是户部恐怕也负担不起。"

同治一听这话傻眼了，怎么办呢？

"诸位皇叔、大臣也给朕想想办法，如何才能解决这笔巨大的开支呢？"

众人你看看我，我看看你，都是干瞪眼，谁也没有开口。不是众人推脱责任不想讲话，钱这东西是硬通货，不能弄虚作假，也不是凭空想造多少就造多少的，要有物质基础作保障。

同治见没人发话，有点火了，一拍御案生气地斥道：

"养兵千日用兵一时，平日里不让你等说的时候一个个会讲着呢，真正让你等拿智谋出主意的时候都成了哑巴，岂有此理！"

皇上虽然年轻，发起火来脾气可不小。几位王爷都是皇叔却也被皇上臭骂一顿而不敢出声。

奕訢站起来了，他向皇上建议道：

"皇上息怒，如此浩大的工程，开支又如此之大，确实不容易解决经费，让哪一个部门单独支付恐怕都不可能。依臣之见采用捐款集资的办法也许可行？"

"请六叔把捐款集资的洋细方案讲讲，让朕思考思考是否可行。"

"臣以为，皇上可下令让众人共同捐资修复圆明园。各亲王、郡王、贝勒捐助一些，王公大臣捐助一些，皇上及后妃也适当节省一些开支，由内务府捐献一些，再让各省、府、县再资助一些，有钱捐钱，有物献物，多方面共同捐助，这重修圆明园的费用也就差不多了。皇上以为如何呢？"

同治乐了。

"嘿，皇叔言之有理，还是六叔有办法。就按照六叔所说的办，朕立即下硃谕令各省及亲王大臣们捐助。"

惇亲王奕誴一听，不高兴了，心里道：你奕訢总管几大要职，这许多年来贪污纳贿许多，拿出几万两银子是九牛一毛。奕誴虽然没有奕訢贪污那么多，这几年总管内务府也没少捞银子，也能拿出几万两来，而我们几人呢？都是闲职，哪能与你等相比，拿多了没有，拿少了皇上会怪罪。惇亲王想到这里，转回头向奕訢道：

"这捐资的主意是恭亲王想出来的，恭亲王理所当然要带个头，作个表率，但不知恭亲王能捐助多少银两？"

奕訢当然明白奕誴的意思，说多了，奕誴会攻击他贪脏纳贿；说少了，奕誴不仅会说他不诚心为修建工程出力，而且会以他捐助的数目计算最后提出这样的捐助是杯水车薪不济于事，从而否定自己向皇上的建议。

奕訢装作慎重核算许久的样子说："我大约要捐二万两银子。"

"那么醇亲王呢？能否超过这个数目？"奕誴又回头询问奕譞。

"我跟着六哥走，尽最大努力为修复圆明园尽微薄力，也捐二万两。"

奕誴微微一笑，向同治说道：

"皇上，恭亲王与醇亲王都是京城有名的富裕王爷，臣却不能与他们相比，请皇上原谅。"

同治也明白奕誴的意图，故意不点破：

"五叔只要有这个心意就行了，朕也没有强迫五叔拿多少吧？修建圆明园名义上为两宫太后颐养天年，其实也为我大清国雪洗洋人在我大清土地上留下的耻辱，更是告慰列祖列宗在天之灵。倘若不能修复圆明园，几位皇叔将来有何脸

面去见列祖列宗呢？这是朕父皇的屈辱，不也是几位皇叔的
奇耻大辱吗？"

奕誴一听皇上这么说，他怎么再好意思说其他话呢？也
咬着牙说：

"臣少喝几杯酒，也出二千两。"

同治高兴了。

"有几位皇叔慷慨作表率，文武百官也一定会解囊捐资
的，一旦费用备齐，立即开工修建。。"

同治帝说干就干，立即命人拟定硃谕：

朕念两宫皇太后垂帘听政十一年，朝乾夕惕，信极勤
劳，励精以综万机，虚怀以纳舆论，圣德聪明，光被四表，
遂致海宇升平之盛也。自本年正月二十六日朕亲理朝政以
来，无日不以感戴慈恩为念。朕尝观养心殿书籍之中，有世
宗宪皇帝御制《圆明园四十景诗集》一部，因念及圆明园本
为列祖列宗临事驻跸听政之地，自御极以来，未奉两宫皇太
后在园居住，于心实有未安，日以回复旧制为念。但现当库
款克绌之时，若遵照旧修理，动用部储之款，诚恐不敷。朕
再四思惟，惟有将安佑宫供奉列圣圣容之所，及两宫皇太后
所居之殿，并朕驻跸听政之处，择要兴修，其余游观之所，
概不修复。即著王公以下京外大人官员量力报效指修，著总
管内务府于收捐后，随时请奖，并著该大臣等核实办理，庶
可上娱两宫皇太后之圣心，下可尽朕心之微枕也。特谕。

同治皇上谕旨下达后，举国哗然，满朝文武议论纷纷。
说归说，议归议，这钱还是要捐助的。不到二个月，陆续筹
集资金近四十八万两。

这种广泛发动众人筹措资金的事，有利也有弊。利的一

面是众人筹资面积广，摊点多，分散负担，这弊的一方面是层层收集，经办人多，每个基层每一个经办人都想从中谋取一些私利，势必造成众多的集资款落入个人腰包，并没有上报到内务府，必然造成广大集资者怨愤不平。

这次为重修圆明园的集资就出现了这个问题。

自从谕旨发下之日起，每天都有折子奏报各地官员私自吞没损资款，甚至内务府大臣也参与徇私舞弊之事。

同治接到奏报后十分恼怒，责令恭亲王认真查处，严加惩办。结果内务府大臣桂宝、文喜被斩，总管内务府大臣崇纶、明善、春佑等人也都受到牵连而被降职、革职。

与此同时，文武大臣也不断上疏皇上，要求停止捐资，停止动工，"取消修复圆明园的意旨。尽管奏报如雪片般递到皇上手里，同治装作不知，理也不理。

众王公大臣见皇上不听众人劝告，一意孤行，都极力推荐恭亲王奕诉、醇亲王奕𫍽、惇亲王奕誴、孚郡王奕譓、额驸景寿、奕劻、大学士文祥、宝鋆、军机大臣沈桂芬、李鸿藻十大臣联名上疏皇上，阻止重修圆明园。

同治正在养心殿内批阅奏折，忽闻太监奏报，有十名亲贵重臣求见，同治立即命他们进殿。

礼毕，同治一见这十位大臣不是亲王就是驸马，要么就是一品重臣，知道他们一定是为阻止修复圆明园的事而来，却故意装作不知地问道：

"各位王大臣相约到此有何事相奏，就直说吧？如果无事朕可要回宫了。"

奕诉上前说道："多日皇上一定收到许奏请停止修建圆明园的折子吧？不知皇上御旨如何？"

同治冷冷地说道："是停是修朕心中有数，不劳六叔劝谏，六叔及众王大臣请回吧。"

奕䜣一见皇上如此年幼，刚刚登上皇位就骄纵施威，对许多老大臣不敬，心中十分气愤，心里道：就是两宫皇太后也没有你这么托大，现在就对众人这个态度，将来还不知如何惩治众人呢？

奕䜣心中带着点火，说起话自然也就有几分不客气："臣等并非仅奏这一个问题，我等十人联名上疏，奏请八大问题，对皇上进行劝谏，请皇上接纳。"

同治一边从太监手中接过折子，一边问道：

"所奏哪八大问题，请皇叔直说，朕洗耳恭听。"

"第一，停园工；第二，戒微行；第三，远宦寺；第四，绝小人；第五，警宴朝；第六，开言路；第七，惩夷患；第八，去玩好。"

奕䜣由于是负气说话，在陈述这八个问题时，声音洪亮，语气短粗，让人听来觉得生硬，似乎带着责备与不满。

同治一听奕䜣这个口气，也不示弱地吼道：

"奕䜣，你有完没完！朕拿你当皇叔待你是皇叔，朕不拿你当皇叔待，你和一般廷臣没有什么区别。朕做事自有主张，用不着你来教训朕！"

同治说着，把手中的折子啪地扔到地上，厉声喝斥道：

"都滚出去！"

奕䜣见皇上这样一点不懂为君之道，也震怒了，不客气地训斥道：

"皇上有失君德，应到列祖列宗灵位前谢罪悔过！"

同治猛地站了起来，胡乱把御案上的一摞奏疏猛地打落地下，对御前太监吼道：

"周增寿，快给朕拟定诏书，奕诉以下犯上，无人臣之礼，定当重处，革去亲王世袭罔替，降为不入八分辅国公，撤去军机大臣之职，开去一切差使，交宗人府严议！"

同治余怒未消，忽然又想起了什么，又对周增寿吼道：

"把奕诉之子载澂的贝勒郡王衔也给革去，免除他在御前大臣上行走。"

周增寿以为皇上只是在气头上随便说说，未必真的要给恭亲王这么重的处分，并未动手拟定诏书。

同治一见周增寿站在旁边不动，心中更火了，上前给他一脚，骂道：

"你这个王八羔子也敢对朕不恭不敬，朕说了半天都是白说！"

同治说着，又给周增寿一巴掌：

"快去拟定诏书！"

周增寿也顾不得痛，跌跌爬爬地跑去拟定诏书去了。

大学士文祥见皇上果真要把恭亲王治罪，急忙跪下哭道：

"请皇上息怒，请皇上息怒！求皇上暂缓将恭亲王治罪，恭亲王纵然对皇上不敬，也是为皇上着想。"

文祥说着，一口痰上涌，几乎喘不过气来，猛地伏倒在地。

奕谅立即派人将文祥送走，他也跪下向同治哀求说：

"请皇上冷静一下，奕诉冒犯皇上，纵然有错，也不当受这么重的处罚，请皇上快快收回圣谕。"

接着，惇亲王奕谅等人也都一一跪下为恭亲王奕诉求情。

同治扫一眼下跪的几人，一拍御案喝斥道：

"你等快快滚出去，谁若再给奕䜣求情，一并革职！"

奕谟、奕譞等八人仍然长跪不起，不停地叩头为奕䜣求情。同治狠狠地说道：

"好，好！你等十人是串通一气，朋比图谋不轨，逼迫朕让位给奕䜣老混蛋的，朕将你十人一同革职拿问！"

众人离去不久，硃谕发下。

恭亲王骄奢跋扈，营私结党，专权误国，离间母子，欺朕年幼，目无君上，著革去一切差使，降为庶人，交宗人府严加管束。特谕。

紧接着又有第二道硃谕发出：

恭亲王奕䜣、惇亲王奕誴、醇亲王奕譞、孚郡王奕譓、额驸景寿、奕劻、大学士文祥、宝鋆、军机大臣沈桂芬、李鸿藻十人结党营私，朋比为奸，以下犯上，图谋不轨，恶迹昭著，天良何在，著革去十人一切职务。钦此。

储秀宫。

慈禧太后正对着亲手绘制的重修圆明园图样发怔，无奈儿子长大了，亲政了，她不得不退居后宫寻找一个颐养天年的地方。说心里话，掌握了十多年大权的慈禧如今突然放权他人在宫中闲吃闲喝，她还真有点不习惯。这一年多的心情比当初咸丰文宗显皇帝宾天之后的心情还难受呢？

心里有一种被掏空的感觉，这是一种失去大权而无所事事的空虚感与孤独感。一个渴望权力胜过一切的人，突然失去了这个特权，就好象一个酒鬼刚刚喝上几口上等酒才品出味来，酒瓶就被人夺去的感觉。又像一个吸惯大烟的人突然没有了鸦片来源一样，这个心情是难耐的，也是常人无法理解的。

这十多年来，可以说大清的家慈禧当了一大半，因为慈安是一个优柔寡断而又心地善良，宽厚仁慈的女人，缺少女强人的手腕与心计，许多大事由慈禧作决断拿主意，小事上慈安又以姐姐的身份让着她，这也是促使慈禧权力一天天膨胀的原因。当然，在几次大的争斗中也不是慈禧每次都全胜，比如杀安德海、为皇上册立后妃就是慈禧的失败，而且败得十分惨。

慈禧之所以要求皇上尽快给她修复圆明园，早一天到那远离皇宫大内的地方安享天年，并不是真的心无二念，寄情山水，纵情园林。她是不想呆在一个权力中心却眼睁睁看着别人施权，而自己只能站在宫门口望梅止渴，尽管这个施权是她的亲生儿子，她也觉得是大权丢落，自己一无所有。

眼不见心不烦吧，这才是慈禧离开皇宫想去圆明园的真正原因。到了那远离权力中心的地方，圆明园又成为一个小小的独立王国，她就是那里的主人，那里的一切都会围绕着她转的，她又可作福作威了。

有时，慈禧也一个人望着蓝天白云出神，幻想着上天出现奇迹，能让她重新回到权力的宝座上，比如儿子主动找到她说，他年纪还小，书读得还少，让母后再帮他执掌几年大权，或类似什么事发生，只要能回到权力的位置上，哪怕做出点牺牲也是值的，只有付出才能收获吗？

慈禧正在胡思乱想，李莲英慌慌张张跑了进来，上气不接下气地说：

"太后，太后不好啦，皇上要闹出格喽！"

慈禧一怔，斥道：

"几十的人了，遇事咋这么没头没脑，再大的事也要慢慢说，慌什么，是你奶奶被人抢了还是你娘被人抢了？"

这一骂果然奏效，李莲英不再慌张，一板一眼奏道：

"回太后，皇上刚刚下了两道谕旨，开去恭亲王一切职务，降为庶人，并交宗人府管押。又下了一道谕旨将恭亲王、醇亲王、惇亲王、孚郡王、额驸，还有大学士、军机大臣等十人也开去一切职务。"

慈禧一听皇上下谕旨惩处奕诉十分高兴，说明儿还是同母亲一条心的，并没有和慈安、奕诉他们一同对付自己。但一听说皇上开去奕诉所有职务并降为庶人，慈禧愣住了，奕诉到底犯了啥错能给他这么大的处分，太过分了吧。奕诉毕竟是亲王，为朝廷立过汗马功勋，就是为修复圆明园也是积极奔走，慷慨解囊。特别是慈禧听到皇上解除十位亲贵重臣的职权报告，更是惊刹，这简直是胡闹！"

慈禧立即问道："你知道是什么原因吗？"

"回太后，听说是恭亲王等十位亲贵重臣联名上疏皇上，阻止皇上修复圆明园，并向皇上提出八大问题：停园工、戒微行、远宦寺、绝小人、警宴朝、开言路、惩夷患，去玩好。"

李莲英见自己奏报之后慈禧并没作出什么反应，只是在沉思着，马上又挑拨说：

"太后，恭亲王带头抵制皇上为太后修复圆明园，这是把矛头指向你老人家，奕诉伙同其他亲贵重臣向皇上提出八大问题意在要挟皇上，是图谋不轨，有越权夺位之心，欺凌皇上年幼，理当开去一切差使，太后你说对吗？"

慈禧白了李莲英一眼，喝斥道：

"少插嘴，你懂个屁！至于该做什么不该做什么本宫自有主张。"

李莲英见慈禧发火，知道自己拍马屁拍到蹄子上了，虽然心中窝火却只能忍着，怪只能怪自己火候欠缺，没有猜透主子心思。究竟太后的心思是什么呢？李莲英百思不得其解。正在这时，猛听慈禧说道：

"小李子，随本太后去钟粹宫。"

"喳！"李莲英急忙应道。

慈禧到达钟粹宫，慈安也刚刚得到皇上解除十大臣职务的消息。

慈禧叹息道："既然姐姐也听到了这消息，妹妹也不想再多说什么，咱姐妹不能不闻不问吧？皇上才执政一年多就这样胡作非为，随心所欲，想干啥就干啥，长期下去会闹出格的。"

慈安心道：皇上这样胡闹也是你逼他修建圆明园引起的，如果你不催促他早一天修建圆明园，怎会引起满朝文武非议，到处捐资敛财引出许多乱子才使到十大臣联名上疏皇上停工。慈安心里这么想，嘴上却不好这么说，她也叹口气说：

"皇上还年幼，不懂用权的分寸和谋略，我们姐妹虽然退居后宫，也不能放手不问，偶尔也要指点一二，多给皇上出谋划策。"

慈安这话正合慈禧心意，她心中欢喜却不动声色地说：

"姐姐言之有理，以妹妹之见，皇上虽然亲政，毕竟还是不满二十岁的孩子，各个方面尚未成熟，处理事务未免偏激，仍需要加强读书，可令皇上每天散朝后去弘德殿继续听翁同龢讲读。我们姐妹再为皇上训政几年。"

"如何训政，妹妹不妨说得明确一些？"

"这训政，也是妹妹刚琢磨出的词儿，不同当初的垂帘听政，皇上仍然坚持上朝亲政，许多小事由皇上裁决，折子也由皇上批阅。但一些重大的事儿不能由皇上一人作主，以免闹出格来让天下人嘲笑皇家体统，有失为君之道和皇室尊严。以妹妹之见，像与洋人通商交往，五品以上官员任免，出兵与缔结条约等大权需我们姐妹给皇上拿主意。这训政期间，皇上批阅的奏折也需报给我们姐妹审阅，及时给皇上指出不当之处。只有这样，才能有利于我朝江山社稷中兴，姐姐以为如何呢？"

慈安一听，也觉得慈禧言之有理，如今剿平了乱匪，天下太平，洋人不欺，国人不乱，中兴之势可待，万一因为皇上年幼无知用人不当闹什么大乱来，岂不前功尽弃，愧对先皇与祖宗。

慈安问道："以妹妹之见，这训政之期多久最合适呢？"

慈禧沉吟一下，"暂定三到五年吧，根据皇上训政期间的表现而定。倘若皇上很快学会了为君之道用人之方，能够娴熟地处理政事，三年即可；倘若皇上不思进取，贪心好玩，纵情逸乐，就多延长几年也未偿不可。"

慈安点点头，"就依妹妹之言，我们姐妹再训政三年，只是姐姐这一年多来身体不适，精力也不济，妹妹可要多操些心啊！"

慈禧更高兴了，连连点头说道：

"姐姐说哪里话了，咱姐妹俩都是为皇上早日成熟，也都是为了咱大清江山早日中兴，恢复先祖的荣耀，谁多累一点不是理所当然。只要姐姐相信妹妹，我就是再苦再累也心甘，这么多年的苦都吃过了，眼看敖到尽头，再苦几年又有何妨？"

"姐姐还有一事请教妹妹？"慈安又说道。

"姐姐怎么说起客气话来，这'请教'二字可让妹妹吃罪不起，有什么话姐姐不妨直说，妹妹知无不言，言无不尽。"

"妹妹对于重新修复圆明园的事还有什么看法？"

慈禧会意，心里想道：如今能够重新掌握大权，赶我走我还不走呢？这修复圆明园本来是为了补偿大权失落后的空虚之心，既然重新执掌了大权，修不修也无关紧要。于是，说道：

"妹妹当初提出重修圆明园只是想在这天下太平之际补偿先皇的遗憾，既然众朝臣一致反对，也就算了吧，让皇上下令停工，取消这个决定就是。"

慈安原以为慈禧会不同意停工呢，谁知她说得如此干脆，也十分高兴。姐妹两人来到养心殿，同治正为自己处置了一批对自己不恭不敬的老大臣而暗自高兴呢！猛然听到梁吉庆奏报，两宫太后来到，他急忙出殿迎接。

礼毕，同治装作不知地问道：

"两位母后不在后宫颐养天年，今日怎么突然到此，不知两位母后有何指教？莫非儿臣有什么做得不妥吗？"

慈禧一听这话，气得猛然站起来说道：

"皇上也太不知天高地厚了，刚刚亲政不到一年，就如此骄妄，随心所欲，想提升谁就提升谁，想把谁治罪就把谁治罪，未免太过份了吧？有失君王之道！行为偏狭，做事欠思考，不合帝德，理应加强帝德潜修，须重新回弘德殿上书房接受师傅教诲。"

慈安见慈禧话说得太重，怕同治一时承受不了，急忙打圆场说：

"皇上如此年幼，刚开始独立执政，一定要和德高望重的老大臣处理好君臣关系，万万不可意气用事。虽然皇上有生杀予夺之大权，也不可随便滥用，处罚提升必须讲究一个'理'字，无功不赏，无过不罚，这才叫赏罚分明，群臣才会臣服。如果皇上事事不能主持公道，完全按照自己的一己私念办事，要军机、六部、三殿三阁做什么，众臣叛离，皇上岂不成为真正的孤家寡人啦。奕䜣、奕谟等人都是你皇叔，曾为大清江山立过大功之人，他们都是你皇祖封定的王衔，岂是你一个小辈一句话就革除的。文祥、李鸿藻、宝鋆都是三朝元老，怎能说免职就免职呢？特别是李鸿藻还是你十多年的师傅，应该尊重。"

慈安见皇上脸红了，也低下了头，知道认错了，也不再说什么。

同治听完慈安太后这一番话确实认识到自己做事太冲动了，他抬起头看着慈安太后问道：

"儿臣已经发出两道袜谕，两位母后也一定听说，不知这事如何挽回，请母后明示？"

慈安说道："人非圣人，熟能无过，知错能改则为君子也。皇上能够很快认识到自己的过错已经是难得了，这事也没有酿成什么大错，再发一道圣谕撤销先前发出的两道圣谕就是。"

慈禧为了达到惩治奕䜣取悦儿子的目的，又急忙说道：

"皇上既然发了两道圣谕，如果完全撤除也有失皇上的体面。这事是由恭亲王顶撞皇上所引起的，理当给皇上一个面子，警惩一下恭亲王也是应该的。"

"以妹妹之见如何警惩恭亲王呢?"慈安问道。

"加恩改为革去亲王世袭罔替降为郡王，仍在军机行走，并裁其子载澂贝勒郡王衔，等过了两个月再为恭王与载澂恢复王衔，姐姐以为如何?"

慈安不好再说什么，点点头说道：

"就以妹妹之意办吧。"

同治皇上重新发布硃谕：

传谕在廷诸王大臣等，撤销八月初一日晨所发两道圣谕，恢复十位王大臣所裁职务。唯恭亲王每逢召对时，语言之间，诸多失礼，著加恩改为革去亲王世袭罔替，降为郡王，仍在军机大臣上行走，并将载澂革去贝勒郡王衔，以示惩儆。特谕。

发过谕旨之后，两宫太后又传旨召集各亲王、郡王、贝勒、军机大臣、大学、六部、九卿等文武大臣到养心殿商定训政之事。众人知道这是两宫太后意旨，谁也不说一句反对话，更何况皇上亲政一年多的所做所为确实暴露出许多不足之处，特别是一日之内连发两道谕旨裁撤十位亲贵重臣的做法更令满朝文武觉得皇上年幼无知，独立执政的时机尚未成熟。

同治皇上见文武大臣一致赞同太后训政，也不好再说什么反对的话，也只好表示同意。于是，又一道硃谕发出：

朕自去岁正月二十六日亲政以来，察纳雅言，以振朝纲，勤于奏对，欲扬国威。唯觉年幼，体不量力，恐思之偏狭而负众望。恭请两宫太后训政，辅朕中兴大统。朕谨尊太后训诲，倍勤励精，早成圣德。特谕。

谕旨一下发，训政开始，乐的是慈禧，恼的是同治。同治满心欢喜亲临朝政执掌大权，摆脱两宫太后干涉，自己实实在在地做几件轰轰烈烈的大事，从而振兴朝纲，恢复到康乾盛世的荣耀。谁知这满怀的希望化为乌有。名义上是训政，而实际上是做太上皇，大大小小的事没有太后点头一律做不成。慈安太后还好一点，偶尔垂问一下也不放在心上，而慈禧太后就不同了，牢牢把儿子控制在自己权力的掌心中，甚至对儿子所宠幸哪位妃嫔也横加干涉。

同治在权力上得不到满足，虽为人君却不能施展兼济天下的理想抱负，转回来投入到个人的感情生活之中，希望从后妃们的天伦之中寻找到人生的慰籍。可是，同治的几位后妃并没有给同治带来他所渴望那种的欢乐，他最钟情的皇后阿鲁特氏处处以后妃之德为金科玉律，力争做一位合格国母，忽视了做一名合格妻子的标准，从而忽落了对皇帝丈夫的爱。同治在皇室大家庭寻找不到的东西却在烟花柳巷中寻找到了，这不能不是一种天大的讽刺。

也许在同治帝在新婚的龙凤榻上他就同床异梦了，可能是家花不如野花香吧。同治在失去权力后很快成为"天地一家春"的座上客，玉娘成为他的红颜知己，这真是：

　　　云鬟花颜金作摇，
　　　芙蓉帐暖度春宵。

　　春宵苦短日高起，

　　从此君王不早朝。

　　同治帝身上本来就潜伏着一种病，御医沈宝田还没来得及给他治除根，就因为知道得太多，而命丧黄泉。同治醉心风花雪月，流连秦楼楚馆，在眉挑目逗，浅透轻颦的温柔香里没有多久，就因纵情过度触发了那孩提时代潜伏的病症，再加上沈宝田一死，无人能看透病因，同治帝终于躺在病榻上，一天不日一天。

　　此时，慈禧太后有说不出的后悔与悔恨，是后悔自己当初听信那西藏喇嘛桑巴特的欺骗，还是后悔自己派安德海杀了沈宝田？只是慈禧自己知道。慈禧后悔之余表现地是恼怒，她把所有的责任都推到同治的几位侍从太监和皇后阿鲁特氏身上。一怒之下杀了几十个太监，重惩了几位内务府大臣，把皇后阿鲁特氏也打入冷宫。

　　可是，无论慈禧怎样重惩他人，都无法挽救儿子的命。

　　同治十三年十二月初五（1875 年 1 月 12 日），同治帝在一声撕心裂肺的嗥叫声中，于紫禁城养心殿东暖阁驾崩。几位看护同治皇上的御医对同治的病众说不一，有的说是天花，有的说是梅毒，也有的说是疥疮，只有慈禧太后最清楚，儿子得的什么病。可她是哑巴吃黄莲，有苦说不出口。

　　是年，同治帝载淳终年十九岁，在位十三年，庙号清穆宗。谥号毅皇帝，是大清国第十位皇帝。

　　这真是：阴阳造化暗天机，

　　　　　　盛衰中兴本无意。

　　　　　　帝子不来花已落，

　　　　　　红颜黄土魂归西。

就在同治帝溘然辞世的那天晚上，山东茌平一座庙宇里空云大师和他的弟子心诚和尚（张禹爵）召集一帮青年男女举起反清的大旗，女人称为"红灯照"，男人叫作"义和团"。